CHARLES LE TÉMÉRAIRE

PARTI POUR LA GLOIRE

L'enfirouapé, roman, Éditions La Presse, 1974.
    Prix France-Québec, 1975.

Le matou, roman, Éditions Québec Amérique, 1981.
    Prix de la Ville de Montréal, 1982.
    Prix du livre d'été, Cannes, 1982.
    Prix des Lycéens du Conseil régional de l'Île-de-France, Paris, 1992.

Du sommet d'un arbre, récits, Éditions Québec Amérique, 1986.

L'avenir du français au Québec, en collaboration, Éditions Québec Amérique, 1987.

Juliette Pomerleau, roman, Éditions Québec Amérique, 1989.
    Prix du Grand Public du Salon du livre de Montréal – La Presse, 1989.
    Prix Jean-Giono, 1990.
    Grand Prix littéraire des lectrices de *Elle*, 1990.
    Prix des Arts Maximilien-Boucher, 1990.

Une histoire à faire japper, roman, Québec Amérique Jeunesse, 1991.

Antoine et Alfred, roman, Québec Amérique Jeunesse, 1992.

Le prix, livret de l'opéra de Jacques Hétu, Productions Le Prix, 1993.

Entretiens sur la passion de lire, avec Henri Tranquille, Éditions Québec Amérique, 1993.

Le second violon, roman, Éditions Québec Amérique, 1996.

Alfred sauve Antoine, roman, Québec Amérique Jeunesse, 1996.

Alfred et la lune cassée, roman, Québec Amérique Jeunesse, 1997.

Les émois d'un marchand de café, roman, Éditions Québec Amérique, 1999.
    Prix du Grand Public du Salon du livre de Montréal – La Presse, 2000.

Une nuit à l'hôtel, nouvelles, Éditions Québec Amérique, 2001.
Charles le téméraire. Un temps de chien, roman, Éditions Fides, 2004.
Charles le téméraire. Un saut dans le vide, roman, Éditions Fides, 2005.

YVES BEAUCHEMIN

CHARLES LE TÉMÉRAIRE

***

Parti pour la gloire

ROMAN

FIDES

L'auteur tient à remercier pour leur aide généreuse et leurs précieux
conseils Antoine Del Busso, Georges Aubin, Jean Dorion,
Claude Gingras, critique musical à *La Presse*,
Michel Maillé, Diane Martin, Luc Perreault,
Viviane St-Onge, Michel Therrien, Paul Vanasse,
les députées Nicole Loiselle et Cécile Vermette,
ainsi que le *très* infatigable Michel Gay.

L'auteur tient à remercier pour son aide financière la
Société de développement des arts et de la culture de Longueuil.

SODAC

SOCIÉTÉ DE DÉVELOPPEMENT
DES ARTS ET DE LA CULTURE DE
LONGUEUIL

Des informations concernant certains événements réels, faits divers et lieux décrits dans ce roman
proviennent des sources suivantes : p. 50, 3ᵉ par. : *Journal de Montréal*, 15 mai 2003 ; p. 60 et ss, la
description du bureau de P. Péladeau, de même que, p. 389, les détails du récit de sa mort sont inspirés de *Pierre Péladeau, cet inconnu*, de Bernard Bujold, Trait d'union, Montréal, 2003 ;
p. 107-108 : les passages cités sont extraits d'une brochure publiée c. 2002 par la Mission charismatique
internationale Canada, Montréal ; p. 139, 6ᵉ par. : « Le camp du Non a-t-il volé le référendum de 1995 ? »,
de Pierre O'Neill, *Le Devoir*, 8 nov. 1999 ; p. 156 : la publicité électorale, partiellement modifiée, provient
d'un hebdomadaire de Joliette ; p. 243, 2ᵉ et 3ᵉ par. : « Les leçons d'un déluge », d'Isabelle Hachey, *Québec
1998*, Fides, Montréal ; p. 391 et ss, la description du verglas de 1998 est inspirée par « Le grand verglas »,
de Louis-Gilles Francœur, *Québec 1999*, Fides, Montréal.

Catalogage avant publication de Bibliothèque et Archives Canada

Beauchemin, Yves, 1941-

Charles le téméraire : roman

Sommaire :
[t. 1.] Un temps de chien
[t. 2] Un saut dans le vide
[t. 3] Parti pour la gloire.

ISBN 2-7621-2653-3 (br.)
ISBN 2-7621-2654-1 (rel.)

I. Titre.

PS8553.E172C52 2004   C843'.54   C2004-941455-0
PS9553.E172C52 2004

Dépôt légal : 1ᵉ trimestre 2006

Bibliothèque nationale du Québec

Les Éditions Fides remercient de leur soutien financier le ministère du Patrimoine
canadien, le Conseil des Arts du Canada et la Société de développement
des entreprises culturelles du Québec (SODEC).
Les Éditions Fides bénéficient du Programme de crédit d'impôt pour l'édition
de livres du Gouvernement du Québec, géré par la SODEC.

IMPRIMÉ AU CANADA EN AVRIL 2006

À mon fils Alexis

1

— Et alors?

— Alors quoi?

Penché au-dessus de Charles, les mains appuyées à plat sur son bureau, Bernard Délicieux fixait le jeune homme avec un sourire narquois. Charles, la tête levée vers le potineur, plissa les lèvres d'agacement.

— Tu sais bien de quoi je veux parler, reprit Délicieux.

— Si je le savais, je l'ai oublié.

— Allons, allons, ne joue pas au finfin avec moi. Tu n'avais pas un rendez-vous hier soir?

— J'en avais un.

— Et alors?

— Alors, ça ne te regarde pas.

— *O mamma mia!* Doux Seigneur de doux Jésus! Môssieur se formalise de ce qu'on s'intéresse à ses petits projets professionnels! Môssieur s'entoure de secret diplomatique! Se-cu-zez-moi!

— Bernard, je t'en prie, va-t'en, tu me déranges. Ça fait une demi-heure que je me casse la tête pour trouver une intro à mon article, je n'ai vraiment pas besoin que quelqu'un vienne me mettre les doigts dans le nez.

Il n'y avait que trois autres journalistes ce matin-là dans la salle de rédaction de *Vie d'artiste* et tous les trois avaient la tête tournée vers les deux chuchoteurs. Paul Gutaple, l'Alsacien spécialisé en sciences occultes, les observait avec un grand sourire; Marie Landormy, chargée de la chronique mode, leur faisait signe d'aller se quereller dehors; quant à Thomas Letellier, la jeune recrue du journal, soucieux d'être dans le ton, il s'était composé, après un bref regard aux deux premiers, une attitude qui exprimait à la fois l'amusement et l'impatience.

Se sachant observé, Bernard Délicieux jugea qu'il ne pouvait décemment répondre tout de suite à l'invitation de Charles d'aller se faire voir.

— Donc, reprit-il, si j'en juge par ta mauvaise humeur, ça ne marche pas à *La Presse*?

Charles poussa un soupir excédé, puis leva les yeux au plafond.

— Non, répondit-il enfin à voix basse. Pas de place. On ne peut même pas m'offrir une collaboration spéciale.

— Dommage, répondit Délicieux, sincèrement peiné. Pourtant, ça s'annonçait bien.

— Oui, mais le vent a tourné. Tout d'un coup. Et Perreault ne comprend pas plus que moi.

Le mois d'avant, chez le disquaire Archambault, Charles avait rencontré par hasard Luc Perreault, le critique de cinéma de *La Presse*. Ils avaient fraternisé en échangeant des renseignements sur des nouveautés parues chez Naxos, l'étiquette qui était en train de révolutionner le marché du disque et dont tous deux étaient des inconditionnels. Puis, la solidarité journalistique aidant, ils étaient allés prendre un café à deux pas, rue Saint-Denis, et Perreault, le faisant profiter de son laissez-passer, l'avait ensuite invité au cinéma. Charles avait trouvé la soirée fort agréable.

Quelques jours plus tard, préparant un papier sur la jeune comédienne noire Olga Mandarine, il avait téléphoné au critique pour un renseignement. Perreault s'était donné du mal pour le lui fournir. Et c'est pendant un de leurs échanges téléphoniques qu'il avait annoncé à Charles qu'un poste de journaliste pigiste allait s'ouvrir à la section Arts et Spectacles; le critique lui avait demandé s'il avait envie de postuler.

— Tu parles! avait-il répondu, enthousiasmé.

Avaient alors suivi deux semaines fiévreuses de préparation de curriculum vitae, de manœuvres, de conciliabules, de rencontres avec des personnes influentes, d'hypothèses, d'analyses et de déductions, d'espoirs et de doutes sans cesse renaissants, d'insomnies, de trépidation et de fatigue écrasante.

Ce poste à *La Presse* soulevait une ardente convoitise en Charles, car il se situait dans la trajectoire montante que le jeune homme avait juré de donner désormais à sa vie. De pigiste, il pourrait devenir un jour permanent et ensuite... ensuite il saurait bien montrer à tous de quoi il était capable !

— Je crois vraiment que t'as de bonnes chances, lui avait assuré Perreault deux jours plus tôt.

Charles avait eu son fameux sourire :

— Si jamais on m'accepte, je t'achète une Lexus !

— Ah bon... Je me serais attendu à quelque chose d'un peu plus luxueux.

Mais voilà. La veille au soir, dans un restaurant, Luc Perreault lui avait annoncé que son chien était mort : un journaliste quadragénaire du *Quotidien* de Chicoutimi, récemment établi à Montréal, venait de lui damer le pion. Ce serait pour la prochaine fois.

Charles avait apprécié la délicatesse de son nouveau copain d'avoir pris la peine de se déplacer pour lui annoncer la mauvaise nouvelle de vive voix, mais ce baume calmait bien peu sa douleur. Deux semaines d'espoirs et d'angoisses, c'était décidément trop long.

Charles venait de tout raconter d'une traite au vieux potineur, et d'un air si abattu que Marie Landormy n'avait osé leur répéter de se taire ou d'aller conciliabuler ailleurs.

Délicieux, consterné, se dandinait devant le bureau de son ami, les mains dans les poches, ne sachant quoi dire.

Soudain, il eut un soubresaut et son visage s'éclaira :

— Écoute, Charlot, ne te décourage pas, je viens d'avoir une idée. Laisse-moi une ou deux semaines, et j'aurai peut-être un projet à te proposer qui va faire de toi une vedette !

2

Le 8 août 1992, le père de Blonblon mourut au terme d'une maladie qui l'avait tenu dans ses griffes pendant vingt-cinq ans. Malgré l'issue depuis longtemps prévisible, son fils en ressentit un chagrin affreux. Au salon funéraire, il se jeta devant tout le monde dans les bras de Charles et pleura comme un enfant, tandis que ce dernier, tout rouge, lui faisait des caresses maladroites.

C'était la première fois qu'il voyait son ami dans un pareil état. Toujours empressé de soulager la douleur des autres, Blonblon se révélait impuissant devant la sienne. Malgré ce qu'on avait pu croire, se dit Charles, le pauvre garçon était fait de la même pâte que tout le monde.

Dans les mois qui suivraient, Blonblon lui apporterait d'autres preuves qu'il partageait la fragilité commune.

Depuis leurs retrouvailles, Steve et Charles se voyaient à raison de deux ou trois fois par mois, et souvent à la boutique de Blonblon, d'où ils partaient tous les trois après la fermeture pour aller prendre une bière dans le coin. Leur amitié, en partie grâce aux efforts de Blonblon, s'était ressoudée sans trop de mal, même si Charles n'avait pas retrouvé toute sa confiance en son vieux copain. Signe éloquent d'un restant de malaise : jamais il n'était question de Céline entre eux.

Charles vivait toujours en célibataire et devait se contenter de médiocres aventures. Steve l'incitait à fréquenter comme lui deux ou trois femmes à la fois, à cause des bienfaits de tous ordres que cela apportait. Mais, vers la fin de l'été, il annonça à ses amis un grand changement dans sa vie : il venait de balancer une de ses deux blondes pour se concentrer sur la plus jolie, qui était en même temps la plus intelligente ; il en était devenu très amoureux ; Charles et Blonblon la connaissaient à peine, pour ne l'avoir rencontrée que deux ou trois fois. Isabel l'avait trouvée un peu simplette, mais lui avait fait bon accueil, comme elle le faisait à tout le monde.

Monique était une brave fille, en lutte permanente contre l'obésité, qui travaillait comme secrétaire chez un fournisseur d'appareils électriques. Joyeuse, serviable et d'agréable compagnie, elle était merveilleusement accordée au caractère folichon de Steve, mais tellement passionnée d'astrologie que la moindre manifestation de scepticisme sur cette prétendue science la mettait en colère; son ami en avait fait l'expérience à quelques reprises et observait depuis lors un silence prudent lorsqu'on abordait le sujet en sa présence. Deux semaines environ après le décès de monsieur Leblond, il annonça à Charles et à Blonblon un projet que ces derniers trouvèrent farfelu.

Monique et lui avaient décidé de faire un voyage de noces *prénuptial* d'un genre inusité. Ils allaient partir aux États-Unis dans un bazou en phase terminale que Steve avait acheté quelques mois plus tôt et lui fouetter la tôle jusqu'à son dernier soupir. Là où il rendrait l'âme, ils feraient leur premier enfant. La vieille auto montra une résistance étonnante et ne s'immobilisa pour de bon que devant une maison de ferme à une cinquantaine de kilomètres de Santa Fe, capitale du Nouveau-Mexique. Steve, qui savait un peu d'anglais, et Monique, qui avait appris quelques mots d'espagnol dans un cours chez Berlitz, réussirent, à force de sourires, de simagrées et d'obstination, à persuader un vieil homme tout sec, coiffé d'un immense chapeau de paille ébouriffé, de leur louer une petite chambre crasseuse à l'étage et de leur servir des repas, moyennant vingt dollars par jour. Le marché conclu, ils montèrent aussitôt et se mirent à l'œuvre.

À leur retour, trois semaines plus tard, un test confirma la grossesse de Monique. Steve voulut offrir des cigares à tout le monde, mais Charles, alarmé, lui expliqua que cela risquait de porter malheur, la coutume voulant qu'on ne les donne qu'après la naissance de l'enfant.

— J'espère que ça va être un gars, ne cessait de répéter Steve. Si c'est une fille, eh bien... je deviendrai le père d'une fille ! ajoutait-il avec un sain réalisme.

Il avait augmenté sa cadence de travaux ménagers, non seulement parce que ses vacances avaient mis son portefeuille à sec, mais aussi parce qu'il avait promis à Monique qu'ils s'installeraient dans un bel appartement du Plateau, quartier qui, dans sa famille, passait pour presque chic.

◆

À force d'acharnement, Blonblon était parvenu à tirer son commerce de la gluante misère dans laquelle il s'enfonçait doucement. Ce n'était pas encore la prospérité, mais elle était en vue. Grâce à Isabel – qui avait autant de goût que d'énergie –, la boutique avait maintenant pas mal de gueule. Le plancher de bois verni, les boiseries cirées, les murs bleu pâle, les fenêtres ornées de rideaux de mousseline blanche et quelques pots de fleurs placés ici et là avaient définitivement enterré dans l'esprit des gens le souvenir du petit atelier sombre et graisseux où l'on réparait des bicyclettes. La découverte d'un plancher de bois franc caché sous un revêtement de contreplaqué et trois couches de linoléum avait apporté une grande joie à Blonblon, qui en avait oublié la bursite à l'épaule qu'il avait récoltée de son travail de forçat.

Les lieux donnaient maintenant une impression de propreté coquette, de modestie avenante. Ici, on ne pouvait se faire rouler, semblaient-ils dire, car le patron ne cherchait qu'un profit raisonnable. Ici régnaient la bonne humeur et l'amour du travail fignolé. On n'en était pas naïf pour autant et les passeurs de sapin se le faisaient dire poliment. La maison n'acceptait pas les cartes de crédit, à cause des frais qu'elles entraînaient ; un léger acompte permettait cependant une mise de côté.

La marchandise était de bonne qualité, mais il n'y avait pas de pièces rares. Qui, dans le quartier, aurait eu les moyens de les acheter? Armoires, commodes, tables et chaises, mobilier de chambre à coucher, bureaux, parfois un secrétaire ou une bibliothèque à caissons, et une foule d'objets qui tenaient davantage du marché aux puces que de la boutique d'antiquités, tout était solide, en bon état et de bon goût – ou du moins curieux et amusant. Certains de ces objets étaient arrivés à Blonblon dans un état voisin de l'agonie. Il les avait sauvés du dépotoir et ramenés à une vie utile, leur permettant de continuer à témoigner de l'époque plus ou moins lointaine qui leur avait donné naissance. Cela dit, la plus grande partie des revenus de la boutique provenait de la réparation d'appareils et d'objets de toutes sortes. Voilà longtemps que Blonblon y était passé maître.

Le bruit s'était répandu que La Vieille Armoire achetait à bon prix et ne vendait pas trop cher. La clientèle grossissait peu à peu et demeurait fidèle. Les célébrations du 350e anniversaire de la fondation de Montréal, qui s'étaient faites en grande pompe, semblaient avoir stimulé chez certains un intérêt pour les antiquités. Henri était venu se meubler à la boutique; Blonblon lui avait réservé quelques belles pièces. Son mariage avec Fleurette, une grassouillette coiffeuse dont la voix affectait une suave douceur, devait survenir après une période indéfinie de vie en commun; cela n'était pas trop au goût de Fernand, demeuré sur ce point assez conservateur; mais il ne disait mot et essayait de se plier de son mieux aux changements de mœurs qui transformaient le Québec de son enfance.

— Au moins, disait-il pour se consoler, les curés restent dans leur presbytère à présent au lieu de mettre leur nez dans nos affaires.

Blonblon, malgré ses semaines de soixante heures, demeurait souriant et toujours prêt à s'amuser quand l'occasion se présentait. Quand son travail d'infirmière le lui permettait, Isabel lui prêtait main-forte les jeudis et vendredis soir et le samedi dans la journée.

Lorsqu'elle était à la boutique, le chiffre d'affaires avait tendance à grimper. Elle adorait les gens et s'était vite révélée une habile vendeuse (son ami affirmait qu'elle aurait pu également faire une redoutable avocate); une de ses stratégies les plus efficaces, quoique vieille comme la terre, consistait à laisser entendre à un client avec une feinte indifférence que l'objet qui avait attiré son attention en avait intéressé plus d'un depuis quelques jours. Quand il s'agit d'antiquités, il faut savoir, bien sûr, sauter sur les occasions.

Au grand agacement d'Isabel, Blonblon continuait d'habiter chez sa mère; il venait d'acheter une camionnette d'occasion pour le transport des meubles, et les mensualités grevaient parfois son budget. Isabel le taquinait en le traitant d'adolescent attardé, perdu entre ciel et terre, insouciant de la vie qui passait. Elle-même résidait encore chez ses parents dans l'attente du jour où elle pourrait se mettre en ménage; elle aurait pu louer un appartement, mais son ami refusait d'y habiter sans assumer la moitié du loyer.

— Patience, ma belle, lui disait-il avec un sourire désarmant, on va finir par l'avoir, notre petit nid. Donne-moi juste un peu de temps encore pour amasser du grain.

En attendant, ils devaient se contenter pour leurs ébats amoureux d'une méchante couchette installée dans l'arrière-boutique où Blonblon réparait des meubles.

Depuis l'ouverture de La Vieille Armoire, Charles avait cru remarquer chez Isabel une lassitude grandissante, qui s'exprimait parfois par des sautes d'humeur ou des remarques acerbes, chose plutôt étonnante chez une femme au caractère jusque-là généralement facile. Tout à ses affaires, Blonblon attribuait ce changement de comportement à la fatigue – après tout, son métier d'infirmière lui demandait beaucoup d'efforts – et il ne s'inquiétait pas outre mesure.

◆

Les semaines passaient. Le soir du 16 octobre 1992, Charles se coucha tard après avoir écouté une émission spéciale à la radio, car il était affamé de nouvelles fraîches.

On était en pleine campagne référendaire sur l'Accord constitutionnel de Charlottetown, qui visait à réparer le désastre de l'Accord du lac Meech de 1990. Un scandale avait éclaté dans la journée, semant la stupeur au Québec et dans tout le Canada.

The Globe and Mail venait, ce matin-là, de publier la transcription d'une conversation téléphonique entre deux conseillers du premier ministre Robert Bourassa ; ils déploraient le comportement minable de leur patron dans les négociations de l'accord qu'on allait soumettre au peuple. De reculades honteuses en concessions innommables, Bourassa avait négocié à plat ventre. « En tout cas, on s'est écrasé, c'est tout », avait déclaré l'un des conseillers, et le mot, répété partout, était en train de ravager la stratégie patiemment élaborée par le rusé politicien. Bourassa avait donné un point de presse dans l'après-midi. Le sourire crispé, le regard blanc, il paraissait plus mince et falot que jamais, et faisait penser à un renard qui serait arrivé face à face avec une poule géante dans une basse-cour.

À minuit et demi, tombant de sommeil, Charles décida de se coucher, se promettant d'aller chercher les journaux à la première heure.

Il venait de s'endormir lorsqu'on sonna à la porte.

C'était Blonblon, tremblant, le visage défait.

Isabel venait de le quitter, après lui avoir annoncé qu'elle était tombée amoureuse d'un interne de l'hôpital Notre-Dame.

— Laisse-moi passer la nuit chez toi, implora-t-il. Je ne veux pas que ma mère me voie dans cet état.

Charles, atterré, ne sachant que dire, l'amena au salon. L'autre se laissa choir sur le canapé et se mit à pleurer à gros sanglots :

— Donne-moi à boire! Donne-moi à boire! Il faut que je me soûle, ça fait trop mal!

Après avoir calé une bière comme un ivrogne, il en demanda une deuxième, qu'il but tout aussi rapidement.

— Pourquoi? Mais pourquoi? Ah! la pute! la sale pute!

Charles, éberlué, l'observait en silence. Jamais il ne l'avait entendu parler ainsi.

— Blonblon, calme-toi, je t'en prie, fit-il doucement, elle n'est pas la seule fille sur la terre, voyons, tu finiras bien par t'en trouver une autre.

La banalité de ses consolations le désolait.

— Dis-moi, Charles, demanda Blonblon sans paraître l'avoir entendu, dis-moi: qu'est-ce que j'ai fait pour qu'elle me traite ainsi?

Et il se remit à pleurer.

— C'est à cause de l'argent, je suis sûr que c'est à cause de l'argent, poursuivit-il en répondant à sa propre question. Comment veux-tu que je l'emporte sur... un futur médecin? Il va rouler sur l'or, lui, le chien! Ah!

Recroquevillé sur le canapé, il se tordait les mains. Charles ne se rappelait pas avoir vu qui que ce soit en proie à un chagrin aussi terrible. Une bouffée d'émotion monta en lui et ses yeux se remplirent de larmes:

— Écoute, Blonblon, murmura-t-il au bout d'un moment, si l'argent était aussi important que ça pour elle, mieux valait que tu le saches tout de suite, non?

Encore une fois, ses propos lui parurent d'une insupportable platitude.

— Non, ce n'est pas l'argent, répondit Blonblon, repris par ses doutes torturants, c'est autre chose, mais quoi? Je ne la baisais pas assez souvent? On travaillait comme des fous tous les deux! Ah! si papa était encore là, il saurait m'expliquer, lui...

« Pas moi? » s'étonna Charles intérieurement.

Il sentit une piqûre de jalousie, puis se trouva ignoble.

— Il m'écoutait avec tellement de patience, si tu savais, poursuivit l'autre, un peu calmé à présent et emporté par un accès de nostalgie. Je pouvais lui parler pendant des heures... Il adorait écouter les gens... C'était une de ses occupations... favorites... Et, en plus, il réfléchissait à ce qu'on lui disait... Que veux-tu, il avait le temps!... Mais presque personne ne venait le voir... On n'aime pas fréquenter les infirmes, tu comprends... C'est dommage, Charles, parce qu'il était de bon conseil, ah ça, oui! Il avait toujours le mot juste, il comprenait tout!

Blonblon s'allongea sur le canapé et ferma les yeux. Charles se mit à lui caresser les cheveux. Dommage, se dit-il, qu'on n'ait pas encore inventé de méthode pour transférer la douleur d'une personne à une autre. Il se serait bien chargé, cette nuit-là, de la douleur de son ami; le pauvre paraissait sur le point d'en crever.

— T'aurais pas un peu de rhum, Charlot? murmura Blonblon en levant des yeux embués par les vapeurs de l'ivresse. J'aime bien le rhum, moi...

Il finit par s'endormir. Charles étendit sur lui un édredon et alla se coucher. Durant la nuit, il fut réveillé à deux ou trois reprises par des sanglots. Il pensa d'abord se lever, mais ne le fit pas. Qu'aurait-il pu dire à son ami? Il fallait que sa peine passe d'elle-même. Cela prendrait des mois, peut-être davantage, puis un jour, Blonblon sentirait en lui une espèce de vide bienfaisant, une paix un peu triste mais discrète, presque agréable, et la vie reprendrait comme avant, ou à peu près.

À sept heures trente, le réveille-matin entra dans son habituel état de dislocation contrôlée et Charles s'assit droit dans son lit en prenant une grande inspiration. Pendant un moment, il fixa sans la voir une photo de Balzac épinglée sur la porte, cadeau de Céline, dont il n'arrivait pas à se défaire. Il avait mal à la tête et ses jambes semblaient soudées au lit. La journée serait longue. Puis il se rappela la scène de la nuit et toute sa lourdeur disparut.

Debout devant le canapé, il observa Blonblon en train de dormir. Celui-ci était emmailloté dans son édredon comme l'Enfant Jésus dans la crèche, sauf un bras qui pendait au-dessus du plancher. Son souffle lent et profond et son visage apaisé ne donnaient pas envie de le priver des bienfaits miséricordieux du sommeil.

Charles quitta la pièce, prit sa douche, fit sa toilette, sortit chercher les journaux, les parcourut dans la cuisine pendant une quinzaine de minutes, puis revint au salon :

— Blonblon, fit-il en le secouant doucement, lève-toi, mon vieux. Il est presque huit heures.

L'autre ouvrit les yeux et le fixa pendant quelques secondes, hagard. Une grimace tordit son visage :

— Non, murmura-t-il dans un souffle. Je veux dormir. Je suis trop fatigué.

— Il faut aller travailler, Blonblon. Comme chaque jour.

L'autre parut réfléchir un moment, les sourcils froncés, puis d'une voix assez forte :

— Non. Je ferme boutique. Ça ne vaut plus la peine.

Alors Charles rougit, arracha l'édredon et tira si violemment son ami du canapé que ce dernier tomba sur le plancher :

— Allez, debout, braillard ! Je vais aller faire du café. En attendant, tu devrais prendre une douche.

— Tu es dur, se plaignit Blonblon d'une voix larmoyante.

— Dureté d'ami. Plus tard, tu me remercieras. Au cas où tu ne t'en souviendrais pas, la salle de bains est au bout du corridor, deuxième porte à gauche.

Blonblon se leva avec force soupirs et s'y rendit, la tête basse, titubant de fatigue. Il prit une douche interminable, qui transforma la pièce en bain turc, puis alla rejoindre Charles à la cuisine et s'affala sur une chaise, morne, les bras croisés, refusant café et nourriture. Charles n'insista pas, trop heureux d'avoir réussi à le faire lever.

— Oublie ta camionnette ce matin, on prend un taxi, annonça-t-il. Je vais te déposer à la boutique, puis je file au journal.

— Je ne veux pas travailler.

Charles donna un coup de poing sur la table :

— Il faut que tu travailles, tabarnac! T'imagines-tu être le premier homme sur terre à vivre une peine d'amour? Tout le monde a des peines d'amour. J'en ai eu, tu en as, nous en aurons. Cesse de faire la guenille et prends-toi en main. Bientôt, ce sera un souvenir.

— Mais pourquoi? pourquoi? balbutia Blonblon, qui se remit à pleurer.

Charles se leva et, debout derrière lui, posa les mains sur ses épaules et les serra doucement :

— C'est comme ça, Blonblon, que veux-tu? On n'y peut rien.

Pendant le trajet en taxi, Blonblon n'ouvrit pas la bouche. Affalé dans un coin, il fixait la rue, le regard traversé à certains moments par un éclair de haine. Le chauffeur, intrigué, jetait de temps à autre un coup d'œil dans son rétroviseur. Querelle d'amoureux? Lendemain de *party* de drogue? Allez donc savoir!

Charles, ce matin-là, eut bien du mal à démarrer son article.

— Soucis? demanda Bernard Délicieux, à qui rien n'échappait.

— En tout cas, pas pour ma blonde, parce que je n'en ai pas.

— Alors pour qui?

— Un ami, Bernard, un ami. Tu ne le connais pas. Et il n'est pas connu. Tu ne pourrais rien tirer de ce que je te raconterais.

— Ho! ho! fit le journaliste offusqué, môssieur a les nerfs fragiles ce matin... Comme si c'était un péché de s'intéresser aux autres.

Et il s'éloigna avec un haussement d'épaules.

◈

Pendant l'heure du midi, Charles se rendit à La Vieille Armoire pour voir comment allait son ami. Il le trouva avec un teint de navet et le sourire forcé, en compagnie d'un jeune couple intéressé par une causeuse. Lorsque Blonblon aperçut Charles, son visage s'éclaira. Les clients partis, ils se rendirent à un restaurant à quelques portes de la boutique. Mais, encore une fois, il refusa de manger.

— Ça ne passerait pas, que je te dis. Je le vomirais aussitôt. Mais je crois que je vais aller acheter un peu de rhum à la Société des alcools. Ça va me détendre.

— Allons, tu n'es quand même pas pour te lancer dans l'alcool !

— Il faut bien que je me lance dans quelque chose, répondit l'autre tristement.

Vers dix-sept heures, se voyant retenu au journal, Charles téléphona à Steve et lui raconta les déboires amoureux de leur ami.

— Alors, ça ! Alors, ça ! faisait Steve, ahuri. C'est à s'envoyer les gosses par-dessus un moulin ! Oui, bien sûr, je vais aller le rejoindre tout de suite et je passerai la soirée avec lui, promis ! Ah ! c'est vraiment à s'envoyer les gosses par-dessus un moulin !

Et, après avoir répété à quelques reprises cette expression aussi étrange qu'obscure, il se rendit sur-le-champ à La Vieille Armoire, que Blonblon s'apprêtait à quitter, et l'emmena chez lui pour regarder la télé. Vers vingt et une heures, la mère de Steve, à force d'insistance et de câlineries, réussit à convaincre Blonblon d'avaler une demi-portion de pâté chinois.

3

Le 26 octobre, Bernard Délicieux invita chez lui plusieurs amis et collègues pour assister à la télédiffusion des résultats du référendum sur l'Accord de Charlottetown ; Charles faisait partie du nombre. Les sondages prédisaient un échec pour le gouvernement Mulroney ; sa tentative de réconciliation du Québec avec le Canada après le coup de force constitutionnel de Trudeau en 1982 était mal vue des deux côtés de la barricade : la majorité des Québécois considéraient les termes de l'accord comme mesquins et humiliants, alors que la majorité des Canadiens les jugeaient trop généreux pour le Québec.

Tandis que le spectacle du naufrage soulevait au salon les rires et les sarcasmes, Délicieux faisait circuler les boissons et allait de temps à autre jeter un coup d'œil à la cuisine où un traiteur mettait la dernière main au buffet qu'on devait servir à dix heures. Il aimait recevoir et le faisait avec une prodigalité et un souci du raffinement qui avaient fait dire un jour à un collègue qu'un peu du sang de Louis XIV devait couler dans ses veines.

Le potineur habitait un loft spacieux et confortable, rue de la Commune dans le Vieux-Montréal. Il en était très fier ; sa salle de bains ornée d'une immense reproduction du *Marat assassiné dans sa baignoire* de David produisait toujours un effet puissant. Le bruit courait qu'il avait acquis son loft par une série de combines obscures. Il avait toujours vécu seul et on ne lui connaissait aucune liaison d'aucune sorte avec quiconque, comme si toutes ses pulsions sexuelles avaient été absorbées par sa passion des cancans ; son amour du luxe lui attirait bien des taquineries. « Moi, pour me sentir bien dans ma peau, disait-il souvent, il me faut de l'espace et de la beauté. Les petites pièces laides me compriment la poitrine. »

Sous l'œil narquois de sa collègue Régine Allaire, Charles, affalé dans un canapé, faisait la causette avec la nouvelle réceptionniste du journal, dont les charmes juvéniles semblaient, le vin aidant, exercer sur lui beaucoup d'attrait, lorsque Bernard Délicieux se pencha à son oreille et lui demanda la faveur d'un entretien particulier.

— Attends dix minutes et viens me retrouver dans la chambre à coucher, ajouta-t-il sans paraître avoir conscience de l'ambiguïté de son invitation.

— Et alors? fit Charles, un peu gris, en rejoignant le journaliste. Tu veux me faire une déclaration d'amour ou quoi?

L'autre grimaça devant tant de mauvais goût:

— Je t'en prie, Charles... J'ai à te parler d'une chose sérieuse. Très sérieuse. Une affaire qui va faire de toi une vedette, comme je te l'avais promis l'autre jour. Si jamais ça réussit, tu n'auras plus à présenter de demandes d'emploi, c'est les autres qui vont te courir après. Juré!

Il attendit quelques secondes afin de titiller la curiosité de son interlocuteur, qui semblait quelque peu engourdie, puis:

— Il s'agit de Lola Malo.

— Lola Malo? fit Charles, étonné.

— Elle-même, mon cher. Figure-toi que je viens de dénicher un scoop juteux comme un melon d'eau. Mais, pour l'exploiter au max, j'ai besoin de ton aide.

Le regard de Charles se fit encore plus attentif.

— Tu sais comme tout le monde, poursuivit le journaliste, que depuis trois ans la pauvre enfant travaille comme une folle à tomber enceinte – et sans succès, semble-t-il. Peut-être que son mari est un bande-mou? En tout cas, c'est devenu, comme on dit, son drame existentiel. Elle lécherait les pieds d'un lépreux, je pense, si on la convainquait que ça pourrait lui mettre un polichinelle dans le tiroir.

Or Délicieux, tout à fait par hasard, venait de faire la connaissance du chauffeur privé de la célèbre chanteuse – un homme un peu sauté mais très sympathique, à sa façon; celui-ci avait la quasi-certitude que la belle Lola était enceinte; mais la chanteuse voulait garder la chose secrète encore un certain temps par crainte d'une fausse couche ou de quelque malheur de ce genre.

Pour en avoir le cœur net, il faudrait entrer en contact avec sa femme de chambre (une femme de chambre, comme dans les vieux romans!), qui était également sa confidente. Les charmes restreints de Délicieux rendaient l'entreprise difficile, sinon hasardeuse. Mais pour Charles, bien sûr, ce serait un jeu d'enfant.

— Ah oui? Et comment? Il paraît que, pour pénétrer dans le château de Lola, on doit franchir une grille électrique et se faire fouiller par des gorilles.

— C'est que son mari est un peu parano... mais pas elle, par contre, comme tu as pu le constater.

— Oui, mais elle lui obéit au doigt et à l'œil, Bernard. Quand je l'ai interviewée au restaurant Chez Pierre, il s'est tenu assis à ses côtés. À chacune de mes questions, elle se tournait vers lui et attendait sa permission pour répondre. S'il lui a défendu d'ouvrir le bec sur ce qui se passe dans sa machine à bébés, j'aurais beau lui chanter *Aïda* en japonais, je n'en apprendrais pas plus qu'un autre.

— Voilà pourquoi il faut passer par sa femme de chambre, Charlot. Tu ne piges pas vite, ce soir... As-tu trop bu?

Et il lui expliqua que cette personne, habilement questionnée, pourrait leur révéler des informations précieuses; si elle confirmait les dires du chauffeur, ils auraient là une primeur à tout casser; l'idéal restait, bien sûr, une déclaration de Lola Malo elle-même. Mais, de cela, il ne fallait même pas rêver.

— J'en ai touché un mot tout à l'heure au patron, ajouta Délicieux. Il nous donne carte blanche.

— Et alors, qu'est-ce que tu veux que je fasse? demanda Charles avec un empressement qui fit sourire d'aise son compagnon.

On frappa à la porte. Le buffet allait être servi. Bernard Délicieux retourna au salon et, devant les mines déconfites de messieurs Bourassa et Mulroney dont les plans venaient de s'effondrer, demanda aux invités de passer à table.

◆

Après le fabuleux succès de son disque *Plus haut que le ciel* (*Higher than the sky*), Lola Malo s'était fait construire un château d'un goût plutôt douteux sur une pointe de l'Île-Bizard, au nord-ouest de Montréal. Elle y vivait avec son mari, Simonot Simard, cinq ou six mois par année, entourée de domestiques. Ces derniers habitaient tous au château, dont ils occupaient une aile aussi confortable et spacieuse que possible, car, fille du peuple, la chanteuse n'avait pas renié ses origines et tenait au bien-être de son *p'tit monde*. Ils partageaient donc en quelque sorte son intimité et s'étaient engagés à la défendre jalousement. Aussi ne circulaient-ils à l'extérieur du domaine que par affaire, et le moins souvent possible.

On ne connaissait pas d'amis à la femme de chambre de Lola Malo. Âgée de vingt-deux ans, Caroline Lupien était jolie, de caractère réservé et jouissait d'un statut spécial parmi les domestiques. Ainsi, deux fois par semaine, soit les mardis et jeudis soir, elle avait la permission de rendre visite à sa mère à Montréal ; elle profitait de sa sortie pour aller d'abord dans un centre de conditionnement physique, rue Hochelaga, malgré l'accès que lui avait accordé Simonot Simard au magnifique gymnase que Lola lui avait offert deux ans plus tôt comme cadeau d'anniversaire. Caroline avait expliqué au mari de la chanteuse que de se retrouver avec des inconnus dans un lieu public lui « changeait les idées » et augmentait d'autant plus son plaisir de retourner au château de l'Île-Bizard.

Vers la fin d'octobre, Charles se prit d'un soudain intérêt pour le conditionnement physique et s'inscrivit au même centre que Caroline Lupien. Le programme qu'il choisit était semblable en tous points à celui de la jeune femme. Aussi, par la force des choses, en vinrent-ils à se côtoyer, puis à échanger des sourires et enfin à se dire quelques mots. Redoublant de charme, il constata avec plaisir que la jeune et jolie domestique semblait trouver sa compagnie agréable ; de temps à autre, au moment d'entreprendre un exercice, il lui demandait un conseil, sachant que rien ne met quelqu'un davantage à l'aise que de se savoir supérieur à autrui en quelque domaine.

Un soir, comme ils venaient de terminer ensemble leur entraînement, Charles invita Caroline Lupien à prendre un café au petit casse-croûte du centre. Un peu confuse, elle déclina son invitation, disant que sa mère l'attendait pour souper et qu'elle risquait de s'inquiéter de son retard. Il n'insista pas, se montrant déçu avec un air de gaieté bon enfant, et lui promit qu'il reviendrait bientôt à la charge.

Deux semaines plus tard, elle avait le béguin pour lui et il n'était pas loin de l'avoir pour elle ; c'était une jeune femme toute simple, rêveuse et sentimentale comme une adolescente, complètement imperméable au cynisme et à l'artificialité du milieu dans lequel elle évoluait (ce qui expliquait sans doute l'attachement de Lola Malo à son endroit), et qui aspirait à une vie tranquille, avec trois ou quatre enfants, une belle maison dans un quartier paisible et de longues vacances chaque été au bord de la mer ; bercée par les chansons de Lola Malo, elle attendait le grand amour qui lui apporterait tout cela, sans faire grand-chose pour le susciter.

Un soir, après un repas bien arrosé au restaurant, elle avoua à Charles qu'elle lui avait menti ; elle ne vivait pas chez sa mère et n'était pas à la recherche d'un emploi, mais en avait bien un, et tout un !

Lorsqu'elle lui dit qu'elle était la femme de chambre de la célèbre Lola Malo, Charles se montra surpris, mais sans excès, lui posa quelques questions, puis, après l'avoir félicitée de s'être dégoté un emploi aussi « excitant », changea de sujet. Dès le début, il s'était présenté comme étant Charles Théberge, traducteur à la pige, plutôt à l'aise financièrement mais à la recherche d'un emploi permanent.

Il avait hâte de lui faire l'amour et l'avait invitée à plusieurs reprises chez lui, mais avait essuyé chaque fois un refus. Elle ne se sentait pas prête, disait-elle, ayant subi une grande déception sentimentale l'année d'avant, et craignait la précipitation dans ce genre d'affaire. De plus, ajouta-t-elle d'un air important et mystérieux, une clause dans le contrat qui la liait à Lola Malo l'empêchait de découcher sans permission ; et cette permission était difficile à obtenir. L'exigence était peut-être curieuse, mais on la payait bien et elle tenait à conserver la confiance de la chanteuse, malgré son caractère parfois difficile.

Un soir, cependant, cédant aux pressantes invitations de Charles, elle accepta d'aller chez lui ; il avait soigné le repas et préparé la visite de son amie par un ménage éclair qui avait métamorphosé son appartement, qu'en bon célibataire il avait tendance à négliger. C'est ce soir-là qu'entre deux étreintes elle lui apprit que Lola Malo était enceinte depuis six semaines, mais elle lui fit jurer de ne répéter la chose à personne, car elle-même l'avait promis à Lola.

Après son départ, Charles fit les cent pas dans la cuisine, en proie à une grande perplexité. Il venait d'accomplir sa mission et n'avait qu'à passer un coup de fil à Bernard Délicieux pour fournir à *Vie d'artiste* sa plus grande primeur depuis la fondation du journal. Mais, en agissant ainsi, il perdrait pour toujours l'estime de lui-même. C'était une chose de se montrer fouineur et indiscret, et une autre de trahir la confiance d'une femme qui s'était confiée dans un moment de passion. Que faire ? Le temps pressait : Délicieux le harcelait depuis une semaine et s'apprêtait à lui retirer son mandat pour choisir une autre stratégie.

Il dormit mal cette nuit-là et regretta encore une fois l'absence de Bof, qu'il ne s'était jamais décidé à remplacer. Bof avait une façon de le regarder dans les yeux qui l'avait toujours inspiré. Il n'avait jamais parlé à personne du chagrin que continuait de lui faire ressentir la mort de son chien; il n'y pensait, à vrai dire, que rarement, la refoulant dans son esprit. Mais, cette nuit-là, elle l'empêcha de dormir.

Le lendemain matin, en prenant son café, il eut tout à coup une idée qui ramena sa bonne humeur. S'il était si difficile pour une employée de Lola Malo de découcher, peut-être pouvait-elle assez facilement recevoir quelqu'un au château pour y passer la nuit? Il lui semblait impossible que la déesse pop de l'amour obligeât tout son monde à la continence!

Ce jour-là, il téléphona à Caroline (après beaucoup d'hésitations, elle lui avait laissé son numéro) pour lui confier qu'il avait tellement aimé sa soirée de la veille qu'il rêvait à présent de passer ses nuits avec elle. Ne serait-il pas possible de se faire inviter au château?

Il y eut un silence au bout du fil.

— Je ne crois pas, répondit-elle enfin. Je ne crois pas que Lola accepterait. Simonot, en tout cas, refuserait, ça, c'est sûr.

— Tu ne vis quand même pas dans un monastère, bon sang!

— Non, bien sûr, répondit-elle, embarrassée. Il y a ici deux couples... et puis aussi, parfois...

Charles sentait dans sa voix le tiraillement qui l'agitait; sa proposition l'effrayait tout en lui plaisant beaucoup. Il insista tant et si bien qu'il finit par lui arracher la promesse d'en parler le soir même à sa patronne.

— Sois éloquente, Caroline. Dis-lui que nous sommes amoureux. Elle comprendra.

Le plan de Charles était simple : une fois au château (si on pouvait appeler ainsi cet amalgame biscornu de styles futuriste, gothique et Renaissance), il s'arrangerait pour voir la chanteuse. Lola Malo gardait sûrement un bon souvenir de lui. Leur dernière rencontre remontait à dix mois. Tout au long de l'entrevue, malgré la présence de son casse-pieds de mari, une sorte de charme avait opéré : elle s'était montrée affable, détendue ; il l'avait fait rire plusieurs fois. Bien sûr, elle serait méfiante et peut-être fort ennuyée en le voyant, car elle croirait à un piège. Mais pourquoi Caroline ne pourrait-elle pas avoir d'aventures, elle aussi ? Et pourquoi pas avec lui ? Quelques jours passeraient. Lola s'habituerait à l'idée de sa présence au château, sa suspicion tomberait. Mine de rien, il l'entraînerait alors dans une seconde entrevue, à l'improviste celle-là, sans calculs ni préparation, et il trouverait bien le moyen de lui tirer ce fameux secret, qu'il lui demanderait alors bien humblement de dévoiler au monde. Elle ne saurait refuser, car, d'une certaine façon, elle n'aurait pas le choix et se contenterait sans doute de poser des conditions. Et, ainsi, il obtiendrait sa primeur tout en respectant la promesse qu'il avait faite à son amie !

◆

La journée du lendemain passa, mais il ne reçut aucun appel de Caroline. Délicieux, manifestement déçu de sa performance, lui dit ce jour-là avec un sourire en coin :

— Peut-être qu'après tout, Charlot, il aurait fallu un *sugar daddy* comme moi... Les p'tits jeunes sont fringants, mais hé ! hé !... ils ont souvent les deux pieds dans la même bottine... Je te donne jusqu'à la fin de la semaine. Après, mon beau, on inscrira ton affaire dans la colonne des pertes.

Charles revint chez lui vers dix-neuf heures, le ventre creux, l'humeur morose. Un message de Blonblon l'attendait sur son répondeur, lui demandant de l'appeler. Il fuma deux cigarettes, puis décida de prendre une douche pour se détendre, car il avait envie de mordre.

Il venait d'ouvrir les robinets lorsque le téléphone sonna.

— Tu peux venir, fit la voix de Caroline, toute guillerette. Je vais t'attendre à la grille... Mais j'oubliais : tu n'as pas d'auto.

— Pas grave, je prendrai un taxi.

— Allons, ça va te coûter les yeux de la tête. Quelqu'un ira te chercher. Lola ne regarde pas à la dépense, ajouta-t-elle avec un petit rire.

Elle semblait si heureuse qu'il en ressentit du remords. Dans quelques jours, en constatant qu'elle n'avait été qu'un simple instrument pour un reportage à sensation, elle le haïrait et haïrait sa nuit d'amour. Et pourtant elle aurait tort. C'était avec une joie sincère qu'il allait la rejoindre, car elle lui plaisait vraiment. Il n'y pouvait rien : en plus de lui être utile, elle était mignonne ! Il saurait plaider sa cause et lui montrer que l'amour surgit souvent parmi les intérêts les plus prosaïques. Puis il songea tout à coup qu'elle perdrait sans doute sa place à cause de lui. « Je saurai la défendre, se dit-il. On ne pourra pas l'accuser d'avoir trahi un secret, puisque c'est moi qui l'aurai découvert ! »

Mais il voyait bien que son échafaudage était fragile et que la colère de Lola risquait de tout emporter.

Quarante minutes plus tard, on sonnait à sa porte. Un chauffeur en costume bleu, la couleur favorite de Lola depuis le succès de *Plus haut que le ciel* (*Higher than the sky*), lui annonça avec un petit sourire qu'il se tenait à sa disposition pour le conduire chez madame Malo (sans doute croyait-il qu'elle se préparait à lui faire les honneurs de son lit).

La scène ressemblait à une mauvaise comédie. Charles attrapa son baise-en-ville et le suivit. Au lieu de la limousine qu'il avait imaginée, c'était une Chevrolet bien ordinaire qui l'attendait. L'homme avait dû recevoir une consigne, car il garda le silence pendant tout le trajet, ne répondant que par de petits grognements aux questions de Charles, qui se tut bientôt lui aussi. « Ah ! c'est le gros Délicieux qui va ravaler ses moqueries demain ! » se dit le jeune homme pour se donner du courage, car il avait à présent les extrémités glacées et le dos en sueur.

Ils passèrent la grille électrique, traversèrent un immense parc-jardin tout emmitouflé pour l'hiver, puis Charles descendit devant une guérite d'où surgit un des fameux gorilles qui le fouilla respectueusement mais avec minutie. Pendant ce temps, le jeune homme examinait la façade illuminée du château de Lola, qui lui parut encore plus laid que sur les photos. La coupole d'une sorte de tour ressemblait à une demi-pastèque. C'était hideux.

Il remonta dans l'auto et celle-ci, ayant contourné l'édifice par la droite, le laissa devant une grande véranda brillamment éclairée où s'empilaient quantité de pots de grès vides. Caroline l'attendait devant la porte, le visage rose de plaisir. Le chauffeur jeta un regard déçu à Charles : le cancan qu'il s'apprêtait à répandre parmi ses collègues venait de perdre tout son intérêt.

— Je suis si contente, murmura Caroline. Quelle bonne idée tu as eue ! De moi-même, je n'aurais jamais osé t'inviter.

Elle se pressait contre lui, couvrant son visage de baisers, puis, reculant un peu, le contemplait avec ravissement.

— Viens, fit-elle tout à coup et, le prenant par la main, elle l'entraîna dans un corridor jusqu'à un ascenseur qui les déposa deux étages plus haut. Elle y occupait un quatre-pièces joliment meublé.

— C'est moi qui ai choisi la décoration, lui annonça-t-elle fièrement, et elle l'amenait d'une pièce à l'autre en l'embrassant à tous les trois pas.

— Je dois aller chez Lola à présent. J'en ai pour une demi-heure. Veux-tu regarder la télé ? Il y a de la bière et des jus de fruits au frigidaire. Fais comme chez toi.

Elle fut absente une heure et demie. Charles s'était affalé devant la télévision et ruminait en se mordillant les ongles. De temps à autre, il se levait et allait jeter un coup d'œil à la fenêtre. La noirceur tombée, il ne voyait que son propre reflet dans la vitre, celui d'un minable paparazzi qui utilisait le béguin d'une pauvre fille pour fouiner dans la vie intime d'une vedette pop.

Caroline l'adorait aujourd'hui et le haïrait demain ; il ne pourrait lui donner tort. S'il y avait une ordure dans ce château, c'était lui.

— Lola était taquine ce soir, annonça Caroline, amusée, à son retour. Elle n'arrêtait pas de me poser des questions sur toi et essayait de m'embarrasser, comme si j'étais une petite fille. Heureusement, Simonot est apparu et puis il y a eu un appel d'outre-mer, et à présent je suis toute à toi, acheva-t-elle en se jetant dans ses bras.

Vingt fois, Charles fut sur le point de lui avouer son stratagème, mais vingt fois le journaliste l'emporta sur l'amoureux. Ce tiraillement gâcha un peu sa nuit. Caroline s'aperçut de son malaise et le questionna.

— Ce n'est rien, répondit-il, j'ai un peu mal à la tête. Trop de travail ces derniers temps, je crois.

— Pauvre lapin, laisse-moi te soigner.

Et elle se remit à le caresser de plus belle.

Ce n'est que le lendemain matin, au moment de déjeuner, que l'évidence lui apparut : il ne pourrait aller plus avant dans son enquête sans tout lui dévoiler, car ce n'était que par elle qu'il avait des chances d'atteindre Lola. Il n'allait quand même pas se lancer tout seul dans le château à la recherche de la vedette : dix minutes plus tard, on l'aurait jeté à la porte. C'était stupide de ne pas avoir vidé son sac la veille. Mais la crainte de mettre sa petite amie en colère et de se voir privé d'une nuit d'amour lui avait brouillé l'esprit. Ses couilles l'avaient rendu sot. Il en était à se chercher une entrée en matière lorsqu'on frappa à la porte. Caroline lui lança un regard espiègle et alla ouvrir.

— Dis donc, fit une voix de femme avec un frémissement de rire complice, t'as décidé de me le cacher, ton petit ami, ou quoi ? J'aimerais bien que tu me le présentes, à la fin.

C'était la voix de Lola. Charles poussa un soupir horrifié. Ses hésitations l'avaient perdu. Son enquête allait lui sauter en plein visage !

Caroline réapparut, suivie de la chanteuse en tenue de gymnastique, les paupières ombrées de bleu, ses cheveux blonds enserrés dans un filet, exhibant son corps magnifique avec une sorte de crânerie vulgaire. En apercevant Charles, elle resta figée et le sourire enjôleur qu'elle avait préparé se transforma en une grimace qui lui tordit la bouche en diagonale :

— Mais je vous connais, vous... Vous travaillez à *Vie d'artiste*.

Charles, livide, inclina la tête, prêt au pire.

— Ah bon, poursuivit-elle à voix basse. Je commence à comprendre...

Elle se tourna vers Caroline, devenue livide elle aussi et qui fixait Charles en silence, appuyée contre un mur. Charles se tourna vers elle, et la souffrance qu'il vit dans son regard lui inspira un tel dégoût de lui-même qu'il se jura de quitter ce métier au plus tôt.

— Tu lui as dit ? demanda Lola Malo à sa femme de chambre.

Elle fit signe que oui.

— Mais je lui ai fait promettre de ne le révéler à personne, ajouta-t-elle dans un souffle.

Charles vit dans cette réponse une sortie de secours.

— Et je vais tenir ma promesse, confirma-t-il avec force, même si je travaille à *Vie d'artiste*. D'ailleurs, sans vouloir vous offusquer, je n'étais pas venu pour vous, mais pour elle.

Lola eut une petite moue sceptique qui, l'espace d'une seconde, la fit paraître franchement laide.

— Bon, admit-il, disons que j'étais venu *un peu* pour vous aussi, mais seulement un peu. En fait, pour être franc, si l'occasion s'était présentée, j'aurais aimé vous rencontrer, bien sûr, pour vous demander la permission de parler... euh... de votre grossesse, mais si vous me l'aviez refusée, je vous jure que personne n'en aurait rien su. J'aurais agi ainsi non pas par égard pour vous, ajouta-t-il hardiment, mais pour elle...

Et il eut un geste en direction de Caroline.

— ... parce que je lui ai promis le silence et que c'est une fille bien.

Le compliment ne sembla avoir aucun effet sur la femme de chambre; elle gardait la tête penchée avec une expression d'accablement.

Lola Malo s'approcha de Charles et, les mains sur les hanches, le toisa avec un dédain rempli d'amertume :

— N'essayez pas de me raconter d'histoires, j'en ai vu d'autres, depuis le temps! Vous êtes journaliste, et tous les journalistes sont des menteurs, des profiteurs et des maudits fouineurs, qui ne pensent qu'à mettre le nez dans mes culottes pour se faire la piastre.

La vulgarité de ces paroles décontenança Charles un instant et il songea que celles qui suivaient risquaient d'être une invitation bien peu élégante à décamper. Aussi décida-t-il de prévenir le coup :

— Écoutez, je m'en vais, car je vois bien que je n'aurais jamais dû venir, et je le regrette du fond du cœur, vraiment, je vous assure. Et je vous donne ma parole encore une fois qu'il n'y aura pas une ligne de moi à votre sujet dans le journal.

— Ha! ha! un petit truc un peu trop facile! Vous allez refiler toute votre information à un autre, et le tour sera joué! Me prenez-vous pour une niaiseuse?

— Moi? Vous êtes une des gloires du Québec, madame, répondit Charles avec une gravité religieuse. Un des plus beaux moments de ma vie, c'est l'entrevue que vous avez bien voulu m'accorder au mois de janvier Chez Pierre.

La réplique, lancée avec aplomb, sembla radoucir la chanteuse. Elle leva les bras, rajusta le filet qui enserrait ses cheveux, poussa un soupir et, s'adressant à Caroline :

— Tu m'offres un café?

C'était le signal, semblait-il, que la conversation pouvait se poursuivre autour de la table. Caroline, toujours silencieuse, alla remplir une tasse et la déposa devant les deux autres en train de refroidir dans leur soucoupe. Charles vit qu'il avait marqué un point et résolut de l'exploiter. L'attitude de l'admirateur béat semblait rapporter des dividendes.

Mais Lola Malo avait décidé de faire une pause. Indifférente, semblait-il, au désarroi de sa femme de chambre, elle se mit à la questionner minutieusement sur des produits de maquillage qu'on devait lui livrer dans l'après-midi pour essai, faisant mine d'oublier la présence de Charles, comme pour lui montrer que l'attention qu'elle lui avait portée jusque-là constituait une faveur. Ce dernier sirotait son café dans un silence respectueux. Il n'avait pas encore amassé suffisamment de courage pour regarder de nouveau Caroline dans les yeux, mais se disait que le succès qu'il venait de remporter auprès de la chanteuse avait de bonnes chances de lui obtenir son pardon.

— Et alors, fit Lola Malo en se tournant soudain vers lui, il y a longtemps que vous êtes à *Vie d'artiste*?

— Presque trois ans, madame.

— Vous n'êtes pas encore aussi chameau que ce vieux pourri de Délicieux, mais ça viendra, avec les années!

— Hum... je ne crois pas, parce que je n'ai pas l'intention de faire ce métier encore bien longtemps.

— Ah non? Et pourquoi? Vous ne le trouvez pas excitant?

Charles se mit à rire :

— Oh! les émotions ne manquent pas, mais on est trop souvent placé dans des situations fausses ou désagréables, comme celle de ce matin, et puis c'est un métier cruel... Les sans-cœur s'en accommodent, mais pas moi.

— Parce que vous avez du cœur? se moqua la chanteuse.

— Oui, je crois bien en avoir un peu, répondit gravement Charles. Et je regrette beaucoup d'avoir fait de la peine à Caroline.

Celle-ci lui répondit par un sourire douloureux, l'œil dans le vague ; la chanteuse garda le silence.

Un moment passa.

— C'est Délicieux, hein, qui vous a donné l'idée de venir ici ? Ne dites pas non, ça sent le Délicieux à plein nez.

— Il... il m'a passé la commande, si on veut. Au journal, on ne pense qu'à ce maudit scoop... Le patron, quand on en parle, devient à moitié fou... Quant aux moyens... euh... eh bien, j'ai décidé par moi-même... Mais quand j'ai fait la connaissance de Caroline, tout s'est embrouillé dans ma tête... Finalement, c'est une histoire plutôt lamentable, conclut-il avec un soupir.

Il allongea la main vers celle de Caroline, mais elle la retira précipitamment. Le visage de Lola Malo s'adoucit encore davantage. Elle se sentait à présent face à une affaire de *human interest*, qui lui donnait l'occasion, pour une fois, de sortir de sa pesante carapace de vedette et de montrer qu'elle aussi était une femme normale, capable de compassion et de simplicité. Le rôle de réconciliatrice s'imposa tout à coup à son esprit, la remplissant d'une ivresse attendrie.

— Et si j'acceptais de vous accorder une entrevue sur... ma grossesse, est-ce que vous me *prometteriez* d'écrire un texte... correct ?

Pour toute réponse, Charles lui adressa un sourire extasié. Caroline, sidérée, avait porté la main à sa bouche.

— Et quand je dis correct, insista Lola Malo, enchantée de son effet, je ne blague pas, hein... je veux quelque chose de vraiment respectueux, car il s'agit de notre enfant, à Simonot et à moi, l'enfant que nous avons fait par amour, pour montrer au monde entier l'amour qui nous unit...

Elle s'était arrêtée, la voix étranglée, l'œil humide, et déjà, quelque part dans sa tête, sans qu'elle en ait une conscience claire, venait de se former confusément le concept d'un nouveau disque.

Charles tendit solennellement la main devant lui :

— Madame, je vous apporterai le texte pour approbation avant de le soumettre au journal.

Elle termina sa tasse de café, savourant sa bonne action, tapota affectueusement l'épaule de Caroline, montrant ainsi qu'elle ne lui tenait pas rigueur de son indiscrétion, puis se leva :

— Viens avec moi, ordonna-t-elle à Charles.

Ce brusque passage au tutoiement le surprit et faillit lui amener un sourire. Il salua de la main Caroline, mais elle ne répondit pas à son geste et se mit à desservir la table, perdue, semblait-il, dans de mornes pensées.

« Je l'appellerai en fin d'après-midi, se promit-il. Tout va s'arranger, à présent. »

La chanteuse et lui quittèrent l'appartement, prirent l'ascenseur et descendirent au rez-de-chaussée. Maintenant qu'il se trouvait seul avec elle, Charles se sentait tout intimidé et s'efforçait d'alimenter la conversation en la questionnant sur les lieux qu'ils traversaient ; Lola Malo répondait à peine, se contentant de lui sourire ; c'était une déesse voulant bien se laisser admirer quelques instants par un de ses fidèles dans une sorte de bienveillant caprice.

Elle le précédait de quelques pas, la démarche un peu chaloupée et sautillante, comme si elle allait se mettre à danser (ce qui lui arrivait souvent dans ses spectacles). La bête de scène semblait avoir dévoré la femme, même dans sa vie la plus quotidienne. Faisait-elle l'amour d'une façon aussi théâtrale ? se demanda Charles. Le pauvre Simonot devait parfois se demander si ses orgasmes n'étaient pas des numéros de cirque.

Ils enfilèrent un long corridor ; par des portes entrouvertes, Charles aperçut des pièces de rangement, un petit atelier. De temps à autre, ils croisaient des employés. Lola Malo les saluait par leur prénom, mais les regardait à peine. Ils arrivèrent enfin dans un hall immense où bruissait une fontaine de marbre peuplée d'angelots tenant des vasques ; l'endroit était décoré de palmiers en pot et au centre s'élevait un grand escalier en spirale à rampe de bronze. L'ensemble était d'un mauvais goût achevé. Insouciante, semblait-il, de son état, Lola Malo s'élança dans l'escalier ; elle volait de marche en marche, dans une éblouissante démonstration de jeunesse, puis, parvenue en haut, elle attendit Charles avec un sourire taquin ; il la rejoignit aussitôt, quelque peu essoufflé.

— C'est superbe, votre château, crut-il devoir dire.

Elle inclina la tête avec un air de gracieuse modestie et se remit en marche. Ils traversèrent une enfilade de salons somptueux, tous meublés dans le style surchargé et tapageur qu'affectionnent les nouveaux riches. Un piano à queue, bloc noir étincelant et massif, obstruait une porte.

— Je le fais changer, expliqua dédaigneusement Lola, il joue faux.

Soudain, la porte s'ouvrit et un homme assez corpulent apparut, en costume de denim bleu, ses cheveux roux coiffés à l'afro ; il lança un regard surpris à Charles. C'était Simonot Simard.

— T'occupe pas, lui dit Lola Malo, on s'en va faire une petite entrevue, et elle s'éloigna, toujours suivie de Charles, qui adressa un signe de tête respectueux au mari de la chanteuse.

Après avoir traversé plusieurs autres pièces, dont un superbe jardin d'hiver et une petite salle de spectacle Art déco qui sentait le cuir neuf, ils arrivèrent devant une porte capitonnée sur laquelle étaient incrustées les initiales de la chanteuse à l'aide de clous dorés.

— Mon bureau, annonça-t-elle en faisant signe au jeune homme d'entrer.

Ce n'est qu'à ce moment qu'il comprit que Lola Malo venait de faire avec lui le tour du propriétaire. Fantaisie ou calcul? Il le saurait bientôt.

Le bureau de Lola était circulaire et conçu d'après la thématique du disque compact. Le plancher à revêtement de verre était tapissé de disques, les murs et le plafond également, et le centre de la pièce était occupé par un bureau à flanc de granit noir et à surface argentée, circulaire lui aussi, au milieu duquel s'ouvrait la gueule d'une corbeille à papier ; un léger enfoncement permettait de loger un fauteuil. Un énorme lustre, ingénieux assemblage de disques mobiles et miroitants, diffusait dans la pièce une douce lumière bleu argenté que répercutaient toutes les surfaces réfléchissantes. L'endroit, sans une feuille de papier visible, semblait d'une fastueuse inutilité. Mais il ne fallait pas se fier aux apparences : Lola était une femme d'ordre.

Appuyée sur le bureau, la chanteuse jouissait de l'effet que la pièce produisait sur le jeune journaliste.

— Ça te plaît ?

— Sidérant ! répondit Charles. À couper le souffle, ajouta-t-il devant le regard interrogateur de la chanteuse. Magnifique ! Vraiment magnifique !

— On vient à peine de la terminer. Ça m'a coûté un bras, mais je suis assez contente. Il manque encore des meubles. Ça, fit-elle en désignant deux fauteuils circulaires en cuir noir placés l'un en face de l'autre, ce n'est qu'en attendant. On doit me livrer bientôt quelque chose de bien plus *weird*.

Elle prit place dans un fauteuil et, d'un geste vif, lui fit signe de l'imiter.

— Et alors, tu voudrais un scoop ?

— Si c'était possible, répondit Charles avec une humble contenance.

Une porte s'ouvrit silencieusement et Simonot Simard apparut, leur indiquant de ne pas s'occuper de lui, et resta debout à l'écart, les bras croisés, attendant qu'ils reprennent leur conversation.

— Je vais faire mieux que ça, reprit Lola Malo. Je vais te donner une entrevue exclusive.

Charles, pétrifié de joie, restait la bouche entrouverte.

— C'est merveilleux, dit-il enfin. Merci beaucoup.

— Mais ça se paye.

Il essaya de demeurer impassible, mais la rougeur envahissait son visage.

— Combien?

— J'ai beaucoup aimé l'entrevue que tu m'as faite l'autre fois, reprit Lola d'un ton léger, presque affectueux. C'était propre, sans gueling guelang, bien écrit. Je me sentais respectée. C'est à cause de ça que j'offre l'exclusivité à *Vie d'artiste*. Pour dix mille dollars.

Charles continuait de la fixer et le chiffre tournoyait dans sa tête, l'empêchant de concevoir une seule idée.

— C'est beaucoup d'argent, dit-il enfin.

— Quebecor est capable de s'offrir ça. De toute façon, ils vont le récupérer bien des fois, mon cher, et vite!

Elle lui souriait, familière et impitoyable, rompue depuis longtemps aux négociations coriaces, et habituée à les gagner. Soudain, elle allongea le bras vers une petite table ronde, attrapa un combiné argenté et le tendit à Charles:

— Tiens, téléphone à ton patron. Je lui donne un quart d'heure pour se décider.

Charles allait composer le numéro lorsqu'elle lui retira l'appareil:

— Minute. Je vais compléter mon offre: dix mille dollars ou...

Elle réfléchit un instant, puis, avec le détachement qu'on met à formuler une précision purement technique:

— ... ou un engagement par écrit que Délicieux n'aura plus jamais le droit de parler de moi ni de Simonot dans *Vie d'artiste*.

Simonot émit un petit ricanement, puis porta la main à sa bouche comme pour s'excuser.

Avec un sourire éberlué, Charles reprit l'appareil, composa un numéro et demanda à parler d'urgence au patron.

— Elle est folle, grogna ce dernier lorsque le jeune homme annonça les exigences de la chanteuse concernant Délicieux. C'est mon meilleur journaliste ! Et puis, dans une heure, j'aurais tout le syndicat sur le dos. Sans compter qu'il pourrait ficher le camp chez nos concurrents, et la Lola se ferait chauffer les oreilles, la pauvre ! Est-ce qu'elle a pensé à ça ? Bon. Donne-moi quelques minutes. Il faut que j'obtienne un O. K. d'en haut.

Une demi-heure plus tard, une entente était conclue pour le montant demandé. Afin de gagner un temps précieux, le patron exigea que l'entrevue ait lieu sur-le-champ.

La vue du magnétophone de Charles sembla opérer une profonde transformation chez la chanteuse qui, à la première question du journaliste, joignit les mains et dressa un peu le menton, l'air grave et recueilli. En parlant de sa maternité, elle eut soudain les yeux pleins d'eau, sa voix trembla au moins à cinq reprises et elle trouva des expressions touchantes pour décrire les joies que lui procurerait son futur enfant, dont le sexe lui importait peu. Elle mourait de le tenir dans ses bras !

— Tout mon corps veut devenir mère, affirma Lola Malo avec une belle émotion, et elle se tourna vers Simonot, mais il avait disparu. Mon âme, pour s'épanouir, a besoin de ce petit bébé ; je rêve d'en avoir un depuis l'âge de six ans, oui, je t'assure ! Je ne sais vraiment pas comment j'ai fait pour tenir le coup si longtemps. Simonot est exactement comme moi ; il fera un père merveilleux. À tout moment, il embrasse mon ventre et s'informe de mon état... Quel homme extraordinaire ! J'abandonnerai peut-être un jour ma carrière pour avoir d'autres enfants, car c'est là que se trouve le bonheur, nulle part ailleurs.

Il y eut ensuite une séance de photos. On se rendit dans un salon qui donnait sur une pièce d'eau. Un photographe de *Vie d'artiste*, envoyé chez la chanteuse de toute urgence, les attendait.

Lola Malo exigea que Charles assiste à la séance, sans donner de raisons précises. Simonot y participa, bien entendu.

Les amoureux s'enlacèrent devant une fenêtre panoramique, ils échangèrent des regards énamourés, assis devant la pièce d'eau, ils consultèrent, tête contre tête, des catalogues de jouets et d'accessoires pour bébés, rêvant au petit ange qui se formait dans le ventre de Lola; tout cela prit beaucoup de temps, car Simonot compliquait les choses à tout moment par ses conseils, mises en garde et suggestions. De sorte que Charles, à qui on avait demandé de remettre son texte final le jour même, ne quitta la salle de rédaction qu'à trois heures du matin, sans avoir pu téléphoner à Caroline, comme il se l'était d'abord proposé.

Il essaya de la joindre toute la journée du lendemain, en vain. Finalement, deux jours plus tard, quelqu'un au château de Lola lui apprit qu'elle avait quitté son emploi sans laisser d'adresse et Charles, malgré tous ses efforts, ne put jamais la revoir.

Il garda de cette histoire comme un goût de vase et n'en parla jamais à personne.

4

Le 27 mai 1993, Monique mit au monde un garçon de trois kilos quarante centigrammes, pourvu de tous ses organes, dont un gosier capable d'enterrer une fanfare de trente musiciens. Steve se montra ravi de tant de vigueur et en augura des tas de bonnes choses. Son fils deviendrait peut-être une étoile du hockey ou un champion lutteur ou un acrobate au Cirque du Soleil; ou peut-être engendrerait-il vingt-quatre enfants, dont plusieurs mâles, de façon à perpétuer à jamais le nom des Lachapelle. Monique, pleurant d'amour à la vue de son bébé, s'occupait plus pragmatiquement de satisfaire sa voracité, qui mettait ses seins à rude épreuve, puis de dormir autant qu'elle pouvait entre les tétées afin de refaire ses forces, car depuis quelques années les hôpitaux renvoyaient de plus en plus vite les accouchées vivre à la maison les délices de leur post-partum.

Malgré le manque de sommeil, les hurlements du bébé et les moments de panique provoqués par la nouveauté de sa situation, Steve vivait sa paternité dans une sorte d'extase. Il était le Premier Père du Premier Enfant et contemplait, émerveillé, le rejeton qui allait assurer la suite du genre humain. D'office, tout le monde devait s'exclamer d'admiration à la vue du petit Gérard. Il réagissait avec une suspicion ombrageuse au moindre signe de tiédeur. À sa belle-mère, qui avait eu l'imprudence un jour, devant l'agitation du bébé, d'émettre l'hypothèse d'un «problème de nerfs», il avait répondu sèchement qu'il n'y avait que «les niaiseux pour passer leurs journées raides comme une planche» et qu'au contraire il voyait là un signe d'intelligence et de santé. Monique et lui avaient conclu un arrangement : elle s'occupait des soins de jour et lui, des soins de nuit. Au moindre vagissement, il bondissait de son lit et se précipitait dans la chambre de son fils, craignant qu'il ne s'agisse du terrible syndrome de la mort subite du nourrisson. Les coliques apparurent, cause de détresse pour toute la famille ; Steve prenait alors l'enfant dans ses bras, le pressait contre son ventre et faisait les cent pas en chantonnant des berceuses de sa composition tant que la douleur n'était pas partie et le bébé, endormi.

— Si je le pouvais, disait-il parfois en plaisantant, je me ferais pousser des tétons – mais il n'y a que lui qui aurait le droit de s'en servir !

— Avec toute la bière que tu bois, répondait Monique, tu lui foutrais une jaunisse !

Fidèle à la promesse qu'il avait faite à sa blonde, il avait déniché un joli quatre-pièces dans le Plateau-Mont-Royal, rue Fabre, mais le loyer grevait leur budget. Monique dut bientôt retourner chez son fournisseur d'appareils électriques ; pour économiser le salaire d'une gardienne, Steve avait réussi à la convaincre de le laisser emmener le petit Gérard à son travail.

— Tous les appartements de mes clients sont dans le super chic, assurait-il, et tu peux compter sur moi pour la propreté !

Afin de ne pas déranger le sommeil du bébé, il acheta un aspirateur d'occasion ultra-silencieux et devint un virtuose dans l'art de travailler sans bruit. Il ne voyait presque jamais ses clients, partis eux-mêmes à leur travail. Quand cela arrivait et qu'on s'étonnait de la présence de l'enfant, il avait une panoplie de réponses qui allaient de la maladie de la gardienne jusqu'au voyage subit de sa femme pour cause de mortalité dans la famille, mais l'adoration qu'il éprouvait pour son rejeton était si visible qu'elle le trahissait.

La naissance du bébé l'avait éloigné de ses amis ; il n'avait toutefois pas complètement renoncé à sa vie de garçon. Le mardi soir, il retrouvait souvent Charles et Blonblon dans un café de la rue Saint-Denis ou à leur bonne vieille salle de billard Orléans, rue Ontario ; parfois, ils allaient au cinéma ; plus rarement, Blonblon se laissait entraîner dans un *peep-show*, d'où il ressortait invariablement dégoûté et en butte aux taquineries de ses compagnons.

En toutes circonstances, cependant, Steve se réservait un moment pour vanter les délices de la vie de couple et de la paternité, exhortant ses amis à l'imiter.

— Aussitôt que ça me tentera, je te le ferai savoir, répliquait Charles en ricanant.

— Moi, ça me tente depuis longtemps, soupirait Blonblon, mais...

Et il esquissait un geste pour signifier que le destin refusait de répondre à ses désirs.

Steve alors s'emportait :

— Mais, pauvre con, tu ne fais rien ! Il faut draguer, draguer et draguer, mon vieux ! C'est ce que j'ai fait, moi, et, tu vois, ça m'a réussi. À force de gratter le fond du ruisseau, on finit par trouver la pépite. Alors que toi, au lieu de gratter, tu moisis dans ta boutique – ou tu passes tes soirées au salon avec ta petite maman.

— Tu exagères, se défendait mollement Blonblon. De temps à autre, je sors avec Sylvie...

— Sylvie? s'exclamait l'autre en levant les bras dans un geste désespéré. N'essaye pas de nous faire croire que tu bandes pour Sylvie, tout de même... Un manche à balai en jean avec des dents jaune moutarde! Et puis, elle te voit parce que tu lui donnes des conseils gratis pour réparer ses meubles.

— Nous discutons de toutes sortes de choses.

— Justement, vous ne faites que discuter!

— Tu perds ton temps avec elle, appuyait Charles. Vous ne ferez jamais rien de bon ensemble.

À la vérité, Charles et Steve s'inquiétaient pour leur ami. Il ne s'était jamais remis de sa rupture avec Isabel. En apparence, il demeurait le garçon calme, doux et attentionné qu'ils avaient toujours connu et aimé. Mais quelque chose semblait s'être brisé en lui. Sous sa gaieté, on sentait une insondable tristesse. Allait-il finir par s'y noyer?

Charles, qui sortait tout remué de la lecture de *Madame Bovary*, voyait Blonblon comme une autre de ces victimes de l'amour. Et il se rappelait certaines réflexions du notaire. Qu'était-ce, au fond, que l'amour, cette étrange invention de l'homme? Un contrat pathétique conclu entre deux êtres qui se promettent pour toujours l'un à l'autre, tandis que le Temps, sa râpe à la main, les observe en ricanant.

Vers la fin d'un après-midi de septembre, ayant terminé son travail plus tôt que de coutume, Charles décida d'aller faire un tour à La Vieille Armoire. Il trouva la boutique fermée et cela le surprit. Il se rendit alors à un petit restaurant, quelques portes plus loin, où Blonblon avait l'habitude de prendre un café, mais ne vit, assise au comptoir, qu'une grande rousse à lunettes rouges et aux lèvres très rouges, en train de mâcher de la gomme avec un air de dédain, comme si elle était fière de sa vulgarité ; en l'apercevant, elle bougea ses belles jambes gainées de noir, puis détourna la tête. Une petite fille fit irruption dans la place, lança à la patronne un « Allô, Johanne ! » retentissant et s'installa au comptoir.

Charles se rendit aux toilettes. Blonblon s'y trouvait peut-être, pensa-t-il. Dans l'odeur d'urine fraîche, il n'y avait qu'un vieil homme en train de laver son dentier sous le robinet du lavabo.

Après avoir téléphoné en vain chez madame Leblond, Charles décida de rentrer chez lui. Un message laconique de Fernand Fafard l'attendait sur son répondeur. « Téléphone-moi au plus coupant », ordonnait le quincaillier d'un ton brusque, comme oppressé.

Et c'est par lui que Charles apprit le malheur qui avait frappé Blonblon.

◆

Vers quatorze heures, en proie à une étrange angoisse, Blonblon avait décidé de fermer sa boutique pour aller prendre l'air. Après avoir marché une demi-heure, il avait eu faim, s'était attablé au comptoir d'une beignerie et avait commandé un thé et un chausson aux pommes.

Il venait de mordre dans le chausson et contemplait machinalement la pâtisserie *lorsqu'il s'était tout à coup retrouvé, minuscule, à l'intérieur même du chausson*, incapable de comprendre ce qui lui arrivait et sans la moindre idée de ce qu'il fallait faire pour sortir de cette situation aussi étrange qu'horrible !

Combien de temps cela avait-il duré ? Il ne le savait pas. Quelques secondes, sans doute, une minute tout au plus. Quand il était revenu à lui, il se tenait debout, tout tremblant, devant le comptoir, sa tasse de thé renversée, son chausson écrabouillé dans la main, sous le regard ahuri de la serveuse et des clients. Il avait quitté les lieux en courant et ne se rappelait plus trop la suite des événements jusqu'au moment où il était arrivé à la quincaillerie Fafard. Pendant quelques instants, il était resté immobile devant la vitrine de la boutique et devait avoir un air assez effrayant, car Lucie s'était précipitée dehors pour lui demander ce qui n'allait pas. La raison qui l'avait amené lui était alors brusquement revenue à l'esprit.

— Je voudrais... voir votre mari, avait-il bafouillé d'une voix tremblante.

— Mon Dieu! s'était-elle écriée en portant les mains à son visage, Charles est mort!

— Non, non, ce n'est pas ça.

Elle l'avait fait asseoir dans le bureau de Fernand, qui était devenu, en fait, celui d'Henri, en demandant à ce dernier de sortir, et s'était élancée dans la rue à la recherche de son mari qui, serviable comme toujours, aidait un voisin à monter une armoire dans un appartement deux portes plus loin. Henri, revenant sur ses pas, avait passé la tête par l'entrebâillement pour s'informer de ce qui se passait, mais, voyant l'expression du jeune homme, s'était aussitôt retiré. Pendant ce temps, Blonblon, les mains jointes et parcouru de tremblements, vivait dans la terreur que la *chose* ne se reproduise.

Fernand Fafard était enfin apparu et, à la vue du jeune homme, avait refermé la porte derrière lui.

— Qu'est-ce qui se passe, mon ami? Ça ne va pas?

Blonblon avait fait signe que non et s'était mis à pleurer.

— Mais voyons, voyons, avait fait le quincaillier en lui tapotant l'épaule, calme-toi, mon vieux, calme-toi. Qu'est-ce que je peux faire pour t'aider?

Il lui avait tendu une boîte de papiers-mouchoirs, mais Blonblon s'était éponché les yeux avec sa manche.

— Monsieur Fafard, avait-il murmuré au bout d'un moment, est-ce que... vous avez déjà perdu la tête?

Le quincaillier, ahuri, l'avait fixé en silence.

— C'est que... Charles... m'avait dit... que vous aviez perdu la tête il y a plusieurs années. Vous... aviez vu un psychiatre.

— J'ai fait une dépression, convint Fafard gravement. Et on m'a guéri.

Puis il ajouta :

— Tu fais une dépression ?

— Je suis en train de devenir fou, monsieur Fafard, répondit Blonblon dans un souffle. C'est affreux.

Et, courbé en avant, le regard au plancher, arrachant l'un après l'autre les mots du fond de sa gorge, il lui raconta de son mieux l'horrible incident qu'il venait de vivre, torturé par la crainte que son récit ne le déclenche de nouveau.

— Je vois, je vois, fit le quincaillier en essayant de prendre un ton détaché et rassurant mais n'y parvenant pas tout à fait. Ce sont des choses qui arrivent, paraît-il. Faut pas trop t'en faire. Écoute, tu as probablement besoin de quelques bonnes pilules et d'un peu de repos. Je vais te conduire à l'hôpital et puis, tant qu'à faire, je vais essayer de joindre le docteur Berthiaume pour lui demander de te voir.

Blonblon s'était retrouvé à l'unité de soins psychiatriques de l'hôpital Notre-Dame et sous forte médication. Sa mère avait pu rester à son chevet quelques minutes, mais, pour le moment, on interdisait toute autre visite.

C'était une de ces journées rayonnantes et venteuses où l'idée même de la mort semble comme balayée. L'automne, déguisé en été, narguait l'hiver qui s'en venait, imperturbable. Malgré le vent, les feuilles avaient même cessé de tomber et la frondaison des arbres, encore verte et touffue, semblait intacte. Dans la salle de rédaction de *Vie d'artiste*, éclairée par une rangée de larges fenêtres qui donnaient sur la rue Marie-Anne, une vibration joyeuse avait remplacé le bourdonnement sourd et un peu harassant qui régnait habituellement ; on blaguait, on s'interpellait ; Vickie, la nouvelle recrue, faisait admirer à des collègues les bas résille qu'elle venait de s'acheter et on entendait rire le patron depuis son bureau, ce qui n'arrivait pas tous les jours.

Connaissant son amour des chiens, Régine Allaire venait de montrer à Charles un article fort amusant qu'avait diffusé l'agence *Associated Press*.

À Zagreb, les chiens, par leur urine, faisaient tomber les réverbères ! Un rapport officiel appuyé sur des travaux de chercheurs de l'université révélait que l'ammoniac contenu dans leur urine provoquait « une corrosion capable d'entraîner la chute des lampadaires au bout de quelques années seulement ». La municipalité invitait les propriétaires de chiens à leur montrer le caniveau.

— Heureusement qu'à Montréal, gloussa la journaliste, les pieds de nos lampadaires sont faits d'un métal anti-pisse !

Et elle s'éloigna après lui avoir caressé discrètement la nuque.

Charles avait souri, sans plus, et s'était penché de nouveau vers son clavier. Un spleen épais et gluant le remplissait jusqu'à la nausée ; il se sentait comme un crapaud écrasé, un rouleau de papier hygiénique tombé dans la cuvette, une affiche électorale au lendemain d'une élection. À la pensée qu'il devait consacrer la plus grande partie de sa journée à écrire un autre de ces articles sans intérêt particulier qu'on lit pour tuer le temps ou meubler le vide de son esprit, il lui venait une rage désespérée. Ah ! pouvoir quitter à tout jamais cette salle de rédaction où il gaspillait ses meilleures années ! Allait-il devenir comme ce collègue, trois bureaux plus loin, qui, pour continuer d'écrire ses fadaises, se crevait au café, ajoutant de temps à autre les amphétamines et parfois même la coke lorsque les idées refusaient de prendre forme dans sa tête ?

L'affaire Lola Malo avait causé un boucan énorme. *Vie d'artiste* avait publié un numéro spécial de trente-six pages avec une profusion de photos, un « historique » de la vie du couple, des biographies de la chanteuse et de son amant pleines d'anecdotes croustillantes, une histoire de leur famille respective, les prévisions d'un psychologue sur le caractère du futur enfant et celles d'un astrologue basées sur huit dates de naissance possibles. Trois jours après la parution du numéro, Charles recevait au journal un mot d'Amélie, l'ex-femme du notaire Michaud :

« Vendredi prochain, je prépare une énorme soupe au pistou et je vous invite à venir y goûter vers six heures, toi et tes amis. Amène qui tu voudras. Je pourrai servir jusqu'à vingt personnes. Cela me changera les idées ; j'en ai grand besoin. Je promets de ne pas te dire un mot de ton entrevue avec Lola Malo, qui est en dessous de tout, car je veux que tu continues de venir me voir. »

La remarque d'Amélie l'avait accablé. Aux yeux de la vieille femme, rien n'avait changé : il continuait de gâcher sa vie en travaillant pour cette feuille de chou. Il avait jeté la lettre dans un tiroir, mais y avait repensé à plusieurs reprises. Il y repensait encore ce jour-là, furieux contre la vieille femme à turban tout en lui donnant raison.

Et, pour l'achever, il y avait la visite qu'il devait faire à Blonblon en début de soirée. Cette visite l'effrayait. Blonblon fou ! Comment une chose aussi étonnante et horrible avait-elle pu arriver ? Le calme et souriant Blonblon, toujours prêt à aider les autres, à promouvoir la bonne entente, à invoquer les règles du bon sens, de la solidarité et de la sagesse, avait tout à coup perdu pied et glissé dans l'abîme. Qu'allait lui dire Charles ? Et quels propos lui tiendrait le malheureux ? Les médecins avaient parlé d'un accès psychotique et se montraient plutôt confiants, car ils croyaient qu'il s'agissait d'un épisode isolé. Charles avait demandé à Steve de l'accompagner. Sans lui, Dieu sait où il aurait trouvé le courage de se présenter à l'hôpital.

Il termina son article, le relut en bâillant, corrigea trois fautes, reformula une phrase boiteuse, fit sauter un mot d'esprit qui tombait à plat et alla dîner. Comme par hasard, Régine se trouvait à la sortie de la salle de rédaction et offrit de l'accompagner. La vieille coquette ne rajeunissait pas, mais sa gentillesse et son entrain semblaient inusables. Ils se retrouvèrent dans une brasserie bruyante et enfumée, et causèrent de tout et de rien en mangeant des filets de sole trop cuits et de la purée de pomme de terre chimique ; malgré tout, la présence de la tendre et persifleuse journaliste lui faisait du bien ; sa bonne humeur revint peu à peu. Sans qu'il en prenne trop conscience, un projet venait de se former dans sa tête. Il y réfléchit par à-coups tout au long de l'après-midi, parmi les appels téléphoniques et les accès d'inspiration.

À seize heures, sa décision était prise. Il se rendit au bureau du patron et demanda à lui parler.

— Qu'est-ce qui se passe ? demanda ce dernier, frappé par l'expression de gravité répandue sur son visage.

— Je voudrais discuter avec vous d'une affaire.

— T'en as pour longtemps ?

— Ça dépend de vous.

— C'est que j'allais partir. Est-ce qu'on peut se parler demain ? Bon, je vois que t'as besoin de vider ton sac. Peux-tu me résumer ça en deux minutes ?

— Je veux quitter le journal, patron.

L'autre leva la tête, ouvrit la bouche et la stupeur sembla même affecter sa panse majestueuse, qui s'affaissa peu à peu et glissa derrière le bureau. Il fit signe à Charles d'aller fermer la porte, s'empara du téléphone et composa un numéro :

— Veux-tu dire à Laurent Bougie que je ne pourrai pas être là avant six heures ? Merci.

Puis, ayant déposé le combiné, il s'inclina dans son fauteuil et fixa Charles un moment.

— Es-tu devenu fou ?

Charles sourit et ne répondit rien.

— C'est *Méga Pop* qui t'a approché ?

Charles nia d'un mouvement de tête.

— Alors, qu'est-ce qui ne va pas, mon garçon? On ne te traite pas assez bien? T'es en train de faire une carrière du tonnerre, ici. Délicieux commence même à se montrer jaloux. Le coup que t'as réussi avec Lola, je ne l'ai pas oublié, mon ami, et je saurai bien en tenir compte, un de ces bons jours. C'est un événement historique! Savais-tu que notre numéro spécial s'est vendu à 112 728 exemplaires? Et on continue d'en vendre! Allons, qu'est-ce que tu veux? Une augmentation? Si c'est le cas, je n'aime pas trop la façon dont tu t'y prends pour me la demander.

— Je ne veux pas une augmentation, patron, je veux partir. Je suis fatigué. J'ai besoin de changer d'air. Et puis, je veux réfléchir à ma vie.

Le patron posa les deux mains à plat sur son bureau, et ses joues, sous l'effet du soulagement qui se répandait en lui, se relâchèrent, entraînant dans leur mouvement les commissures des lèvres et même les poches qu'il avait sous les yeux:

— Mais fallait le dire, mon Charlot, fallait simplement le dire... T'as besoin de recharger un peu la batterie? Y a rien de sorcier là-dedans! Pourquoi passer par le pôle Nord pour aller à Rome?

La seconde d'après, Charles avait obtenu un congé payé de quatre semaines et l'hésitation qu'il mit à l'accepter lui valut de surcroît une augmentation de salaire de trois mille dollars, accompagnée d'un flot d'éloges, de conseils, d'encouragements, de tapes dans le dos et de sourires entendus, qui finirent par lui donner un léger étourdissement. De sorte que, en quittant le bureau, il sentait son envie de quitter le journal fort émoussée.

◈

Blonblon, assis dans une des chaises berçantes de la salle commune, essayait de fixer son attention sur le film d'aventures qui passait à la télé, mais, à la vérité, il n'aurait pu dire, si on le lui avait demandé, quel en était le sujet, pas plus sans doute que les cinq autres patients qui se trouvaient avec lui ; les images s'agitaient devant ses yeux, le son se rendait jusqu'à ses oreilles, mais tout s'effaçait au fur et à mesure dans sa tête embrouillée ; il avait l'étrange impression de flotter autour de lui-même, de se dissoudre dans la grande salle aux murs bleu pâle et au linoléum luisant. Parfois, il se demandait même s'il existait, puis se disait que le simple fait de se poser la question devait constituer la réponse. Mais un faible doute subsistait en lui et ce doute lui apportait un curieux apaisement. Peut-être était-ce cela, la mort ?

Dans ce cas, on pouvait communiquer avec les morts. Des infirmières, qui lui semblaient bien vivantes, prenaient régulièrement sa température et sa pression, lui administraient des médicaments et lui parlaient gentiment, comme à un enfant malheureux. On lui donnait à manger, mais il ne goûtait rien, comme si son attention n'était plus capable de capter les saveurs.

Au début, il avait refusé de manger, car il savait que si la *chose* se reproduisait, il s'enlèverait la vie. Mais, bientôt, la faim et l'insistance des infirmières l'avaient obligé à trouver un stratagème. Alors, il avait décidé de manger les yeux fermés, enlevant à la *chose* toute chance de réapparaître. Mais ses repas en devenaient laborieux et la honte d'agir d'une façon aussi étrange et insensée lui avait fait imaginer une autre solution : il s'était mis à manger les yeux ouverts, comme tout le monde, mais en regardant droit devant lui, ce qui lui permettait d'éviter la vue de son assiette. Il enfournait sa nourriture à toute vitesse, afin de traverser en coup de vent la passe dangereuse, manquant à l'occasion de s'étouffer et répandant des aliments sur la table et sur ses vêtements. Son médecin – un homme grassouillet à cheveux blancs, très gentil mais très occupé – avait tenté de le rassurer, lui expliquant que son hallucination (c'est le nom qu'il avait donné à la *chose*) ne reviendrait sans doute plus jamais et que, de toute façon, les médicaments qu'on lui faisait prendre la tenaient à bonne distance, mais Blonblon avait continué son manège pendant quelques jours, car il ne se sentait pas le courage d'agir autrement.

Peu à peu, cependant, sa crainte était tombée; il avait risqué un coup d'œil sur son assiette, puis un autre, et, voyant que rien ne se produisait, il s'était remis à manger d'une façon à peu près normale; une sorte de distance s'était créée dans son esprit entre le chausson aux pommes et sa vie actuelle. Il lui arrivait même de ne plus se rappeler la raison précise de son séjour à l'hôpital. C'étaient des moments de bonheur, où il avait l'impression de redevenir lui-même. Mais cela ne durait qu'un instant, hélas! Aussi le sommeil constituait-il la meilleure partie de son existence. Il s'y engouffrait avec délices comme on se pelotonne sous un édredon pour échapper au froid et, un léger sourire aux lèvres, il se fondait lentement dans le noir.

— Alors, comment ça va? demanda Steve à voix basse en essayant de cacher son désarroi.

Dans la salle presque déserte, la radio jouait une valse en sourdine et la musique, un peu sucrée, s'étirait au-dessus des tables où reposaient des jeux, des magazines et des journaux; elle semblait agrandir l'espace et faire briller davantage les chaises de bois verni, le linoléum fraîchement ciré et les vitres des fenêtres; adossé contre un mur, un patient vêtu d'une robe de chambre examinait ses mains avec une extrême attention. Ils se trouvaient dans le coin opposé, assis tous trois dans des fauteuils, Blonblon en face de ses deux amis.

— Ça va, répondit Blonblon avec une ébauche de sourire.

La mâchoire un peu tombante, il fixait ses compagnons d'un regard embrumé et lointain, le regard que jette durant quelques secondes un dormeur réveillé en sursaut et peinant à distinguer ses rêves de la réalité ; un mince filet de bave coulait de temps à autre de la commissure de ses lèvres et sa main, qui tenait un mouchoir, épongeait alors machinalement sa joue ; mais, parfois, la main demeurait immobile et la bave, glissant jusqu'au menton, dégouttait sur sa chemise.

— Est-ce que tu dors bien ? s'enquit Charles.

Son ton, qui se voulait léger, sonnait ridiculement faux.

Blonblon fit lentement signe que oui, puis ajouta d'une voix étrange et caverneuse :

— Avec tous les médicaments qu'on me donne...

Le silence se fit. Charles regarda Steve du coin de l'œil pour voir s'il se préparait à poser une autre question, mais ce dernier semblait en panne d'inspiration. « Mon Dieu ! qu'est-ce qu'ils t'ont fait, Blonblon ? se demanda Charles intérieurement. Est-ce que tu vas toujours rester comme ça ? Non. Non. Ils t'ont assommé de pilules, mais ce n'est que pour un temps ; ils vont bientôt diminuer les doses. Sinon... sinon, ça ne vaut vraiment pas la peine de vivre... »

Une porte s'ouvrit au fond, un jeune homme en fauteuil roulant apparut, la taille prise dans un corset à lanières, et pendant une seconde on aperçut derrière lui une pièce enfumée où se tenaient cinq ou six personnes, cigarette à la main. Le jeune homme traversa lentement la salle en sifflotant les dernières mesures de la valse que jouait la radio et disparut.

La conversation se poursuivit péniblement, entrecoupée de longs silences. Blonblon répondait aux questions de Charles et de Steve en quelques mots, mais n'en posait aucune lui-même, comme si la réalité s'arrêtait aux murs bleu pâle de la salle commune et que ses amis, en y mettant le pied, avaient perdu leur passé. Il ne fit aucune allusion à sa boutique, qui aurait dû pourtant lui causer quelques soucis, et ne s'informa même pas du temps qu'il faisait, recours classique de ceux qui n'ont rien à dire. Steve poussa deux ou trois plaisanteries pour tenter de l'animer un peu, puis y renonça. Mais, au moment où ses amis se préparaient à partir, Blonblon eut un moment de vivacité :

— Excusez-moi, dit-il tout à coup, je ne suis pas dans mon assiette... Et je dirais même, ajouta-t-il avec un petit ricanement, que mon assiette est craquée...

— Si tu peux en rire, le rassura Charles, c'est que tu prends du mieux.

— Une assiette craquée, répondit Steve, plus pragmatique, ça se recolle. T'en as recollé une puis une autre dans ta vie !

Blonblon hocha lentement la tête en signe d'approbation, l'œil à demi fermé, puis, tendant la main :

— Salut, je m'en vais me coucher... La tête me tourne un peu... Merci d'être venus... Revenez.

La guérison de Blonblon allait prendre du temps. Sa boutique devait fermer. Madame Leblond alla voir le propriétaire pour discuter de l'annulation du bail. C'était un sexagénaire imposant, au visage rouge et bouffi, à la peau rugueuse, comme pigmentée de grains de sable, avec les yeux humides et un peu vacillants d'un homme qui aurait trop bu, et une petite bouche sensuelle et gourmande, mais aux lignes fermes et volontaires. Prodigue en sourires, poignées de mains et tapes dans le dos, il pouvait néanmoins se transformer en loup-cervier lorsqu'on menaçait ses revenus. Madame Leblond, bouleversée par la maladie de son fils, se montra maladroite ; la discussion tourna à l'aigre. Blonblon avait signé un bail de quatre ans ; l'homme d'affaires demanda une indemnité exorbitante. Madame Leblond, furieuse, le quitta en menaçant de recourir à un avocat.

— Recourez, recourez, madame. J'adore les avocats. Ce sont mes amis.

Elle s'en allait dans la rue, bouleversée, estimant après trois minutes de réflexion que ses chances de l'emporter étaient nulles, lorsqu'elle faillit buter contre Lucie et lui raconta l'histoire.

— Je crois que Fernand connaît ce bonhomme, répondit Lucie. Il connaît tout le quartier ! Je pourrais lui demander d'aller le trouver pour essayer de lui faire entendre raison. Il est toujours plus facile, vous le savez bien, de régler les problèmes des autres que les siens.

Madame Leblond accepta aussitôt et le soir même Fernand Fafard se rendait chez Oscar Bourque, propriétaire immobilier et amateur de scotch, de films pornos et de parties fines.

— Je m'attendais à ce qu'il me fasse la baboune, raconta Fernand à son retour. Pas du tout ! J'ai été reçu comme un as dans un jeu de cartes ! Il faut dire que je lui avais donné un bon petit coup de main il y a deux ans quand il s'était présenté comme président de la Chambre de commerce.

Les deux hommes avaient convenu d'une indemnité plus raisonnable, qui serait encore réduite si la boutique trouvait rapidement un nouveau locataire. Pour diminuer les frais, Fernand eut l'idée d'organiser une grande vente de fermeture. L'idée plut particulièrement à Henri qui, impatient d'assumer lui-même la gestion de la quincaillerie, trouvait la présence quotidienne de son père au magasin de plus en plus encombrante.

Blonblon s'était fait une excellente réputation dans le quartier. Les clients vinrent en nombre, s'apitoyèrent sur ses problèmes de santé (décrits comme des effets du surmenage) et achetèrent beaucoup, car les prix étaient alléchants. D'autres, ignorant la fermeture de la boutique malgré l'affiche qui l'annonçait, se présentèrent avec des choses à vendre. Fernand les refusa tout d'abord, puis se prit au jeu et décida d'assumer pendant quelques semaines la succession de Blonblon afin d'arrondir encore un peu plus les revenus qui serviraient à payer l'indemnité. Bientôt, on lui apporta des choses à réparer. Fernand était loin de posséder l'extraordinaire habileté de Blonblon ; mais quarante ans de quincaillerie avaient fait de lui un excellent bricoleur. Il se mit à l'œuvre et fut bientôt débordé. Un après-midi, il se rappela que Charles, enfant, avait travaillé autrefois avec son ami à un petit atelier de réparations et qu'il s'y débrouillait pas mal. Un peu par jeu et sans vraiment y croire, il l'appela à l'aide. Charles en fut surpris et touché; la nostalgie des occupations de son enfance fit le reste; comme il se trouvait en congé de son journal, il accepta de travailler à la boutique deux ou trois soirs par semaine et convainquit même Steve, habile lui aussi de ses mains, de l'accompagner de temps à autre.

— Ah! si on pouvait tenir son commerce en vie le temps qu'il guérisse, Fernand, dit-il un soir au quincaillier, est-ce que ça ne serait pas un tabarnouche de beau cadeau pour Blonblon?

— Pourvu que ça lui fasse plaisir...

5

Six mois s'étaient écoulés. Charles, sans trop d'enthousiasme, avait depuis longtemps repris son travail à *Vie d'artiste*. Blonblon avait quitté l'hôpital; il en était revenu amaigri, nerveux, facilement fatigué et sujet à des accès d'impatience; il voyait un psychiatre deux fois par semaine et travaillait à mi-temps à sa boutique, que Fernand avait réussi à sauver du naufrage et dont il remettait progressivement les commandes à son propriétaire; cela n'était pas sans lui demander un certain effort, car sa nouvelle occupation était devenue pour lui un dada qui, à son insu, lui servait de transition vers la retraite.

Dans la nuit du 15 mars 1994, en pleine tempête de neige, on trouva l'auto du comédien Roger Belleau écrasée contre un lampadaire de l'autoroute 10. L'homme, célèbre pour son talent de comique mais aussi pour ses soûleries spectaculaires, gisait inconscient, criblé d'éclats de verre. La collision avait transformé en grenade un sac de bouteilles de bière qui se trouvait à ses côtés.

Charles dut écrire un long article sur cette affaire lamentable qui aurait mérité selon lui le silence de la compassion ; il alla trouver la police, se fit montrer des photos, rédigea son papier, puis décida qu'il en avait plus qu'assez et qu'il lui fallait quitter la boîte.

Le lendemain matin, après avoir sué l'équivalent de son verre de jus d'orange, il téléphonait à Pierre Péladeau pour lui demander la faveur d'un entretien. L'homme d'affaires accepta sans poser de questions et lui donna un rendez-vous pour la semaine suivante. On disait le milliardaire très accessible ; Charles n'en fut pas moins stupéfait de la facilité avec laquelle il avait pu obtenir une rencontre. « Évidemment, j'ai dû lui rapporter deux ou trois pelletées de fric, se dit-il avec fierté. Il ne m'oublie pas. J'aurai peut-être ce que je veux. Mais je dois trouver les bons arguments. Avec lui, j'en suis sûr, on n'a qu'une seule chance. »

Aussi aurait-il échangé son trac contre une rage de dents de dix jours lorsqu'il pénétra dans le célèbre édifice du 612 de la rue Saint-Jacques et prit l'ascenseur pour le treizième étage, où se trouvaient les bureaux du patron de l'empire Quebecor. Une secrétaire l'annonça. Pour se donner contenance, il fit mine de parcourir un magazine, essuyant de temps à autre ses mains moites sur son pantalon. Quelques minutes passèrent, puis on l'introduisit chez l'homme d'affaires.

Assis derrière son bureau, monsieur Péladeau terminait une conversation téléphonique ; d'un geste vif, il fit signe à Charles de s'asseoir. La pièce, spacieuse et fenêtrée sur deux pans de mur, occupait l'angle de l'immeuble qui donnait sur les rues Saint-Jacques et McGill. On apercevait la tour de la Bourse au nord et l'édifice de Power Corporation à l'est. Derrière Charles se trouvait une table de travail et des chaises. À sa gauche se dressait une bibliothèque. Des tableaux de maîtres ornaient les murs ; Charles reconnut un Lemieux et un Marc-Aurèle Fortin. Au fond, le long d'une fenêtre, une chaîne stéréo jouait la *Pastorale* de Beethoven. Par moments, la musique couvrait la voix de l'homme d'affaires.

— Et alors, monsieur Charles, fit celui-ci en raccrochant, comment vont les amours avec Lola ?

Et, se soulevant à demi de son fauteuil, non sans un certain effort, il lui tendit la main.

— Très bien, monsieur Péladeau, répondit le jeune homme, désolé par la banalité de sa réponse.

La question et surtout ce « monsieur Charles » lancé avec une jovialité malicieuse dissipèrent un peu sa gêne. Il ajouta :

— Merci infiniment de me recevoir, monsieur Péladeau, malgré toutes vos occupations. Vous allez bien ?

— Pas si mal, pas si mal... La charrette avance, mais il faut parfois pousser dessus, car les nids-de-poule ne manquent pas ! Bon. Qu'est-ce que je peux faire pour toi, mon garçon ?

Et, pour bien montrer que les minutes de leur entretien étaient comptées, il jeta un regard en biais sur sa montre.

Ce regard affola Charles, qui en perdit toutes ses idées. Il fut quelques secondes à bafouiller en s'accrochant aux bras de son fauteuil comme un naufragé à une épave, mais le sourire légèrement moqueur qui se dessina alors sur les lèvres de l'homme d'affaires fut pour lui comme un coup de fouet qui le remit d'aplomb. Il prit une grande respiration et, posément, se mit à expliquer que son travail à *Vie d'artiste* l'avait enchanté jusque-là, lui procurant une expérience inappréciable, mais qu'il aspirait depuis quelque temps à autre chose.

— À quoi ? demanda son interlocuteur.

— J'aimerais, si c'était possible, travailler au *Journal de Montréal*.

Puis il ajouta :

— Je m'intéresse beaucoup à la politique.

— Toi aussi? répondit l'homme d'affaires avec un sourire en coin, sans prendre la peine d'expliquer cet « aussi ».

Charles rougit et se mit à parler très vite :

— Tout le monde dit que vous êtes pour l'indépendance du Québec, monsieur Péladeau. Alors, j'avais pensé... c'est-à-dire que... Il s'agit plutôt de Jacques Parizeau et de... Il a enfin réussi à remettre le Parti québécois sur ses pattes et les journaux disent que si jamais il reprend le pouvoir – et les sondages montrent qu'il le pourrait – on aura un autre référendum... Alors, s'il y en avait un, j'aimerais bien, comme journaliste, vous comprenez, donner moi aussi un coup de main pour que... Excusez-moi, je bafouille comme un ivrogne, je dois vous paraître idiot.

Le vieil homme continuait de le fixer avec son sourire en coin, que Charles trouvait de plus en plus inquiétant. Ses cheveux teints d'un brun-roux, avec leur mèche tombante sur le front, ne faisaient que souligner la ruine de son visage ridé et affaissé, dont l'effondrement se poursuivait jusqu'à la gorge, devenue une poche flasque qui pendait sous le menton ; mais la jeunesse n'avait pas tout à fait abandonné ce corps de septuagénaire et palpitait encore dans ses yeux vifs et malicieux.

— Pas du tout, pas du tout, dit-il enfin. Au contraire, t'as l'air d'un gars qui sait où il veut aller dans la vie. C'est bien, c'est bien... Le problème, mon garçon, c'est que je ne suis pas le président du syndicat des journalistes, je suis seulement le propriétaire du journal, comprends-tu? Je ne peux pas faire entrer les gens là-bas comme je fais entrer une auto dans mon garage : il faut que je respecte la convention collective ; après tout, moi aussi, je l'ai signée. Et puis, j'ai tout mon monde. Il n'y a pas de place pour le moment.

— Je vois, fit Charles, déçu.

Le patron de Quebecor leva les yeux en l'air et sembla réfléchir. Mais Charles se demanda tout à coup s'il n'était pas plutôt en train d'écouter la *Pastorale*, qui se terminait. Le téléphone sonna. Il décrocha :

— Cinq minutes, lança-t-il de sa voix saccadée et légèrement zézayante.

Son regard se posa de nouveau sur Charles :

— J'aurais peut-être une proposition à te faire... si t'es pas trop chérant.

L'expression de gratitude qui se répandit dans le visage du jeune homme le fit pouffer de rire :

— Attends, remercie-moi pas trop vite... Ça sera peut-être pas de ton goût.

Il ramena les deux mains sous son menton et, gravement :

— Je cherche quelqu'un pour écrire ma biographie. Eh oui, j'en suis rendu là. J'aimerais bien l'écrire moi-même, mais je n'ai pas le temps – et quand je l'aurai, je n'en serai peut-être plus capable ! T'as une bonne plume, toi. Tu ferais sans doute l'affaire.

— Mais... n'y a-t-il pas des biographies déjà écrites sur vous ?

— Je ne les aime pas, répondit l'autre, agacé.

— Pourquoi ?

— Lis-les, on s'en reparlera après. Allons, il faut que je te mette à la porte, on m'attend. Pense à mon offre et rappelle-moi.

Charles se leva :

— J'accepte.

L'expression soucieuse qui assombrissait depuis quelques instants le visage de l'homme d'affaires se dissipa :

— Combien me coûterais-tu ?

— Euh... mon salaire à *Vie d'artiste* me suffirait. Ça vous va ?

— Marché conclu. Rappelle ma secrétaire dans trois jours pour qu'on se fixe une autre rencontre. J'aurai eu le temps de penser aux derniers détails.

Et Charles partit sur les premières mesures de la *Cinquième*.

En homme d'affaires soucieux de tirer le maximum de ses employés, Pierre Péladeau demanda à Charles, en plus de la rédaction de sa biographie, celle de trois reportages spéciaux par année pour *Vie d'artiste*; à cela s'ajouterait de temps à autre la préparation de notes pour des conférences qu'il donnait ici et là sur des sujets qui lui tenaient à cœur : la lutte contre l'alcoolisme, le mécénat, l'ascension économique des Québécois, etc. Le jeune homme s'effraya de sa charge de travail.

— Allons, mon ami ! fit le magnat en éclatant de rire. Le talent, c'est fait pour être exploité et les journées de travail pour être travaillées ! Jeune comme tu es, si tu ne dépenses pas ton énergie, elle va finir par te dévorer, crois-moi, je sais ce que je dis ! Dans le fond, c'est un service que je te rends.

On donna à Charles un petit bureau non loin de celui du Grand Patron. Il avait carte blanche pour ses recherches, accès aux archives de Quebecor et à certains documents personnels du fondateur ; chaque lundi matin à huit heures moins le quart, ce dernier lui donnait une entrevue d'une heure enregistrée au magnétophone ; Péladeau s'informait chaque fois si son employé avait eu le temps de déjeuner et lui offrait du café et des croissants. Il répondait avec franchise à toutes les questions de Charles, même sur les sujets les plus délicats, ne manifestant une certaine réticence que lorsqu'il s'agissait de ses deux fils et de leur rôle futur dans la gigantesque entreprise qu'il avait créée ; c'était comme s'il ne pouvait supporter l'idée de sa propre disparition. Charles devait faire chaque mois un compte rendu détaillé de son travail et soumettre ses textes à l'homme d'affaires, même s'ils n'étaient qu'à l'état de brouillon ; sévère et exigeant, Péladeau se montrait généralement satisfait de son jeune biographe, au profond soulagement de ce dernier, à qui l'on avait décrit les façons parfois brutales dont il pouvait se débarrasser d'une personne jugée incompétente.

La culture du magnat étonnait Charles; Péladeau citait Balzac, Dickens, Shakespeare, Miron, Schopenhauer; ses manières un peu frustes et son langage parfois populacier n'annonçaient guère un lettré et on aurait dit qu'il prenait un malin plaisir à dissimuler cette culture afin de mieux surprendre ensuite ses interlocuteurs par l'étendue de ses connaissances. Durant ses séances de travail avec Charles, la franchise et parfois la cruauté implacable de ses commentaires sur les membres de son entourage ou sur des personnages de l'actualité laissaient croire qu'il destinait cette biographie à une publication posthume. Mais, chaque fois que Charles posait la question, l'autre l'éludait par une plaisanterie, changeait de sujet ou manifestait de l'agacement.

◈

Par une voie détournée et inattendue, le métier d'écrivain venait donc de rattraper Charles; il en éprouvait une satisfaction plutôt modérée, car la notoriété, selon toute apparence, ne pourrait jamais lui venir de cette façon. Cependant, il adorait la liberté d'action que lui procuraient ses nouvelles tâches et ressentait un soulagement indicible d'avoir pu quitter son métier d'éboueur de la vie artistique. Et puis, Pierre Péladeau le fascinait et Charles éprouvait pour lui un profond respect et même de l'affection.

Il n'avait guère plus de temps pour lui-même que lorsqu'il travaillait à *Vie d'artiste* et se demandait souvent avec tristesse s'il ne finirait pas vieux garçon malgré toutes ses aventures qui l'occupaient parfois sur deux ou trois fronts et qui avaient toutes pour caractéristique de lui causer beaucoup de fatigue et de ne présenter aucun intérêt.

Les propos quelque peu désenchantés que Steve commençait à lui tenir sur la vie de couple ne l'incitaient guère à changer de conduite. D'amoureux, ce dernier se retrouvait père de famille, et la transition le faisait parfois grincer des dents.

— Ma femme m'affame, se plaignait-il.

Monique, fatiguée par *le p'tit et sa job*, refusait de plus en plus souvent ses avances, le maintenant dans un état de rut que les attouchements solitaires ne faisaient qu'exacerber. Il s'était fait une conception bien personnelle de la nécessité des rapports amoureux, citant le cas d'un de ses oncles, débordant de vitalité et mari fidèle d'un glacier en forme de vieille fille qui ne lui permettait presque jamais les ébats au lit ; le pauvre homme était mort dans sa quarante-cinquième année en plantant un poteau de clôture :

— Que veux-tu ? À force de retenir son jus, il s'est empoisonné. Il avait le sang trop gras, ça lui a fait un motton dans la tête et il a crevé comme un vieux sac. Moi, la mort m'a toujours épeuré et je commence à penser à me faire une autre blonde.

Charles l'incitait à persévérer dans la fidélité, lui disant que leur bébé grandissait et demanderait bientôt moins de soins, ce qui leur permettrait de s'en accorder davantage l'un à l'autre ; il citait sa vie dévergondée comme l'exemple parfait de la perte de temps combinée à l'écœurement.

Sa dernière aventure se déroulait avec une secrétaire de *Vie d'artiste* et avait débuté quelques semaines avant son départ du journal. La réaction de la jeune femme, chaque fois qu'il passait près d'elle, avait attiré son attention : elle le fixait avec un étrange sourire, les yeux à demi fermés, en frottant ses cuisses l'une contre l'autre, les coudes légèrement relevés. Du jamais vu ! Il n'avait pas eu besoin de dictionnaire pour déchiffrer le message.

Quelques jours plus tard, elle lui présentait son joli postérieur pour qu'il la flagelle, opération qui servit de prélude à toutes sortes d'activités bizarres et divertissantes. Il s'aperçut bien vite qu'elle était une nymphomane atteinte de sociabilité extrême. Ils faisaient l'amour à trois, à quatre, parfois davantage, la plupart du temps avec des inconnus qui disparaissaient sans un mot après quelques coïts, à moins que l'affaire ne tournât en beuverie ou en *pill party* (mais Charles ne touchait guère lui-même à la drogue). Des précautions prophylactiques s'avéraient nécessaires ; il les prit, espérant ne pas l'avoir fait trop tard. Pourquoi cette zouinzouin de Marie-France s'était-elle attachée à lui en particulier, envoyant promener tous les autres après quelques rencontres ?

— Parce que je t'aime, lui répondait-elle en l'embrassant, et elle lui glissait la langue jusqu'au fond de la gorge.

Comme ses amours avec Céline étaient loin ! Depuis quelques semaines, il pensait à elle avec nostalgie. Est-ce que l'amour, le vrai, celui qui soude les âmes et donne l'impression qu'on est *l'autre* presque autant que soi-même, est-ce que cette chose merveilleuse et incompréhensible disparaissait avec la première jeunesse ? Est-ce qu'avec l'âge on devait se contenter de pis-aller, de mauvaises imitations, de caricatures grotesques ? Ne connaîtrait-il plus jamais le bonheur qu'il avait vécu avec sa première blonde ?

Lors de ses visites chez Fernand et Lucie, il évitait généralement de faire la moindre allusion à son sujet et eux observaient le même silence. Ce qu'il savait d'elle provenait de remarques qu'Henri avait laissé échapper, comme s'il prenait un malin plaisir à le troubler en parlant de sa sœur.

Céline enseignait depuis un an les mathématiques au Cégep du Vieux-Montréal, adorait son métier et fréquentait toujours son long jeune homme aux allures militaires, engagé depuis peu comme administrateur chez Provigo ; mais elle continuait de partager un appartement avec une amie et aucun mariage ne semblait en vue.

Était-elle heureuse ? Lucie aurait pu sans doute répondre à cette question, mais Charles se gardait bien de la lui poser, par fierté, par peur du ridicule aussi, car de quoi aurait-il eu l'air, lui, le courailleur esseulé, à manifester de l'intérêt pour une ancienne amoureuse qui avait refait sa vie ? Il l'avait rejetée, puis avait refusé toute réconciliation, et il avait eu raison. Ce n'étaient pas les petites vapeurs roses de la sensiblerie qui allaient le faire changer de ligne de conduite. D'ailleurs, l'aurait-il souhaité qu'il était trop tard. Et puis, Céline ne connaissait rien de ses aspirations et devait le considérer comme un de ces demi-ratés qui ont laissé mourir leurs rêves et ne cessent de perdre en intérêt ce qu'ils gagnent en âge.

C'était ainsi. Pourquoi se plaindre? Quand Charles examinait son entourage, il ne voyait que plus malchanceux que lui. Steve, qui se crevait à son travail en traînant sa jambe esquintée, venait de lui annoncer que sa femme l'avait convaincu de faire un deuxième enfant! Que les plaisirs du lit coûtaient cher, parfois! Délicieux, que Charles continuait de fréquenter – car c'était un bon compagnon, le cœur toujours sur la main, drôle comme un singe qui aurait fumé du pot et une source intarissable de renseignements les plus divers (où diable apprenait-il toutes ces choses?) –, ne lui pardonnait pas d'avoir quitté *Vie d'artiste*. Lorsque le Grand Patron lèverait les pattes, prédisait-il, et à son âge cela pouvait arriver n'importe quand, ses fils montreraient aussitôt la porte à Charles et il se retrouverait devant des pelures d'oignon.

Mais, au fond, il enviait à Charles son poste *confidentiel*; ses questions incessantes sur Péladeau – toujours sans réponses – en témoignaient bien; sans compter que dans le départ de son ami il voyait sans doute un blâme contre lui-même, vieille commère toujours en train de renifler les coins nauséabonds à la recherche de petites saletés intéressantes.

Et puis il y avait Blonblon, le pauvre Blonblon, l'ami d'enfance qui avait passé sa vie à essayer de tout raccommoder – les êtres vivants comme les choses inanimées – et qui se retrouvait à vingt-huit ans atteint d'une fissure que rien n'arriverait à colmater, ou du moins le croyait-il.

Il tenait toujours boutique et se tirait assez bien d'affaire, mais ce n'était plus le même homme. La tristesse l'avait éteint. Et elle avait apporté avec elle la solitude. Charles avait réussi à le persuader de quitter sa mère, dont il était en train de devenir un charmant appendice, et, après quelques semaines d'angoisse et de culpabilité, il avait fini par s'habituer à sa nouvelle vie. Son appartement, rue Rivard, était spacieux et tranquille, joliment décoré, et Blonblon lui apportait à tout moment de petites améliorations, un embellissement, une touche de douceur ou de gaieté; mais Charles sut bien vite que, si rien ne changeait, son ami vivrait toujours seul dans ce qui aurait pu être un nid d'amour exquis.

La tristesse du regard de Blonblon décourageait, en effet, les contacts le moindrement intimes. Il n'y avait que sa mère et une petite poignée de personnes qui arrivaient à la supporter, sans doute parce qu'ils se rappelaient l'ancien Blonblon. Durant son travail, à force de bagout et de faux entrain, il arrivait assez bien à la cacher, et la plupart de ses clients auraient été bien étonnés d'apprendre qu'au lieu de vivre il ne faisait qu'en donner l'apparence et que, lorsqu'il leur parlait avec cette gentillesse animée propre aux commerçants, il ne faisait que surnager dans une insondable mélancolie qu'aucun traitement n'était parvenu à dissiper.

Son malaise était cependant facile à expliquer, du moins superficiellement. Blonblon était convaincu de vivre en sursis; il attendait en frémissant la rechute qui l'entraînerait de nouveau dans ce monde étrange et horrible où il avait vécu l'agonie de sa raison. Charles avait beau s'emporter en lui citant toutes sortes de cas de guérison – notamment celle de Fernand –, Blonblon, sceptique, hochait la tête; sa certitude d'une rechute tenait de la révélation. Et il racontait de nouveau à Charles l'histoire de ce jeune homme en fauteuil roulant qu'il avait connu à la clinique psychiatrique et que son ami avait vu quelques instants lors de sa première visite.

C'était un suicidaire qui, à l'époque, en était à sa troisième tentative. Blonblon avait eu de longues conversations avec lui. Il n'était pas très aimable, ce qui ne surprenait pas trop d'une personne dans son état, mais il s'épanchait facilement et avec une sorte de plaisir. Malingre, la peau jaune, la lèvre ornée d'une petite moustache qui ressemblait à une mousse chétive, il se promenait à longueur de journée dans son fauteuil roulant, le torse emprisonné dans un corset qui lui faisait une taille de mannequin ; l'air misérable et insolent, il tutoyait tout le monde et cherchait querelle au personnel infirmier et aux médecins, qu'il accusait de le tenir emprisonné. En se jetant du haut d'un quatrième étage, il s'était fracturé la hanche et deux vertèbres.

— Cette fois encore, je me suis raté, disait-il. La prochaine sera la bonne.

Pour l'avoir longuement questionné, Blonblon assurait que le jeune dépressif n'avait pas connu de malheurs extraordinaires dans sa vie ; il éprouvait tout simplement depuis l'adolescence un besoin incoercible de quitter cette maudite planète et il était résolu à prendre tous les moyens pour y arriver. Au début, il s'était montré assez désagréable avec Blonblon, comme il l'était avec tout le monde. Mais, peu à peu, ses manières avaient changé et une étrange fraternité s'était établie entre les deux patients. Blonblon lui avait raconté son histoire. L'autre avait écouté avec attention – ce qu'il ne faisait jamais pour personne – puis, après un long moment de silence, avait hoché la tête en disant :

— C'est terrible. Il ne faut plus que ça t'arrive. Jamais, jamais.

— Charles, je ne sais comment te le dire, poursuivit Blonblon, mais, au bout de quelques jours, c'était comme si on se comprenait sans se parler. On échangeait un regard, et c'était suffisant. On était ensemble du matin au soir, à tel point que le personnel s'était mis à nous surveiller. C'était comme si on faisait partie de la même race... les incurables, peut-être ? Ça m'effrayait, mais en même temps j'étais attiré par lui, parce qu'il n'y avait qu'avec lui que je ne me sentais pas complètement seul. C'est ce qu'il y a de terrible, vois-tu, dans ces histoires de maladie mentale : on est seul, complètement seul, comme devant la mort. Personne ne peut comprendre ça s'il ne l'a pas vécu.

— Il me semble que je le comprends un peu, murmura Charles, troublé et légèrement agacé.

— Oui, bien sûr, répondit poliment Blonblon, toi, c'est différent. On se connaît depuis si longtemps...

Un jour, Joseph-André – il haïssait son prénom – lui avait dit :

— Je connais un moyen, tu sais, pour que ça ne t'arrive plus jamais.

— Lequel ?

Il avait eu un petit rire méprisant :

— Ben, voyons, tarlais, penses-y un peu... Le même que celui que je vais prendre.

Joseph-André avait quitté la clinique quelque temps après, muni de médicaments dernier cri que l'on disait infaillibles. Trois semaines plus tard, Blonblon quittait l'hôpital à son tour. Les mois avaient passé. Et puis, un jour, il avait aperçu la photo de Joseph-André dans *Le Journal de Montréal*. Le malheureux s'était jeté dans une cage d'ascenseur. Et, cette fois, il avait réussi son coup.

— Parfois, murmura Blonblon, pensif, je me dis que son conseil était le bon et que je devrais l'imiter.

Charles lui saisit le bras ; il avait les larmes aux yeux et sa voix frémissait d'indignation :

— Tu n'as pas le droit de faire ça ! Tu n'as pas le droit de me laisser tomber ! On est ensemble depuis trop longtemps ! Il n'y a que les lâches qui baissent les bras au lieu de se battre ! Ton gars n'était qu'un pauvre con et il a fini dans *Le Journal de Montréal* comme tous les cons de son espèce ! T'as commencé à guérir et tu vas continuer, mon hostie, jusqu'à ce que tu sois complètement sur tes pattes ! Promets-le-moi ! Promets-le-moi tout de suite !

Blonblon, ému et amusé, avait tendu la main et promis. Cela n'avait pas suffi. Charles avait exigé qu'il s'engage par écrit. Le texte qu'il lui dicta obligeait formellement Blonblon, dans les moments de détresse, à le joindre quelle que soit l'heure du jour ou de la nuit et à ne rien faire tant qu'il ne lui aurait pas parlé. Blonblon avait signé, Charles avait plié la feuille en quatre et l'avait glissée dans la poche de sa chemise avec un sourire satisfait.

— Si tu n'as pas d'honneur, tu vas renier ta signature. Mais je te connais, jamais tu ne ferais ça.

6

Il y avait de ces matins où Charles aurait troqué son métier de biographe contre celui de marchand de patates frites, et cela, pour plusieurs raisons.

La première concernait le Patron. Pierre Péladeau était un homme cordial et généreux, doué, en dépit de son âge, d'une incroyable énergie et d'une vivacité d'esprit parfois confondante ; pour tout dire, c'était quelqu'un d'extraordinaire, et à plus d'un égard. Mais il était en même temps exigeant, tatillon, colérique et imprévisible.

Depuis le peu de temps que Charles était à son service, il avait dû subir quelques tempêtes qui l'avaient abasourdi, car rien ne les avait annoncées ; elles étaient souvent brutales, grossières et disproportionnées ; l'une d'elles avait été déclenchée par un retard de quinze minutes du jeune homme, une autre par la mention dans un chapitre de la biographie d'un nom de femme que le Grand Patron avait jugé inopportune. Heureusement, ses colères ne duraient pas ; il n'avait pas d'énergie à leur consacrer, ayant trop à faire. Elles pouvaient, par contre, produire des effets durables. Mais Charles n'avait jamais craint jusque-là d'être mis à la porte, car Pierre Péladeau avait développé pour son biographe une affection goguenarde qui avait quelque chose de paternel.

Charles n'arrivait pas à comprendre qu'un homme de son intelligence et de sa culture ait choisi de s'enrichir en exploitant la trivialité. Celle-ci, en effet, régnait plus souvent qu'à son tour dans la multitude de journaux et de magazines qui formait une part importante de son empire. Charles avait baigné pendant cinq ans dans cette trivialité, y trouvant son pain et son beurre, et, malgré tout, cette période lui paraissait comme remplie d'une effervescence colorée.

C'était une autre des raisons qui lui inspiraient certains matins une profonde insatisfaction pour son nouveau métier : il s'ennuyait du journalisme. Le travail solitaire du biographe lui paraissait bien austère quand il pensait au bourdonnement fébrile de la salle de rédaction et à l'ivresse singulière que procurait le sentiment de lancer une nouvelle.

Il fut tenté à une ou deux reprises de demander à l'homme d'affaires, malgré les risques que cela comportait, de lui permettre de réintégrer son ancien poste. Et il songea, dans l'éventualité où ce dernier, ulcéré par sa requête, le ficherait à la porte, que cela pouvait être pour lui l'occasion de donner un nouveau cours à sa vie.

Mais, au début du mois de septembre 1994, un incident changea du tout au tout sa façon de voir les choses et l'incita même à prendre quelques décisions importantes.

On était à la fin de la campagne électorale qui allait porter au pouvoir le Parti québécois dirigé par Jacques Parizeau. Comme de coutume, le Québec était placardé d'affiches. Accrochés à tous les poteaux disponibles, Parizeau et Johnson essayaient d'attirer l'attention des électeurs ; le premier ressemblait à un banquier prospère amateur de cognacs fins, le second à un homme qu'on aurait forcé à sourire après lui avoir appris que sa femme le trompait. Le changement de régime qui s'annonçait avait créé de la fièvre. Un an plus tôt, Robert Bourassa avait quitté la vie politique pour des raisons de santé et son départ avait suscité bien peu d'émotions ; Daniel Johnson, qui lui avait succédé à la tête du gouvernement, était aussi terne que son prédécesseur, et le seul souvenir que semblait devoir laisser son passage au pouvoir était la diminution de la taxe sur les cigarettes.

Au début de la soirée, Charles avait réussi à convaincre Blonblon de l'accompagner au local du Parti québécois dans la circonscription de Sainte-Marie-Saint-Jacques et ils avaient passé deux heures à faire du pointage de listes électorales ; à la surprise de Charles, Blonblon s'était donné à son travail avec beaucoup d'ardeur ; c'est que les actes répétitifs avaient la propriété de le sortir de lui-même et de calmer son angoisse. Mais, vers vingt et une heures, se sentant fatigué, il avait décidé de rentrer chez lui. Charles l'imita peu de temps après, car il avait une entrevue très tôt le lendemain matin avec le Patron.

Il s'en allait à pied, rue Saint-Denis, vers son appartement, profitant de la tiédeur délicieuse de cette nuit de septembre et se demandant, malgré l'heure un peu tardive, s'il ne téléphonerait pas à une jolie physiothérapeute qu'il avait rencontrée l'avant-veille dans un café, lorsqu'il aperçut près de la porte de l'immeuble qu'il habitait une forme humaine affalée contre le mur ; c'était sans doute un robineux. Leur nombre augmentait d'année en année alors qu'ils semblaient de plus en plus jeunes.

Il allait pousser la porte en faisant mine de ne pas avoir aperçu l'individu lorsque ce dernier, d'une voix rauque et impérieuse, l'appela par son prénom.

Charles se retourna. L'homme s'était relevé péniblement et le fixait, à demi courbé, l'œil humide, avec un sourire plein d'expectative. C'était un petit vieillard tout sec, avec une barbe hirsute qui n'arrivait pas à remplir ses joues creuses et un regard perçant et mobile, plein d'une rapacité inquiète ; il portait une casquette délavée, couverte de taches brunes, et ses vêtements tombaient en lambeaux.

— Tu m'reconnais pas ? demanda l'homme.

— Papa, murmura Charles avec une sorte d'effroi.

— C'est vrai que j'ai un peu changé, ricana l'autre. La misère rend pas beau garçon !

— Qu'est-ce que tu fais ici ?

— Je t'attendais, cré Dieu ! Qu'est-ce que tu penses ?

— Qui t'a donné mon adresse ?

L'autre se contenta d'ouvrir les mains en serrant les lèvres, la tête de côté.

Charles poussa la porte d'entrée :

— Viens. T'as l'air mal en point. As-tu mangé ?

— Façon de dire.

L'ascension de l'escalier coupa le souffle à Wilfrid Thibodeau, le forçant à se taire. Charles fut près de lui tendre la main pour l'aider, mais le dégoût l'en empêchait.

Parvenu devant la porte de l'appartement, le vieil homme enleva sa casquette, qui couvrait son crâne dégarni, et se mit à s'éventer en soufflant bruyamment.

— Tu restes haut, mon garçon ! Les escaliers me tuent, à présent. J'ai un souffle au cœur.

Charles avait ouvert la porte, fait de la lumière. Wilfrid s'avança dans le salon en jetant des regards de tous côtés :

— Ouais ! c'est beau icitte ! Une télévision grand écran, une chaîne stéréo ! Tu t'en payes, des choses !

— Je travaille, papa.

L'autre se retourna brusquement et lui darda un regard noir, mais ne répondit rien.

— Est-ce que tu veux manger ? demanda Charles, qui cherchait désespérément un moyen de s'en débarrasser, en dépit des reproches de sa conscience.

Il sortit du frigidaire une pizza légèrement entamée et la mit au four. Mais une telle faim tenaillait l'ancien menuisier qu'il s'en empara presque aussitôt et se mit à la dévorer par grands morceaux. Charles remarqua que ses mains tremblaient et qu'il prenait soin de les tenir le plus souvent possible sous la table.

Tout en mangeant, il raconta la suite de ses malheurs. Il vivait à Montréal depuis sept ans et avait exercé tous les petits métiers possibles : manutentionnaire, journalier, gardien de nuit, messager à bicyclette, laveur de planchers, installateur de cordes à linge, homme de ménage dans un bordel... Il avait même foutu le feu dans des immeubles pour une poignée de dollars !

— Que veux-tu ? Il faut bien vivre ! crut-il bon d'ajouter devant la mine effarée de son fils. Si j'avais eu le choix, j'aurais fait autre chose, tu peux être sûr !

Tous ses patrons, du premier au dernier, s'étaient révélés des écœurants et des exploiteurs, et il leur avait tous dit leur fait. Depuis six mois, il traversait une période noire ; on ne l'engageait plus nulle part. Le découragement s'était emparé de lui et il s'était laissé couler au fond. À présent, il passait ses nuits dans les refuges pour itinérants et prenait ses repas à l'Accueil Bonneau, mais il n'avait pas encore commencé à quêter, tout de même.

— J'ai ma fierté !

La semaine d'avant, l'idée lui était venue de demander l'aide de son fils, même si les tentatives qu'il avait faites dans le passé pour renouer contact avec lui n'avaient guère été encourageantes. Il n'avait besoin que d'une centaine de dollars, le temps que la malchance l'oublie. D'ailleurs, si cela importunait Charles le moindrement, ce dernier n'avait qu'à le dire ; ils n'en seraient pas moins bons amis.

Wilfrid Thibodeau avala un dernier morceau de pizza, sourit, puis, négligemment :

— T'aurais pas une bière ?

— Non. Je n'en bois pas souvent. Mais je peux aller t'en chercher.

— Apporte donc un *six-pack*, lança-t-il à Charles au moment où celui-ci quittait l'appartement. J'en aurai pour demain.

Charles se rendit au dépanneur, puis fit un crochet jusqu'au guichet automatique de la caisse populaire et arpenta ensuite la rue pendant un bon moment pour tenter de se calmer et de mettre de l'ordre dans ses idées. De sorte qu'une bonne demi-heure s'était écoulée lorsqu'il revint chez lui. Il s'attendait à retrouver son père impatient, et même en colère. Il n'en fut rien.

Étendu sur le canapé du salon, Wilfrid Thibodeau ronflait. Il fallait qu'il fût dans un état bien lamentable pour avoir préféré le sommeil à l'alcool! Charles l'observait avec une moue dégoûtée. Le vieil homme avait enlevé ses souliers et trois orteils jaillissaient de ses bas crevés, des orteils recouverts d'une crasse brunâtre, aux ongles épais et recourbés, bordés d'un large trait noir.

C'était fait. Il ne pourrait pas tomber tellement plus bas. Il ne restait plus que la mort, à présent. Elle avait d'ailleurs commencé son œuvre et serait peut-être plus vite en besogne qu'on ne le croyait.

Charles alla porter la bière au réfrigérateur, déposa sur la table de la cuisine les cent dollars avec un bout de papier où il avait griffonné « Pour toi » et glissa quelques vêtements dans une mallette, car il avait décidé de passer la nuit ailleurs. L'idée de dormir dans le même appartement que son père lui était insup-portable. Il lui fallait se trouver un autre gîte. Ses allées et venues ne réveillèrent aucunement Wilfrid Thibodeau, qui continua à ronfler avec la même énergie.

Il sortit de nouveau et verrouilla la porte, résigné au pire. Peut-être qu'à son réveil le lendemain, se voyant seul, son père entrerait dans une de ces colères terribles dont Charles avait conservé des souvenirs ineffaçables? Les meubles et les effets personnels de son fils serviraient alors de victimes. Peut-être, au contraire, verrait-il cela comme une bonne occasion de lui chiper quelque objet de valeur pour la revente?

Une troisième possibilité s'offrit à son esprit, mais Charles refusa de l'envisager: peut-être resterait-il encore là à l'at-tendre?

Il fallait maintenant trouver un endroit où dormir. Il était hors de question de s'adresser à une heure pareille à la jolie physiothérapeute. Il téléphona à Marie-France. Elle l'accueillit avec joie.

— Es-tu seule?

— Mais non, mon chou. Tu sais bien que je m'ennuie toute seule. Amène-toi. On va avoir tout un *buzz*!

— Merci pour ton *buzz*, ma belle. Je n'ai pas la tête à ça pour le moment.

Finalement, ce fut Régine Allaire qui lui offrit l'hospitalité. Au ton qu'il avait en lui expliquant la raison qui l'amenait chez elle, la journaliste comprit que Charles, ce soir-là, n'était pas d'humeur à batifoler. Malgré le trouble qu'éveillait en elle ce beau garçon charmeur dont elle se délectait de plus en plus rarement, elle se coucha bien sagement à ses côtés et le laissa dormir toute sa nuit, cherchant elle-même un sommeil qui ne vint que bien tard.

En rentrant chez lui à la fin de la journée suivante, Charles s'était forgé une âme d'airain. Elle n'eut à subir aucun choc : son père était parti. Il avait laissé l'appartement dans un état impeccable, prenant soin de plier proprement la couverture que son fils avait étendue sur lui au moment de partir et lavant même l'assiette qu'il avait utilisée la veille. Aucun objet ne semblait manquer. Manifestement, il tenait à rétablir de bonnes relations avec Charles. À l'envers du bout de papier que celui-ci avait déposé près de l'argent, il avait écrit : « Merci, à bientôt. »

Cet « à bientôt », Charles le reçut comme une menace. Il alla s'assurer que Wilfrid Thibodeau n'avait pas emporté le double de la clé de l'appartement, qu'il gardait accroché près de la porte arrière, puis décida de quitter aussitôt les lieux et de passer quelques nuits chez Régine, qu'il récompenserait généreusement cette fois pour ses bons soins. Face à son père, il était résolu à se montrer d'une franchise impitoyable; à leur prochaine rencontre, il lui déclarerait que leur relation devait s'arrêter là. S'il avait besoin d'aide ou désirait lui faire savoir quelque chose, il devrait passer par le notaire Parfait Michaud, à qui Charles donnerait des instructions. L'idée lui vint même d'aller s'installer dans une de ces tours à logements presque inaccessibles aux visiteurs qui se dressaient ici et là au centre-ville. Puis il la trouva farfelue et s'accusa de lâcheté. Quel danger pouvait bien présenter un vieil ivrogne sur le point de crever?

La visite de son père lui fit abandonner toute velléité de quitter son poste auprès de Pierre Péladeau. Le côtoiement du milliardaire l'éloignait encore davantage de ses origines honteuses; il l'aidait à renier l'homme qui l'avait blessé si profondément et de tant de façons, et qui réclamait à présent son aide, comme si la négligence et la cruauté méritaient de la gratitude. Il ne voulait plus rien avoir de commun avec lui, pas même une conversation. Par pitié, il lui fournirait de l'argent de temps à autre, ce qui ne ferait sans doute que hâter sa fin. On ne pouvait lui demander davantage. Aller plus loin, c'était aller contre lui-même.

Et à présent, chaque matin, lorsqu'il pénétrait dans l'immeuble de la rue Saint-Jacques, une bouffée d'ivresse montait en lui, si puissante qu'elle l'obligeait parfois à s'arrêter dans le hall quelques instants, le souffle court, les yeux humides. S'efforçant de cacher son émotion, il promenait son regard autour de lui dans l'affluence des employés qui arrivaient au travail, répondant d'un sourire aimable aux salutations de certains, puis il se disait, en extrayant le sens de chaque mot comme le jus d'un fruit: « C'est bien toi, Charles Thibodeau, qui te trouves ici ce matin dans l'édifice Quebecor. Ton bureau est au treizième étage et tu travailles pour le plus grand homme d'affaires du Québec. Il te tutoie. Il t'estime. Tu connais ses secrets. Tu es parti de rien, Charles, de moins que rien. Mais regarde ce matin où tu es rendu. Et ça ne fait que commencer! »

En refusant de passer la nuit sous le même toit que son père, Charles lui avait envoyé un message limpide, que ce dernier avait bien saisi, car pendant plusieurs semaines il prit soin de ne plus se montrer. Chaque soir, en revenant chez lui, Charles éprouvait durant quelques instants la crainte d'apercevoir la petite silhouette mince et un peu courbée à l'entrée de l'immeuble, mais, comme chaque soir ses craintes tournaient en fumée, l'incident commença à s'estomper dans son esprit.

Il avait d'ailleurs trop à faire pour consacrer beaucoup de temps à ses soucis. La biographie avançait rondement et à la satisfaction du Grand Patron. De plus, Péladeau avait beaucoup apprécié ses deux derniers reportages spéciaux pour *Vie d'artiste*, l'un consacré à la jeune Mitsou, l'autre à Gilles Latulipe et à son Théâtre des Variétés de la rue Papineau. La confiance qu'il éprouvait pour son employé ne cessait de grandir et cette confiance se traduisait... par un surcroît de travail. Charles devait préparer de plus en plus souvent des notes de conférences pour l'homme d'affaires, qu'on sollicitait beaucoup, et trois fois il avait dû remplacer au pied levé un collègue de *Vie d'artiste* aux prises avec un problème d'alcool et que Pierre Péladeau – lui-même en butte autrefois à ce problème – essayait patiemment de tirer d'affaire.

À quelques reprises, le Patron avait laissé entendre à Charles qu'il avait pour lui des projets intéressants. Malgré son envie, le jeune homme n'avait pas osé le questionner, car l'expérience lui avait appris qu'il pouvait être imprudent de se montrer trop curieux.

Il allait avoir bientôt l'occasion de vérifier l'attachement de l'homme d'affaires à son endroit.

7

Une fringale de livres s'était emparée de Charles un soir de novembre pendant qu'il se dirigeait vers le métro après une journée de travail qui s'était étirée jusqu'à vingt heures. Il pleuvotait sur Montréal, les rues luisantes étaient vides et sinistres comme des crânes dans des catacombes, et un vent glacial chargé d'une odeur de vieux torchon léchait les visages et s'infiltrait sous les vêtements avec insolence. Charles eut soudain envie de se retrouver dans un bain chaud, un bon livre à la main. Par un temps pareil, il fallait faire abstraction de l'univers. Malgré les récriminations de son estomac, il décida de se rendre au Fou du livre et du disque, une librairie d'occasion établie au sous-sol du Palais du Commerce, coin Berri et de Maisonneuve; il l'avait fréquentée assidûment dans son adolescence – ainsi que sa voisine, le Marché du livre – et lui devait des moments de lecture merveilleux, mais n'y avait pas mis les pieds depuis des années.

Le nom de librairie ne convenait guère à cet immense entrepôt baigné d'une lumière jaunâtre et lugubre où s'entassaient en rangées compactes des tonnes de livres ayant connu les vicissitudes les plus diverses : dédain des lecteurs, brûlures de cigarette, taches de graisse et de jus de tomate, mutilations, grignotements de souris, séquestration dans des caves suintantes, naufrages dans la saleté, etc.

Une odeur de poussière, d'air confiné, de fond de garde-manger, une impression de fiascos obscurs, de minables échecs, et jusqu'au regard lymphatique des commis mal payés, tout incitait l'éventuel client à fuir à toutes jambes le Fou du livre; pourtant les acheteurs ne manquaient pas, car les prix frôlaient le ridicule et, dans le fatras des livres illisibles et justement oubliés, gisaient de petits trésors. C'est là que Charles avait acheté pour vingt-cinq sous une magnifique édition de *Croc-Blanc* de Jack London, *L'Écume des jours* de Boris Vian et

L'Amant de lady Chatterley de D. H. Lawrence (lu avec une frénésie toute manuelle).

Il s'avança dans les allées, jetant des regards rapides à gauche et à droite, se fiant au hasard, car seul le hasard pouvait se montrer secourable dans ce prodigieux fouillis. Des clients bouquinaient ici et là, la mine pensive ; près d'une colonne, un jeune couple, penché sur un album, s'esclaffait avec des airs nigauds. Charles s'arrêta devant un présentoir, prit un livre, puis un autre, alla plus loin, revint sur ses pas. « J'aurais dû manger avant de venir », se dit-il. Sa faim lui enlevait à présent tout enthousiasme et remplissait sa tête d'une sorte de grisaille pluvieuse.

Soudain, un vieux livre à couverture bordeaux attira son attention. L'âge et les mauvais traitements l'avaient à demi disloqué et des taches de moisissure picotaient la tranche jaunie. Charles s'en empara et se mit à le feuilleter, indécis.

— Les *Mémoires* d'Hector Berlioz ? fit une voix d'homme près de lui. Si vous ne les avez pas, sautez dessus ! C'est superbe. Connaissez-vous Berlioz ? Il n'était pas seulement un compositeur de génie mais aussi un grand écrivain. Évidemment, il faut s'intéresser à la musique. Vous permettez ?

L'homme prit le livre et se mit à l'inspecter. Grassouillet, la chevelure clairsemée, il était de taille moyenne et d'apparence plutôt banale, avec un air à la fois timide et entreprenant, et devait approcher de la cinquantaine, s'il ne l'avait pas. Charles, d'abord ennuyé, se mit à observer l'inconnu avec un léger sourire, car il y avait en lui quelque chose de candide et de doucement exalté qui lui plaisait.

— Oh ! 1870 ! C'est peut-être l'édition originale ! Moi, je possède une édition en format poche, assez quelconque. Aimez-vous la musique ?

— Oui, beaucoup.

— La musique classique, j'entends.

— C'est bien ça, la musique classique.

— Remarquez qu'il parle de toutes sortes de choses là-dedans. Il s'agit de sa vie, après tout. Et quelle vie ! Évidemment, comme tout le monde, il préfère montrer ses bons côtés plutôt que ses croûtes et ses petites verrues. J'en ferais autant. Mais je n'aurais pas son esprit ! Il pouvait être cruel parfois.

Et il cita quelques bons mots, en les situant dans leur contexte.

— Excusez-moi, fit-il en s'interrompant tout à coup, je vous ennuie.

— Pas du tout, mais j'ai faim. Je n'ai pas soupé.

— Tiens, moi non plus.

L'individu s'arrêta, perplexe, tandis qu'une légère rougeur se répandait sur ses joues. L'envie qu'il avait de proposer à son interlocuteur de souper avec lui s'étalait sur son visage avec une naïveté comique, mais il ne se décidait pas à l'exprimer ; Charles, amusé, sourit de nouveau. Ce sourire sembla aider l'inconnu à vaincre sa timidité :

— Est-ce que vous aviez l'intention de manger... dans le coin ?

— Ouais... j'avais pensé aller dans un café de la rue Saint-Denis. Voulez-vous m'accompagner ?

— Avec plaisir ! Ma femme enseigne ce soir, et la simple idée de me retrouver seul dans la cuisine en train de me faire réchauffer du macaroni... Mais je ne veux pas vous empêcher de bouquiner, se reprit-il aussitôt.

— J'ai trop faim pour continuer. Et puis, de toute façon, grâce à vous, j'ai fait ma trouvaille. Je serais bien surpris d'en faire une autre ce soir.

— Nicolas Rivard, dit l'homme en tendant brusquement la main. Journaliste. C'est-à-dire que je l'étais. Mais je le serai de nouveau. Bientôt.

— Charles Thibodeau. Journaliste aussi.

— Je le savais. Je vous avais reconnu.

— Ah oui ? fit l'autre, surpris et rougissant de plaisir.

— Vous travaillez toujours à *Vie d'artiste*?

— Seulement des collaborations spéciales, à présent.

Ils se dirigeaient vers la caisse.

— L'entrevue avec Lola Malo, c'est bien de vous, non?

— Oui. Il faut bien gagner sa vie, que voulez-vous?

— Ah! mais vous êtes trop modeste! Évidemment, c'est une chanteuse populaire un peu quétaine. Et son mari, quel beigne! Mais votre texte était délicieux. Je ne suis pas sûr qu'ils en aient senti l'ironie cachée. Pas plus que la plupart des gens, d'ailleurs. La moyenne ne vole pas haut, comme vous savez.

Ils avaient quitté le Palais du Commerce et s'avançaient sur le boulevard de Maisonneuve en direction de la rue Saint-Denis, Charles tenant sa précieuse acquisition sous son manteau afin de la protéger de la pluie, qui tombait assez dru à présent.

— Et vous, demanda-t-il, à quel journal étiez-vous?

— À *La Presse*. Comme chroniqueur des affaires municipales. Mais, je me mourais d'ennui. Alors je suis passé au *Devoir*, où j'ai fait l'environnement, puis les affaires syndicales, jusqu'à tout récemment.

— Ah oui, c'est vrai, répondit Charles pour être gentil.

— Mais mon heure de gloire, si je peux dire, je l'ai connue il y a quelques années avec l'affaire Robidoux. Vous vous rappelez ce ministre de l'Environnement qu'on avait surpris les deux mains dans le tiroir-caisse de la compagnie Kronoxyde? Il avait dû démissionner. Tout ça grâce à moi. J'en avais bavé un coup, je vous prie de me croire! Mais Bourassa, à la dernière minute, m'a roulé, et le scandale a plus ou moins tourné en pétard mouillé.

Ladite affaire n'avait laissé dans l'esprit de Charles qu'un pâle souvenir, mais il fit de son mieux pour n'en rien laisser paraître.

Ils se retrouvèrent au Bistrot Saint-Denis. Nicolas Rivard se montra fort impressionné quand son compagnon lui apprit les fonctions qu'il occupait. Il le questionna longuement sur Pierre Péladeau, et Charles répondit en observant toutes les règles de la loyauté à laquelle il se sentait tenu à l'égard de son patron. Sa discrétion impressionna encore davantage le journaliste, qui eut le sentiment d'avoir pénétré quelque peu dans la zone mystérieuse qui entourait le célèbre milliardaire. Il voulut offrir le vin, mais se ravisa, craignant que son amabilité et leur différence d'âge prêtent à de fausses interprétations, et proposa plutôt qu'ils partagent le prix d'une bonne bouteille. Du reste, sa rencontre avec Charles lui paraissait comme une chance merveilleuse qu'il ne voulait pas gâcher.

Il s'informa prudemment des projets d'avenir de son compagnon et ce dernier lui répondit tout de go qu'il s'ennuyait du journalisme – mais pas de celui qu'il pratiquait à *Vie d'artiste*! Pour tout dire, cette sorte de journalisme lui puait au nez, mais ses efforts pour changer de domaine n'avaient rien donné jusque-là. Il rêvait d'être chroniqueur politique. Le référendum approchait. La décision que s'apprêtaient à prendre les Québécois était capitale. Charles aurait voulu aider, selon ses modestes moyens, à l'émancipation de son peuple. Voilà des occasions qui ne se présentaient pas tous les jours!

Alors Nicolas Rivard, très excité, se mit à lui parler du projet qu'il était en train de mettre sur pied. Il s'agissait d'un hebdo à distribution gratuite dans le genre de *Voir* ou *Ici*, mais avec un contenu bien plus progressiste. L'étude de marché s'était montrée concluante. Il en était au montage financier, entreprise délicate s'il en fut, mais qui allait bon train. Il serait ravi de voir Charles se joindre à leur petite équipe, qu'il s'occupait à former. Évidemment, la politique de rédaction du journal devrait, comme toujours, tenir compte des annonceurs, d'où proviendrait l'essentiel des revenus; mais, si l'hebdo connaissait le succès, ces gens se ficheraient pas mal des idées qu'on y débattrait, car leur seul intérêt dans ce genre d'affaire était le tirage, dont dépendait le nombre d'autos, de séjours à Cuba ou de billets de cinéma qu'on pouvait espérer vendre. Le reste importait peu. C'est donc dire que le succès apportait avec lui la liberté, mais il fallait l'atteindre! Rivard avait bon espoir de réussir.

Charles, galvanisé, sentit passer sur lui le souffle du destin. Ce Nicolas Rivard, qui lui avait paru tout d'abord un peu falot, venait de prendre une tout autre allure. C'était un journaliste d'expérience, qui ne semblait manquer ni de courage ni de vision. L'ouverture que Charles avait cherchée en vain jusque-là, ne l'avait-il pas enfin devant lui ? La fragilité de l'entreprise ne lui apparut pas tout de suite, les concessions qu'il serait sans doute amené à faire non plus. L'éblouissement du premier enthousiasme l'aveuglait. Les deux hommes parlèrent longtemps, penchés au-dessus de leur assiette qui refroidissait. Ils burent par contre beaucoup de vin et se quittèrent fort joyeux, avec force plaisanteries, poignées de mains et tapes dans le dos, en promettant de se revoir incessamment.

C'est la sonnerie du téléphone qui réveilla Charles le lendemain matin ; Steve avait une bonne nouvelle à lui annoncer : Blonblon prenait enfin du mieux ; dans peu de temps, il serait sans doute tout à fait guéri.

Et il lui raconta un incident qui s'était déroulé la veille.

Vers dix-huit heures, Steve était allé trouver son ami à la boutique pour l'inviter à goûter à l'osso buco de Monique, qui s'était lancée dans la cuisine italienne et semblait pouvoir bientôt en remontrer au cuisinier de Pavarotti lui-même ; mais, au moment où ils allaient partir, voilà qu'était arrivé un grand blond à l'air finaud avec un long nez à la Bourassa un peu dévié vers la droite ; il se présentait comme antiquaire et désirait faire la connaissance de Blonblon, dont la réputation, disait-il, avait franchi les limites du Plateau et s'était rendue jusqu'à lui, qui tenait boutique rue Amherst près d'Ontario. Ils s'étaient tous les trois lancés dans une interminable discussion et Steve avait dû téléphoner à Monique pour lui demander de ralentir les préparatifs du souper, car ils allaient être en retard.

L'antiquaire les invita à visiter sa boutique («Oh! juste pour un coup d'œil, ça ne prendra pas de temps»), où il venait de recevoir un secrétaire de chêne ouvragé d'une qualité remarquable. Blonblon avait regardé Steve avec un air suppliant et ce dernier n'avait pas osé refuser.

L'incident avait eu lieu à la boutique en question. Blonblon avait félicité le marchand pour l'aménagement des lieux, il avait longuement admiré le secrétaire et, malgré les signes discrets de Steve tourmenté par la faim, s'était remis à parler métier avec son collègue. C'est alors que l'antiquaire, fanfaron comme un singe qui vient de voler un porte-monnaie, s'était vanté d'avoir floué une cliente trois jours plus tôt, et en toute impunité.

Elle lui avait apporté les débris d'un vieux pot à cuillers, lui demandant s'il connaissait quelqu'un qui pourrait le réparer. Elle tenait à ce pot comme à la vie même; c'était un souvenir de famille qui lui venait de sa grand-mère maternelle. Il avait suffi d'un faux mouvement, et le bel objet de fine porcelaine fabriqué en Prusse au siècle dernier s'était retrouvé sur le plancher en dix-sept morceaux.

L'antiquaire les avait longuement examinés, puis:

— Hum... Je pourrais le réparer... mais il y a là beaucoup de travail, madame. Combien êtes-vous prête à payer?

— Ce que vous voudrez.

— C'est que... j'en aurais pour sept ou huit heures, et peut-être davantage... Il ne s'agit pas simplement de recoller les morceaux, vous comprenez. Il faut refaire certaines parties de l'ornementation, car il manque beaucoup de petits éclats, à ce que je vois.

— Faites ce qu'il faudra.

— Ça va tourner autour des deux cents dollars. Ça vous va? Revenez dans une semaine.

Elle l'avait quitté, ravie, ignorant qu'il possédait un pot identique dont il demandait cent dollars et qu'il aurait laissé aller pour quatre-vingts. Il avait jeté les débris du pot, avait emballé l'autre dans une jolie boîte de carton bleue ornée d'un ruban rose et s'était félicité de sa supercherie, qui allait en plus lui faire de l'excellente publicité.

— Est-ce que tu as encore les morceaux? avait demandé Blonblon, mine de rien.

L'autre avait montré du doigt une corbeille à papier :

— Ouais, ils sont là.

— Est-ce que je peux les prendre?

L'antiquaire avait eu un sourire étonné :

— Bien sûr. T'as vraiment envie de réparer ce vieux pot?

Blonblon n'avait rien répondu, avait soigneusement recueilli les débris, récupérant jusqu'au plus minuscule fragment, avait glissé le tout dans une petite boîte de carton que le boutiquier lui avait fournie, puis, le fixant d'un regard attristé :

— Moi, à ta place, j'aurais honte d'avoir agi comme tu l'as fait.

Et il s'était mis à le sermonner posément mais avec beaucoup de fermeté, lui reprochant de déshonorer le métier et de ne rien comprendre aux objets qui, à leur façon, possédaient eux aussi une âme et auxquels il fallait porter secours quand ils étaient dans la détresse.

— Ce pot brisé que tu as jeté à la poubelle, mon vieux, ne l'entendais-tu pas crier? Je vais m'en occuper, moi, puisque tu n'as pas eu le cœur de le faire.

Et il lui avait tourné le dos, le laissant abasourdi et confus.

— Tu ne viens pas de te faire un ami, ricana Steve quand ils furent sur le trottoir.

— Ces amis-là, je n'en ai pas besoin.

— Oui, mais on ne sait jamais, il pourrait te nuire.

— On ne trompe pas les gens de cette façon-là. On ne jette pas un bel objet à la poubelle quand on peut le sauver.

— En tout cas, tu l'as enguirlandé en s'il vous plaît, laisse-moi te dire! Il avait la gueule si grande ouverte que j'aurais pu mettre mon poing dedans!

— Ça m'a fait du bien.

— Vraiment?

— Beaucoup.

Ils trouvèrent Monique d'assez mauvais poil, car l'osso buco avait trop cuit. Mais Blonblon eut tôt fait de la remettre de bonne humeur par ses compliments et ses gentillesses, déclarant que c'était là le meilleur osso buco qu'il avait mangé de toute sa vie et qu'elle était une merveilleuse cuisinière, et jolie à part ça, sans compter d'autres qualités que Steve était seul à connaître.

Ce dernier le regardait, ahuri. Le vrai Blonblon venait de remonter à la surface, et dans une version améliorée! Il avait mangé avec beaucoup d'appétit, s'était occupé du petit Gérard, parvenant même à transformer une crise de larmes en éclats de rire, et s'était montré plein d'entrain tout au long de la soirée. Il avait été question du pot à cuillers, mais sans plus. C'était une chose réglée; le lendemain, il en ferait un pot neuf, qu'il vendrait à un prix raisonnable.

Sur l'heure du midi, Charles, curieux de vérifier les propos de Steve, se rendit à La Vieille Armoire. Il trouva son ami en train de cirer une commode.

— Comment vas-tu? lui demanda-t-il.

— Beaucoup mieux, répondit ce dernier avec un grand sourire.

Et, sans en dire davantage, il l'amena dans son atelier pour lui faire admirer le pot à cuillers, qu'il achevait de réparer. Charles s'exclama devant son habileté. Les traces de cassures avaient presque toutes disparu.

— Oh! il suffit d'avoir de bons émaux et des doigts qui ne tremblent pas, répondit Blonblon avec modestie. Mais il faudra que je repeigne le cœur de cette rose-là, car il manque un éclat. C'est ce qui va être le plus délicat.

Puis ils dînèrent ensemble. Blonblon ne dit rien de spécial, mais quelque chose dans ses manières et sa façon d'être avait changé. Il y avait à présent chez lui une aisance et une légèreté que ses amis avaient crues perdues à jamais.

À la fin du repas, Charles lui mit la main sur l'épaule :

— Ça va vraiment beaucoup mieux, hein, mon vieux ?

— Pourvu que ça dure, répondit l'autre en détournant le regard, et il se mit à rire de bonheur.

Charles retourna à son travail dans un état d'allégresse qui lui faisait trouver des couleurs gaies à cette morne et grise journée de novembre, où chacun allait à ses affaires d'un pas pressé, recroquevillé en lui-même, frissonnant sous une neige mouillée qui avait recouvert la ville d'une blancheur lugubre et faisait rêver à de lointaines plages ombragées de palmiers.

Il débordait d'une telle bonne humeur que cela attira l'attention de Péladeau.

— Les amours vont bien, à ce que je vois ? le taquina l'homme d'affaires.

— Pourtant non !

— Alors, c'est les actions en Bourse ?

Charles se contenta de rire et l'autre, après l'avoir considéré un moment d'un air intrigué, quitta la pièce. Visiblement, se dit Charles, son patron éprouvait pour lui un réel attachement. « Je n'ai jamais cherché à lui téter des faveurs ou à lui raconter des histoires, et ça, dans sa position, il doit l'apprécier. » Lui aussi éprouvait de l'affection pour le vieil homme, malgré tous ses défauts, et peut-être un peu à cause de ceux-ci.

Et pourtant, comme le magnat n'arrivait pas à satisfaire ses ambitions de journaliste, il allait sans doute le quitter bientôt.

Cette pensée l'attristait. Mais Pierre Péladeau lui-même ne lui avait-il pas répété maintes fois que la seule façon de réussir dans la vie était de sauter sur les bonnes occasions ?

8

Ç'avait été vraiment une bonne journée. Vers le milieu de l'après-midi, il avait terminé la troisième version de l'épisode qui racontait la mort de la première femme du Grand Patron – sujet délicat s'il en fut, car ce dernier n'y paraissait pas sous son meilleur jour –, puis il était allé la lui soumettre et, cette fois, au lieu de grognements et de remarques cinglantes, il avait eu droit à un sourire franc et radieux, un vrai sourire d'enfant, qui récompensait de tous les efforts.

À peine s'était-il remis au travail qu'il avait reçu un appel de Lodoïska Tchertchanova, la jolie physiothérapeute qu'il fréquentait depuis trois semaines malgré la farouche opposition de la mère et du grand-père de la jeune femme ; elle lui annonça qu'elle avait enfin trouvé un moyen pour qu'ils passent la nuit ensemble. Du coup, il en avait eu une érection, et le parfum de fleur d'oranger qu'exhalait la grassouillette Dorothée à chacune de ses apparitions dans son bureau était devenu si puissant et si capiteux qu'il s'était mis à le humer à pleins poumons, le nez en l'air, les yeux à demi fermés, devant la secrétaire étonnée.

En retournant chez lui après le travail, il avait aperçu, rue Sainte-Catherine, un superbe basset attaché à un poteau devant une pharmacie ; il adorait ces animaux doux et mélancoliques, au regard rempli d'une compassion universelle. Mais l'animal, en dépit de son hérédité, jappait férocement à l'approche de deux adolescents qui auraient voulu le caresser ; ceux-ci, vexés, se mirent bientôt à le taquiner, exacerbant sa rage.

— Laissez-le tranquille, les gars, leur conseilla Charles en s'avançant. Vous ne lui faites pas de bien.

— Il n'a pas l'air de vouloir nous en faire lui non plus, rétorqua l'un des jeunes en riant.

— Allons, mon vieux, fit Charles en s'accroupissant devant la bête, ça ne file pas aujourd'hui ?

Le basset, soudain calmé, le fixa, puis se mit à battre de la queue. L'instant d'après, Charles lui malaxait la peau du cou tandis que le chien lui léchait une main avec de petits gémissements de plaisir. Les adolescents, stupéfaits, observaient la scène en silence. « J'aurais dû m'acheter un chien, depuis le temps », se disait Charles, ému. Un frottement de pieds lui fit lever la tête. Les yeux arrondis de surprise, un vieil homme tout de noir vêtu le contemplait :

— Eh ben ! ça parle au diable ! Depuis huit ans que j'ai cette bête-là, vous êtes le premier étranger à pouvoir la toucher ! Vous avez un don pour les chiens, vous !

— Oui, monsieur, répondit Charles en se relevant, radieux. Depuis que je suis haut comme ça !

Et, après avoir fait une dernière caresse au chien, puis salué le propriétaire de l'animal, il était reparti, rempli d'une joie enfantine, tandis que la bête aboyait et tirait sur sa laisse pour le suivre.

— Extraordinaire ! avait crié le vieil homme en agitant comiquement la main.

Charles s'était arrêté ensuite à la Société des alcools. Ce Côtes du Marmandais dont on lui avait dit tant de bien, mais qu'il n'avait pas encore osé acheter, découragé par son prix, était en solde. Il en avait pris deux bouteilles, la première pour déguster avec Lodoïska, la seconde pour l'offrir en cadeau d'anniversaire à Fernand, qui commençait à prendre goût au vin.

La soirée n'avait fait que continuer cette journée parfaite, qui avait somptueusement débuté par l'annonce du retour à la santé de Blonblon. Il avait invité sa petite amie au Grain de sel, un restaurant que lui avait fait connaître Parfait Michaud, grand amateur depuis son divorce de bonnes tables à prix honnêtes, car il adorait bien manger mais détestait le tablier. Puis il avait amené Lodoïska chez lui et tout s'était déroulé comme il le fallait, et même au-delà de ses espérances, car faire l'amour pour la première fois avec une femme aussi sensible et nerveuse lui avait paru une entreprise hasardeuse. La patience, la gentillesse, beaucoup de doigté et deux verres de Côtes du Marmandais pris tranquillement au son des *Quatre Saisons* de Vivaldi – Lodoïska adorait le violon – avaient accompli des merveilles et ils se seraient acheminés tout doucement vers un petit matin délicieux s'il n'y avait eu ces coups dans la porte au milieu de la nuit, puis la scène qui s'ensuivit.

— Qu'est-ce que c'est? avait balbutié Lodoïska en se dressant dans le lit avec effroi.

— Ne bouge pas. Je vais aller voir.

— Non! Reste près de moi. J'ai trop peur.

— Mais il faut que j'aille arrêter cette espèce de con. Il va réveiller tout l'immeuble.

— C'est quelqu'un que tu connais?

— Je crois que oui.

— Tu n'es pas sûr? Qui est-ce?

Un formidable coup de poing s'était alors abattu dans la porte et une voix éraillée avait hurlé :

— Charles! ouvre-moi, câlice d'hostie! J'le sais que t'es là! Je vous ai vus entrer.

— C'est bien ce que je pensais, murmura Charles en quittant la chambre tandis que son amie, toute tremblante, s'enfouissait sous les couvertures.

— Enfin! s'écria Wilfrid Thibodeau en voyant la porte s'ouvrir. Y était temps, ciboire! Qu'est-ce tu faisais? En train de fourrer, encore? Non, non, non! C'est pas la peine de me raconter des histoires, j't'ai vu entrer avec une petite plotte! En v'là des...

— Cesse de crier, coupa Charles, ou j'appelle la police.

On entendit une voix d'homme à l'étage supérieur.

— Qu'est-ce qui se passe?

Saisissant Wilfrid Thibodeau par un bras, Charles le tira à l'intérieur et referma la porte. L'ancien menuisier était tellement ivre que ce brusque mouvement lui fit perdre l'équilibre et il tomba à genoux avec un bruit sourd.

Pendant quelques secondes, les deux hommes se regardèrent.

— *Ayoye!* murmura enfin l'ivrogne. Tu y vas pas de main morte, mon garçon! On dirait pas que je suis ton père.

Il essaya de se relever, sans succès. Charles dut l'empoigner sous les bras et le soulever, grimaçant sous son haleine fétide.

— Qu'est-ce que tu veux? demanda-t-il quand l'autre put se tenir debout.

— Je veux me coucher. On gèle dehors. Tu t'en es pas aperçu?

Et soudain son agitation et sa hargne tombèrent pour faire place à une soumission apeurée et pleurnicharde.

— Je suis arrivé trop tard à la Mission Old Brewery... On avait barré les portes. J'allais quand même pas coucher dans la rue, non? Alors, je t'ai attendu... Mais quand je t'ai vu arriver avec ta... petite amie, ça m'a gêné, j'ai pas osé vous approcher, voilà... Comment tu m'aurais reçu, ça, le bon Dieu le sait, le diable s'en doute. Alors j'ai décidé d'attendre, au cas où elle repartirait, on sait jamais. Mais au bout de deux heures, j'en pouvais plus. C'est qu'il fait un de ces frettes, hostie! Les coups de remontant me réchauffaient à peine. Et puis après... y avait plus de remontant.

— Papa, fit Charles à voix basse en tournant la tête vers la chambre à coucher, où il avait cru entendre un bruit, je ne peux pas te garder ici. Il va falloir que tu ailles dormir ailleurs.

— Où? Où? J'ai plus une crisse de cenne, tabarnac!

— Papa, si tu cries encore une fois, j'appelle la police, compris?

Wilfrid Thibodeau hocha vivement la tête, puis chercha du regard un point d'appui, car ses jambes allaient le lâcher de nouveau. Et tandis que son fils, pris d'hésitation, réfléchissait, il se dirigea en chancelant vers le canapé et s'y laissa tomber lourdement.

— Attends-moi, ordonna Charles, je reviens tout de suite, et il s'élança vers la chambre à coucher.

Il lui fallut quelque temps pour retrouver son pantalon dans l'obscurité, puis il s'approcha du lit afin de rassurer Lodoïska ; elle ne répondit rien, la respiration saccadée, toute raidie sous les couvertures.

Quand il revint au salon, son portefeuille à la main, Wilfrid Thibodeau, assis sur le canapé, ronflait à grand bruit, la tête rejetée en arrière. Il le secoua rudement, à plusieurs reprises. L'autre poussa quelques grognements mais n'ouvrit pas les yeux. Était-ce une ruse d'ivrogne pour passer la nuit au chaud ? Ou ses forces l'avaient-elles abandonné ? Charles penchait pour la première hypothèse, sans être entièrement sûr. Il aurait pu soulever facilement ce corps chétif et tenter de le transporter hors de chez lui, mais cela risquait de déclencher une scène encore plus bruyante et disgracieuse que celle qui venait de se produire. Et, malgré ses menaces, il n'avait aucunement l'intention de faire venir la police.

Soudain son regard tomba sur un objet qui gisait dans un pli de coussin près du menuisier et avait sans doute glissé de sa poche. Il s'en empara. C'était un couteau à cran d'arrêt de taille moyenne aux flancs de bois tout éraflés ; la lame, soigneusement entretenue, lança un éclair sournois. Il ne s'agissait pas d'un objet utilitaire mais d'une arme. Un frisson traversa le jeune homme ; il replia la lame sans bruit, glissa le couteau derrière son dos et recula lentement, l'œil fixé sur son père.

Wilfrid Thibodeau passa le reste de la nuit sur le canapé. Vers six heures, Charles et sa petite amie traversèrent rapidement le salon et quittèrent sans bruit l'appartement. Charles revint une heure plus tard. Son visage inquiet et mécontent, ses traits tirés, ses gestes nerveux en disaient long sur les effets de la visite inopinée de son père. Ce dernier venait de se lever. Debout au milieu de la place, il bâillait en se frottant le visage.

— T'aurais pas des aspirines ? lui demanda-t-il comme si de rien n'était. J'ai un mal de tête à pisser de travers.

Charles lui apporta des comprimés et l'invita à déjeuner dans un restaurant tout près en lui disant qu'il avait à lui parler.

— J'ai pas faim, grogna le menuisier.

— Tu prendras un café. C'est bon pour le mal de tête.

Ils firent le trajet en silence. De temps à autre, Wilfrid Thibodeau lorgnait son fils d'un œil craintif. Charles, sombre et pensif, faisait mine de ne pas s'en apercevoir et préparait son entrée en matière.

Comme le temps pouvait changer les rapports entre deux êtres ! L'homme violent dont il avait dépendu pour sa subsistance, qui l'avait négligé, maltraité et avait passé près de le tuer, lui jetait à présent des regards d'enfant coupable ; il était venu durant la nuit lui quêter un peu de chaleur et craignait à présent que son inconduite de la veille ne lui fasse perdre l'aumône sur laquelle il comptait. La roue avait tourné, leurs situations s'étaient inversées, mais les rapports qui les unissaient demeuraient toujours aussi risibles et répugnants.

— Papa, dit Charles dès que la serveuse eut rempli leur tasse et se fut éloignée, je ne veux plus que tu reviennes chez moi.

Et il tira fiévreusement une bouffée de cigarette, attendant sa réaction.

L'autre le regarda un moment avec un sourire crispé, les paupières agitées d'un léger frémissement. Son mal de tête le torturait visiblement.

— C'est vrai que j'ai dû pas mal te déranger la nuit passée, reconnut-il avec humilité après s'être longuement éclairci la voix. Faut m'excuser. Mais, que veux-tu, j'étais gelé comme une crotte – et un peu soûl, faut dire...

— Gelé ou pas gelé, à jeun ou soûl, je ne veux plus que tu reviennes chez moi, comprends-tu ? Si t'as besoin d'argent, à l'avenir tu passeras par le notaire Michaud. Je vais m'arranger avec lui. Mais prends-moi pas pour la Banque Royale, hein... Je suis seulement un petit employé.

Wilfrid Thibodeau se pencha vers sa tasse de café, qu'il souleva d'une main tremblante, et aspira bruyamment une longue gorgée de liquide. Puis il s'essuya les lèvres avec sa manche et poussa un profond soupir :

— Comme ça, tu veux plus me voir la face ?

— C'est ça.

— Est-ce que je peux savoir pourquoi ? demanda le menuisier avec un air de dignité offensée.

— Est-ce qu'il faut vraiment que je te l'explique, papa ?

En disant ces mots, il porta brusquement la main à son menton ; un léger tressaillement semblait vouloir envahir sa mâchoire. Ce vieux tic nerveux, qu'il avait presque oublié, amenait avec lui des souvenirs et des sensations horribles. Il se tourna vers la serveuse qui s'approchait et lui demanda l'addition. Ce tête-à-tête était un supplice qu'il fallait abréger.

Wilfrid Thibodeau eut une grimace :

— Tu devrais pas agir comme ça avec moi, mon gars... J'ai beau avoir mes défauts, après tout, *c'est moi qui t'a donné la vie.*

— C'est bien tout ce que tu m'as donné !

Le mot lui avait échappé, rageur, et atteignit sa cible en pleine poitrine. Mais, plutôt que d'abattre l'homme, il le galvanisa. Les yeux du menuisier, exorbités, se mirent à briller de furie, et son poing s'abattit sur la table, semant l'émoi dans tout le restaurant. Les conversations se turent. Le propriétaire, quittant sa caisse, fit quelques pas vers eux, les sourcils froncés, les mains sur les hanches, prêt à intervenir. Charles fondait de honte.

— C'est qui qui t'a fait vivre jusqu'à l'âge de dix ans ? glapit Wilfrid Thibodeau sans paraître remarquer la commotion qu'il venait de créer. C'est qui ensuite qui a payé ta pension ? Hein ? Le maire Drapeau ? Marilyn Monroe ?... Si j'ai plus une cenne aujourd'hui, c'est un peu à cause de toi. Y avais-tu pensé, mon Charles?

— Monsieur! Monsieur! lança le patron en s'adressant à Charles comme si ce terme ne pouvait convenir qu'à lui. Moins fort, s'il vous plaît. Sinon, je vais être obligé de vous demander de continuer votre discussion dehors.

La tasse de café du menuisier, rudement secouée par son coup de poing, était entourée d'une flaque qui gagnait lentement le bord de la table. Charles prit des serviettes de papier et se mit à éponger le dégât. Son père lui enleva brusquement ce torchon improvisé et continua le travail à sa place. Debout dans l'allée, la serveuse suivait la scène, une guenille à la main, n'osant approcher, car le vieil homme l'intimidait.

Mais ce dernier s'était subitement radouci. Son coup de poing l'avait purgé d'une bonne partie de sa colère et la menace du patron avait fait le reste.

— Bon! les nerfs, les nerfs, soupira-t-il en se réprimandant lui-même. Les cris et les coups ont jamais rien arrangé... Alors, tu veux que je passe par le notaire Michaud? poursuivit-il à voix basse. Eh bien, ça marche, puisque j'ai pas le choix. Combien es-tu prêt à me donner par mois?

— Cent dollars, répondit Charles après une hésitation. Tant que je pourrai le faire.

Wilfrid Thibodeau eut un mouvement de surprise (il ne s'attendait pas à tant), puis se ressaisit aussitôt:

— Marci ben. Mais va pas t'imaginer que j'ai décidé de vivre à tes crochets, poursuivit-il, soudain ému. Je suis pas un robineux, moi, mais un malchanceux! C'est pas pareil pantoute. J'ai toujours travaillé jusqu'ici et je vais continuer aussi longtemps que ma santé va me le permettre.

— C'est bien, ça, répondit Charles en s'allumant une autre cigarette.

Le frémissement de la mâchoire, Dieu merci, n'avait été qu'une fausse alerte. Il fit glisser le paquet de cigarettes vers son

9

Pierre Péladeau écoutait Charles avec un sourire bien difficile à interpréter. Douce moquerie? Léger agacement? Surprise amusée? Admiration contenue? Ce sourire le rajeunissait curieusement, mais conférait à son visage une expression ambiguë plutôt inquiétante. Allait-il éclater de rire et rejeter la proposition de Charles du revers de la main en lui demandant de retourner au plus sacrant à son boulot? Allait-il au contraire l'accepter? Ou entrerait-il dans une de ces colères soudaines qui coûterait à Charles son emploi?

Pendant que ce dernier, de plus en plus nerveux, déployait toute son éloquence, de violentes bourrasques de neige s'écrasaient contre les murs vitrés du bureau et la marche funèbre de la *Symphonie héroïque* de Beethoven lançait ses plaintes solennelles et désolées. Cela faisait beaucoup de bruit, et l'homme d'affaires, sans doute un peu sourd, demandait parfois à son interlocuteur de répéter un mot ou une phrase; Charles se mettait alors à bafouiller.

— En somme, conclut brusquement Péladeau, tu aimerais travailler pour un concurrent tout en continuant à travailler pour moi.

— C'est un concurrent minuscule, monsieur Péladeau, se défendit Charles. L'équipe compte quatre personnes!

— Au début de ma carrière, j'ai lancé *Le Journal de Rosemont* presque tout seul.

— On m'offre un travail que je voudrais bien faire chez vous, monsieur Péladeau, mais vous ne pouvez pas me l'offrir.

Le silence se fit. Charles frissonna. Il voguait sur des eaux dangereuses. Partout, il y avait des écueils invisibles, qu'il fallait éviter d'instinct. Réussirait-il?

Il ajouta:

— Ce n'est qu'une pige. Même pas assez pour me faire vivre. J'y prendrais de l'expérience, pour le jour où vous auriez besoin de moi comme journaliste.

Le visage du milliardaire se radoucit. Charles, encouragé, poussa plus avant :

— Est-ce que l'occasion va revenir ? Peut-être que oui, peut-être que non. Dans le fond, je voudrais suivre le conseil que vous donnez si souvent dans vos conférences : sauter sur l'occasion. C'est la clé du succès, dites-vous.

L'homme d'affaires éclata de rire :

— Eh bien ! mon Charles, tu aurais fait un maudit bon plaideur, comme tous les petits malins ! Bon. Bon, bon, bon. Ce n'est pas dans mes habitudes de laisser mes chevaux se nourrir dans le champ du voisin, mais pour toi – et pour une fois – je vais fermer les yeux, parce que ta face me revient et que tu travailles comme il faut. Mais à une condition.

— Je l'accepte d'avance.

— À la condition que tu n'utilises jamais dans tes articles la plus petite information – et ça comprend les insignifiances – que tu aurais pu glaner ici durant ton travail. Rien, absolument rien qui concerne de près ou de loin ma personne ou mes affaires. Compris ?

— Compris.

— Si jamais tu manques à ta parole, c'est la porte, tu m'entends ? La porte tellement vite que t'auras même pas le temps de mettre ton chapeau si t'en as un.

— Bien sûr, monsieur Péladeau.

L'homme d'affaires se pencha au-dessus de son bureau d'une façon qui indiquait que l'entrevue était terminée.

Charles se leva en le remerciant vivement et allait sortir lorsque ce dernier le rappela :

— Dis donc, ce Nicolas Rivard, est-ce qu'il n'a pas déjà travaillé à *La Presse* il y a quelques années ?

— Oui, monsieur Péladeau, et aussi au *Devoir*, ainsi qu'à deux ou trois magazines, je crois.

— C'est bien lui, il y a quelques années, qui avait surpris Robidoux, l'ancien ministre de l'Environnement, en train de jouer dans du caca et qui l'avait obligé à démissionner ?

— C'est lui.

— Tiens, tiens... Intéressant, ça. Il ne doit pas manquer de potentiel, le bonhomme. Évidemment, ce n'est plus une jeunesse.

— Il frôle la cinquantaine, s'il ne l'a pas.

— *Est-ce que je dois voir en vous un serpent que j'aurai réchauffé dans mon sein ?*

— Pardon ?

— C'est du Balzac. Dans *Pierrette*, je crois. Je me demandais seulement si je faisais une bonne affaire en permettant à un de mes meilleurs assistants d'aller renforcer la concurrence. Remarque que tu pouvais y aller sans ma permission.

— Je ne l'aurais jamais fait.

— C'est gentil de me le dire... Tu vas laisser tomber tes piges à *Vie d'artiste* ?

— Je n'aurai pas le choix.

— C'est ce que je pensais.

Il resta songeur un instant, puis :

— Comment va s'appeler son hebdo ?

— *Clair.*

— Bien trouvé, ça. S'il parvient à se tailler une place, je l'achèterai, déclara Péladeau avec une tranquille assurance.

◆

Charles mourait d'envie de se battre. Il avait toujours vu sa plume comme une arme. C'était par elle, pensait-il, qu'il éliminerait le trop-plein d'amertume qui s'était accumulé en lui.

C'était par elle qu'il défendrait les causes chères à son cœur (elles abondaient). C'était par elle qu'il ferait rire et pleurer, qu'il se ferait craindre et aimer, car il se sentait une âme d'homme public.

Déjà, au début de son adolescence, il avait tâté du combat par les mots en dirigeant le journal étudiant à l'école Jean-Baptiste-Meilleur. Il en gardait un souvenir exalté. Cela lui avait valu des ennuis. C'était bon signe : ses coups n'avaient pas porté dans le vide. Il y avait eu de la résistance ? Elle témoignait d'un obstacle à surmonter ou à détruire. Jusqu'ici, on l'avait forcé à prostituer sa plume dans les niaiseries ; il s'y était plié de bon gré, car c'était pour lui la seule façon de gagner sa vie et d'apprendre le métier. Ce temps était révolu. La donne changeait. De bouffon, il passait mousquetaire. Sa plume, qui n'avait été longtemps qu'un plumeau pour lever la poussière et les petites saletés du milieu artistique, allait se transformer en épée et pourrait enfin montrer sa noblesse, qu'elle avait dû cacher jusqu'à maintenant.

◆

Avec toute la fougue et la naïveté de la jeunesse (et pourtant, la sienne tirait à sa fin), Charles expliquait toutes ces choses à Nicolas Rivard un après-midi de décembre tandis que des livreurs déposaient des pièces de mobilier de bureau dans le petit local que le journaliste venait de louer, ruelle Chagouamigon dans le Vieux-Montréal. Rivard l'écoutait avec un sourire amusé et attendri. Charles lui rappelait ses débuts dans la carrière. Ah ! qu'il aurait aimé se retrouver vingt-cinq ans plus tôt ! Il saurait comment s'y prendre, à présent ! Certains compromis étaient nécessaires et inévitables, bien sûr, mais d'autres finissaient par vider son homme de toute substance, ne lui laissant qu'une carapace qui continuait d'aller de-ci de-là, comme une mécanique. Sa vie déjà bien avancée, il se lançait dans une ultime aventure pour racheter tant d'années de médiocrité. La décision avait été difficile à prendre. Sa femme Géraldine l'avait soutenu, poussant la générosité jusqu'à lui offrir un petit héritage qu'elle venait de recevoir d'un oncle. Après avoir longtemps cherché, il avait choisi ce local vétuste mais spacieux, plutôt mal chauffé mais au loyer raisonnable. Le nom étrange de la rue, échappant à l'infestation de noms de saints qui affectait les villes et les villages du Québec, avait vaincu ses dernières hésitations. Rivard était assez vieux, en effet, pour avoir connu le règne des curés dans la *Belle Province* et en avait conservé une antipathie pour tout ce qui pouvait s'apparenter à la religion.

Géraldine avait trouvé les lieux horribles, impossibles à montrer. « Quand l'argent commencera à rentrer, on les renippera », lui avait-il promis.

L'enthousiasme et l'énergie de Charles le réconfortaient, tout en faisant sourdre en lui un peu d'envie. À force d'insister, Charles s'était gagné une *chronique d'humeur*, le bonbon suprême des journalistes, la consécration accordée aux talents majeurs.

— Quand m'apportes-tu ton premier texte ? lui demanda Nicolas.

— Demain. Je suis en train de le peaufiner.

Et il lui lança un regard où l'espoir se mêlait à l'inquiétude.

— Et tu veux toujours traiter des sectes ?

— Oui, môssieur ! Je les connais d'expérience. J'ai travaillé six mois avec un *preacher*. Une expérience... mystique !

Le lendemain matin, vers dix heures, il déposait son article sur le bureau de Nicolas Rivard.

En voici un extrait :

> À la suite de l'horrible accident qui a coûté la vie à trois cent vingt passagers la semaine dernière lors du naufrage d'un transbordeur surchargé à Sharett Island, Ann Graham, la fille de Billy, le célèbre *preacher*, accordait une entrevue à l'émission *The Early Show*. La journaliste Jane Clayson lui demandait :
> « Comment Dieu a-t-il pu laisser quelque chose de ce genre arriver ? » Ann Graham émit le commentaire suivant, qualifié

de « profond et perspicace » : « Je crois que Dieu est profondément attristé par de tels événements, tout comme nous ; mais cela fait des années que nous Lui demandons de sortir de nos écoles, de sortir de notre gouvernement et de sortir de nos vies. Et comme Dieu est un gentleman, je crois qu'Il a simplement fait ce que nous Lui demandions. »

Parler au nom de Dieu constitue une occupation très agréable (et souvent lucrative), car Dieu est un Être extrêmement silencieux, qui ne prend jamais la peine de corriger ou de contredire les propos de ceux qui se font Ses porte-parole... C'est ce qui explique sans doute l'aisance d'Ann Graham lorsqu'elle s'exprime en public, activité dont elle raffole.

Croyons-en madame Graham et tenons pour acquis que Dieu est un « gentleman » ayant décidé, par délicatesse, de ne pas s'imposer à ces hommes assez stupides pour Lui avoir demandé de Se mêler de Ses oignons.

Mais cela pose un problème.

Voilà bien longtemps, semble-t-il, qu'Il observe ainsi les règles de la plus grande discrétion. Pensons au meurtre d'Abel par Caïn, au Déluge, à la multitude de tremblements de terre, de famines, d'épidémies et de guerres qui déciment l'humanité depuis des millénaires ; pensons à l'Holocauste, au génocide des Arméniens, aux épidémies de peste et de choléra, aux deux guerres mondiales, à Hiroshima et Nagasaki, et j'en passe...

Cette discrétion que Dieu observe depuis toujours, quoi que nous fassions et disions, apparaît plutôt décourageante, mais elle présente l'avantage, en tout cas, de permettre aux raconteurs de sornettes – comme la fille du célèbre Billy – d'empocher des montagnes de fric en bernant les naïfs lancés à la recherche de la Grande Explication.

Nicolas Rivard releva la tête et se mit à fixer Charles en se grattant le menton ; debout devant lui, ce dernier attendait le verdict ; il avait l'impression que son estomac avait rapetissé de moitié et s'était rempli de vinaigre.

— C'est pas mal.

— Vous l'aimez ? Oui ? C'est bien vrai ?

— Hum, hum... Ça ne manque pas de *punch*. C'est clair, ramassé, concis. Du bon journalisme, quoi. On sent le métier. Si je réussis à lancer ce journal, mon ami, tu vas te faire un nom, j'en suis sûr. Maintenant...

Il eut un petit sourire et son regard dévia au-dessus de l'épaule de son interlocuteur.

— Maintenant? répéta Charles, alarmé.

— ... il ne faut pas y aller trop fort, tout de même – je ne parle pas pour ce texte, mais en général. Ou, plutôt, il ne faut pas *toujours* y aller trop fort. Les gens se lassent vite des chialeurs – je ne suis pas en train de dire que tu en es un. N'oublie pas de faire rire. Les gens aiment rire. C'est ce qu'ils aiment par-dessus tout. Attaque par le rire, de préférence. Quand on a les rieurs de son côté, on dirige une armée... Tiens, prends exemple sur Pierre Bourgault. Il y a toujours un fond de rire dans ses attaques, même les plus féroces. Voilà pourquoi on ne se lasse pas de le lire – et encore moins de l'entendre.

Et il prodigua ainsi ses conseils pendant un petit quart d'heure. Charles trouvait ce sermon un peu prétentieux, car il émanait de quelqu'un dont la notoriété avait été bien fugace. Mais il l'écouta jusqu'à la fin d'un air docile et respectueux. Avec de la chance, cet homme serait pour lui un escabeau qui lui permettrait de se hisser au-dessus de la foule.

Clair devait être lancé à la fin de janvier. Cependant, des problèmes d'organisation et de financement firent reporter sa parution à trois reprises; elle n'eut finalement lieu que le 14 mars 1995.

La précampagne référendaire, déclenchée en décembre, battait son plein. Les dix-huit commissions régionales sur l'avenir du Québec avaient sillonné la province, recevant plus de trois mille mémoires et attirant cinquante-cinq mille personnes. Les miasmes de la défaite référendaire de 1980 avaient enfin disparu, libérant les esprits. L'enthousiasme revenait, plus sage et plus solide. Charles rageait d'être confiné au rôle d'observateur silencieux. Il avait assisté aux séances de quelques-unes de ces commissions à Montréal, puis avait écrit un texte qu'il trouvait drôle, mordant et rempli de vues judicieuses. Mais *Clair* ne sortait pas. À la poubelle! Il en avait écrit un autre sur Lucien Bouchard, le chef du Bloc québécois, qui venait de faire une entrée triomphale à la Chambre des communes après avoir subi l'amputation de la jambe gauche à cause d'une infection causée par la bactérie mangeuse de chair. L'homme, alors au sommet de sa gloire, passait pour un héros et avait inspiré à Charles un texte émouvant. Pas de journal? À la poubelle! Jeté avant même d'être lu! La consolation éphémère du journalisme lui était refusée. «Heureusement, se disait-il, que mon article sur les sectes n'a pas vieilli.» Ce fut son coup d'envoi.

La sortie de *Clair* fit peu de bruit. Des collègues obligeants l'avaient annoncée dans *La Presse* et *Le Devoir*. On l'avait mentionnée à la radio. Nicolas Rivard avait accordé quelques entrevues à la télé, mais elles avaient eu un faible impact, car c'était un homme plutôt terne qui, malgré le nom de son journal, s'exprimait souvent de façon confuse sous l'effet du trac.

La discrétion qui avait entouré la naissance de son bébé ne l'avait nullement découragé. Il s'attendait à des débuts difficiles. «On ne bâtit pas une réputation en deux jours, avait-il déclaré à sa petite équipe réunie au bureau un matin. Ceux qui réussissent sont ceux qui persévèrent. Alors, retroussez vos manches, et un beau sourire!»

Outre Charles et quelques autres pigistes, cette équipe comprenait Violaine Turcot, responsable de la publicité, Marcelle Brisson, chargée des pages culturelles, Éric Chamberland, metteur en pages, et Martine Boileau, secrétaire-réceptionniste. Nicolas Rivard s'occupait du reste. À part le patron, tout le monde avait moins de trente ans et espérait un bon salaire dans un avenir pas trop lointain.

On tirait à vingt mille exemplaires, répartis pour l'instant dans le Grand Montréal. Les présentoirs métalliques avaient coûté une petite fortune, la mise au point de la distribution avait été longue et fastidieuse, les négociations avec l'imprimeur encore plus, mais, Dieu merci, pour l'instant tout roulait assez bien. Comme l'hebdo était gratuit, on pouvait tabler pendant quelque temps sur l'effet de nouveauté. Mais il ne fallait pas décevoir!

Charles avait convenu avec Péladeau qu'il travaillerait pour lui trois jours par semaine, les jeudi et vendredi étant consacrés à son deuxième emploi; on avait ajusté son salaire en conséquence. Mais l'homme d'affaires, sentant qu'il allait perdre un jour – et peut-être bientôt – un assistant qu'il affectionnait et dont il appréciait beaucoup le travail, lui manifestait à présent une certaine froideur, comme si ce dernier l'avait vaguement trahi. Cela se traduisait par des sautes d'humeur plus fréquentes, par une diminution considérable des taquineries à son endroit et enfin par une certaine réserve lorsqu'il s'agissait de parler de lui-même, ce qui ne facilitait guère le travail du biographe et le faisait rager en secret. « S'il a perdu confiance en moi, qu'il passe sa maudite biographie à quelqu'un d'autre et qu'on n'en parle plus! » fulminait Charles le lundi matin en sortant de son entrevue hebdomadaire. « Il gaspille son argent: je ne peux quand même pas inventer ce qu'il refuse de me dire! »

Le jour de la sortie du premier numéro de *Clair*, il prit soin de laisser un exemplaire sur la table de travail du patron de Quebecor. Son attaque contre les sectes lui avait valu des compliments de tout le monde; si d'autres bons textes suivaient, se disait-il, qui sait, peut-être obtiendrait-il une place au *Journal de Montréal*? Après tout, l'homme d'affaires n'avait jamais eu l'occasion encore de constater ses talents de *vrai journaliste*.

Deux jours passèrent. Pierre Péladeau n'avait fait aucun commentaire. Pourtant, il avait vu le journal. Et il avait sûrement lu le texte de Charles.

Tout cela augurait mal.

Le troisième jour, n'y tenant plus, Charles demanda à son patron s'il avait eu le temps de jeter un coup d'œil sur *Clair*.

— Oui.

— Et comment le trouvez-vous?

— Bien.

Le ton n'incitait pas à poursuivre la conversation. Pourtant Charles, malgré son appréhension, insista :

— Avez-vous lu mon texte?

— Je l'ai lu.

— Et alors?

— Et alors, mon garçon, fit l'autre avec un geste d'impatience, j'ai trouvé que c'était assez bien troussé, mais pas du tout dans le style du *Journal de Montréal* et, même si ça l'était, je ne peux toujours pas t'offrir de place parce qu'il faudrait alors t'offrir celle de mon meilleur chroniqueur, Jean-V. Dufresne, et je me vois mal crisser dehors un journaliste de trente-cinq ans d'expérience pour faire entrer un débutant.

Sur ce, il s'empara brusquement du téléphone et se mit à fixer la porte, indiquant ainsi à Charles avec une grossièreté à peine voilée qu'il était temps de décamper.

10

Charles, seul chez lui, regardait ce soir-là la télévision; cela lui arrivait rarement. Sa journée l'avait vidé. Il était arrivé chez Quebecor à sept heures trente pour son entrevue hebdomadaire avec le Patron, et ce dernier, comme ils allaient finir, lui avait annoncé qu'il prononçait le soir même une conférence sur le « Québec et sa culture » et lui avait demandé s'il aurait l'obligeance *d'enrichir ses notes*; quand Pierre Péladeau faisait appel à *l'obligeance* de quelqu'un, c'est qu'il s'agissait d'une affaire sérieuse et qu'il s'attendait à du travail soigné. Charles avait turbiné jusqu'à quatorze heures, sautant le dîner, puis avait soumis son travail à l'homme d'affaires ; ce dernier lui avait demandé de faire des ajouts sur quelques points. À quinze heures trente, un peu harassé et le ventre creux, il était retourné à son bureau pour se mettre à sa biographie. Une boîte de carton ficelée l'attendait en exhalant une alléchante odeur de frites ; une secrétaire venait de l'apporter. Sachant que son assistant n'avait pas eu le temps de manger, le Grand Patron lui avait fait commander un club sandwich garni au célèbre Club Sandwich de la rue Sainte-Catherine.

Ainsi était Pierre Péladeau : invivable et merveilleux.

À dix-huit heures, Charles avait dû se précipiter aux bureaux de *Clair* à cause d'un pépin survenu à l'un de ses textes. L'ordinateur, atteint d'amnésie, en avait perdu la moitié. En toute hâte, il avait réécrit de mémoire la partie manquante, puis avait quitté le journal vers vingt heures, épuisé, ne désirant plus qu'une chose : qu'on lui fiche la paix.

Il avait soupé d'une lasagne décongelée au micro-ondes et de deux grands verres de vin, puis s'était affalé devant la télé. Radio-Québec présentait ce soir-là un documentaire sur l'enfance intitulé *Grandir*. On y suivait la vie quotidienne des Chicoine, une jeune famille montréalaise de la classe moyenne établie dans le quartier de la Petite-Patrie ; il s'agissait de Robert et Isabelle, lui mécanicien et elle infirmière, et de leurs enfants Maude, Nicolas et Jérôme. Le tournage avait duré trois ans. Le film avait remporté plusieurs prix. Charles était tombé dessus par hasard, avait zappé quelques minutes, y était revenu, puis, accroché, l'avait regardé jusqu'à la fin.

Une scène de vacances au bord de la mer, toute simple, l'avait étrangement ému. On y voyait Robert et son fils de cinq ans, Jérôme. Ce dernier, à l'aide d'un petit seau de plastique, creusait un trou dans le sable afin de le tapisser de coquillages ; Robert lisait un journal, étendu sous un parasol.

Jérôme avait levé la tête vers son père et le dialogue suivant s'était engagé :

— Papa, as-tu déjà observé le vol d'un pélican, couché au fond de l'eau ?

— Non.

— Moi, je viens de le faire. Mais l'eau m'est entrée dans le nez.

Robert avait pouffé de rire.

C'était tout.

Charles en avait eu les larmes aux yeux. Il se demandait bien pourquoi. Puis il avait compris que jamais une scène pareille n'aurait pu avoir lieu entre lui et son père. Ce dernier ne l'avait jamais amené à la mer et n'en avait jamais eu l'intention. Et, surtout, jamais Charles ne lui aurait tenu ce genre de propos. La méfiance l'en aurait empêché. On ne bavarde pas avec quelqu'un qui nous effraie.

Mais il y avait autre chose. Qu'est-ce que ça pouvait bien être ? Charles se demanda tout à coup s'il aurait un jour des enfants. Jusque-là, la question ne lui avait jamais effleuré l'esprit. Sa propre enfance lui avait laissé un souvenir désagréable, qui ne lui donnait guère envie d'être responsable de l'enfance de quelqu'un d'autre. Mais, ce soir-là, il ressentait un trouble inconnu, la nostalgie étrange de quelque chose qu'il n'avait pas connu, mais qu'il pourrait sans doute connaître grâce à un enfant – un enfant dont il serait le père.

Le film n'idéalisait pas les enfants, loin de là. Ces derniers obligeaient leurs parents à une vie répétitive et souvent harassante. Il fallait donner, donner, donner sans cesse, donner toujours. Mais, de temps à autre, on recevait. La scène de la plage était un de ces cadeaux imprévus et merveilleux, impossible à décrire par des mots, et que seul le cinéma parvenait à saisir en le volant à la vie.

Charles allait sur ses vingt-neuf ans. Beaucoup d'hommes de son âge étaient déjà pères. On pouvait l'être à tout âge, bien sûr ;

il avait connu à *Vie d'artiste* un collègue de soixante ans père de trois jeunes enfants nés d'un remariage. Son air fourbu n'incitait pas à l'imiter.

Ces réflexions l'amenèrent à Lodoïska. Il eut une légère grimace. Voilà une femme à qui, théoriquement, il n'aurait pas répugné de faire un enfant ou deux. C'était une personne de qualité : honnête, délicate, intelligente, sensible – mais également : capricieuse, imprévisible et si fragile ! Un rien pouvait la bouleverser. Un jour, pour avoir perdu son portefeuille – qui ne contenait qu'un peu d'argent –, elle avait fait de l'insomnie. Une indisposition de sa mère lui donnait des brûlures d'estomac et la dérangeait dans son travail.

Or, il avait besoin à ses côtés de quelqu'un d'aussi fort que lui, car il ne se sentait nullement la vocation de béquille ! La vie lui paraissait déjà assez dure sans qu'il ait à l'affronter pour deux !

Et puis, certains événements étaient venus, coup sur coup, ébranler leur relation. D'abord, il y avait eu la visite nocturne de Wilfrid. Cette visite l'avait commotionnée. Elle semblait même avoir mis une distance entre eux. Se trouvait-il devant une snob, qui méprisait sans oser le lui dire ses origines populaires ? Il aurait fallu qu'elle soit bien sotte, car elle venait d'un milieu aussi modeste que le sien. Craignait-elle plutôt que ce soûlon ne lui eût transmis des tares secrètes qui un jour se manifesteraient ? Il lui avait longuement décrit les rapports tordus l'unissant à ce père qui n'avait jamais été son père ; il avait dû lui trouver un remplaçant à un âge où l'on n'est guère préparé à faire face à ce genre de problème. Il lui avait parlé d'Alice, partie si tôt, de son institutrice, mademoiselle Laramée, et de tous ceux et celles qui l'avaient aidé à surmonter cette épreuve terrible d'une enfance vécue dans la violence et l'abandon. Il lui avait enfin présenté Fernand et Lucie, puis Parfait Michaud, afin de lui montrer que l'amour et les soins ne lui avaient pas manqué.

Elle avait écouté, compris, approuvé, s'était apitoyée, et il avait cru la fissure colmatée. Des signes lui avaient bientôt montré que cette fissure existait toujours, imperceptible mais profonde. Quelque chose entre eux se détruisait lentement. Et leur bonne volonté n'y pouvait rien.

Décidément, Wilfrid Thibodeau ne lui avait jamais porté chance!

◆

Un deuxième événement s'était produit, plus grave encore peut-être que le premier.

Deux semaines environ après le début de leurs amours, il s'était rendu avec Lodoïska chez Steve et Monique, qui l'avaient trouvée vraiment très mignonne, d'autant plus que, tout au long de leur visite, elle n'avait cessé de cajoler le petit Gérard, confortant ainsi les parents dans leur conviction qu'ils avaient produit un chef-d'œuvre. Puis, dans la soirée du lendemain, qui était un jeudi, ils s'étaient rendus tous les quatre à la boutique de Blonblon.

Ce dernier, sous l'œil attentif de Fernand Fafard, était en train d'astiquer une lampe de cuivre; le quincaillier venait souvent à la boutique, remplaçant de temps à autre son propriétaire, l'aidant pour de menus travaux, mettant de l'ordre dans sa comptabilité, car Blonblon n'était pas beaucoup un homme de chiffres. C'était sans doute un moyen que le sexagénaire avait trouvé pour abandonner peu à peu et sans trop de douleur le commerce à son fils Henri.

— Que voulez-vous, disait-il de temps à autre pour tenter de se convaincre lui-même, il faut qu'il ait les mains libres s'il veut apprendre vraiment le métier. Le meilleur professeur qu'on peut avoir, c'est soi-même. Croyez-en un vieux de la vieille!

Comme les clients se faisaient rares ce soir-là, le petit groupe avait longuement causé. Vers vingt et une heures, le quincaillier avait téléphoné à sa femme pour l'inviter à les rejoindre, puis, après être sorti quelques minutes, était revenu avec une caisse de bière, du vin de dépanneur, des verres de plastique et deux énormes sacs de croustilles. Deux clients tardifs – des habitués –, jugeant que leur fidélité méritait une petite récompense, avaient décidé de rester. On avait discuté de tout et de rien, mais beaucoup de la campagne référendaire, qui chauffait le Québec à blanc.

Lucien Bouchard, canne à la main, clopinait d'une tribune à l'autre et soulevait les foules. Fernand avait comparé les ministres québécois à Ottawa à ces trafiquants des pays pauvres qui font le commerce du sang de leurs compatriotes ; Charles avait trouvé l'image très juste, déclarant qu'il allait l'utiliser dans un de ses textes. Steve, par pur esprit de contradiction, avait pris la défense des ministres, et les éclats de voix avaient fusé. Blonblon faisait le service, remplissant les verres, offrant des croustilles, auxquelles venaient de s'ajouter des canapés au Paris Pâté, préparés en vitesse par Monique dans l'atelier. Charles trouva Blonblon nerveux et préoccupé, et attribua cela à la fatigue de la journée. Son air distrait avait également attiré l'attention de Lucie ; elle avait glissé une remarque à l'oreille de son mari, qui s'était esclaffé, incrédule.

On se quitta vers vingt-trois heures et chacun retourna chez soi ; Lodoïska n'ayant pas envie de découcher ce soir-là, Charles dut se contenter d'un baiser sur le trottoir.

Il venait de se mettre au lit lorsqu'on sonna à la porte.

Il sut immédiatement que c'était Blonblon.

L'angoisse l'envahit.

Ça venait donc de recommencer ? Faudrait-il repasser par les chemins sinistres qu'on avait dû parcourir pendant des mois ?

Il ouvrit.

— Salut, l'oiseau de nuit, fit-il en voyant apparaître son ami. Je savais que c'était toi. Qu'est-ce qui t'amène ? Ça ne va pas ?

Son entrain de commande lui paraissait risible.

L'autre balbutia quelques mots inintelligibles ; mais son visage décomposé parlait à sa place. Charles restait debout devant lui, les bras ballants, ne sachant trop quoi faire.

— Est-ce que... est-ce que tu voudrais par hasard que je te conduise à l'hôpital, Blonblon?

Il fit signe que non :

— Ce n'est pas ce que tu penses.

— Ah bon.

Et à l'idée qu'il ne devrait pas affronter un autre *accès psychotique*, il se sentit tout joyeux.

Cela n'allait pas durer longtemps.

— Entre, entre... Ne reste pas planté comme ça devant la porte, mon vieux... Veux-tu une bière? un café? un jus de fruits? de l'eau de Javel? du peroxyde? Si tu le veux, je peux aussi te faire fondre du cirage à chaussures.

— Il faut que je te parle, répondit Blonblon, insensible aux plaisanteries de son ami. C'est très important. Je n'arriverai pas à dormir sans t'avoir parlé.

La gravité presque funèbre du ton remplit Charles d'une nouvelle angoisse. Il lui indiqua d'un geste le canapé et s'assit dans un fauteuil :

— Eh bien, vas-y, je t'écoute.

Blonblon se pencha, les coudes appuyés sur les cuisses, voulut commencer, puis se troubla et enfouit son visage dans ses mains.

— Je ne sais pas comment te le dire, Charles, murmura-t-il d'une voix étouffée et caverneuse qui semblait exprimer un insupportable tourment.

Charles le contemplait, tout remué et envahi en même temps par un sentiment qui pouvait s'apparenter à un début de lassitude. Est-ce que son ami faisait partie de ces abonnés au malheur qui passent leur vie à souffrir, tantôt d'une façon, tantôt d'une autre?

— Je suppose, répondit-il doucement, que la chose la plus simple serait de le dire tout bonnement comme ça te vient à l'esprit.

Blonblon releva brusquement la tête :

— Eh bien, allons-y... Tu vas me trouver bizarre, mais c'est comme ça : je te demanderais, quand tu viendras me voir à l'avenir, de ne pas amener Lodoïska avec toi.

Le ton était devenu dur, le regard impérieux.

— Ah non? fit Charles, étonné et un peu piqué. Elle te déplaît?

— Si ce n'était que ça, soupira l'autre, si ce n'était que ça... On peut supporter les gens qui nous déplaisent... du moins jusqu'à un certain point... Mais là, non... Ça m'est absolument impossible...

— Qu'est-ce qui t'est impossible, Blonblon? Qu'est-ce qu'elle t'a fait? Elle t'a blessé? Elle a piqué un bibelot dans ta boutique? Elle a vidé le tiroir-caisse?

Blonblon secoua la tête, découragé :

— Tu n'y es pas, mais tu n'y es pas du tout...

Il sembla réfléchir une seconde, puis son visage prit un teint livide, comme s'il venait de se résoudre à un geste fatal. Alors, regardant son ami droit dans les yeux :

— Je l'aime, Charles, je l'aime comme un fou... C'est arrivé malgré moi, sans que je m'y attende... Depuis la seconde où je l'ai vue, je n'arrête pas de penser à elle, c'est épouvantable... J'avais entendu parler des coups de foudre, comme tout le monde, mais j'y croyais plus ou moins... Pour moi, c'était avant tout des trucs de romans, de films ou d'opéras, tu comprends... Avec Isabel, ça ne s'était pas du tout passé comme ça... On avait commencé à s'aimer peu à peu, tout doucement, jusqu'au moment où... Mais là... Syncope! c'est un vrai supplice... Il y a quelque chose en moi, Charles, qui n'arrête pas de pousser et qui va me faire éclater... C'est comme si je ne pouvais plus me passer d'elle, comme si, pour être capable de vivre, de respirer normalement, j'avais besoin de l'avoir toujours à mes côtés, en train de me regarder, de me parler, de me sourire... Je t'en parle et j'en ai le souffle coupé... Si je ne me retenais pas, je te le dis, je me mettrais à pleurer, à crier, à...

Deux grosses larmes s'allongèrent sur ses joues, qu'il essuya rageusement avec sa manche.

— Tu vois? C'est plus fort que moi, je n'y suis pour rien, pour rien du tout... Alors, tu comprends... À la simple pensée que je pourrais la voir de nouveau... Non... c'est trop pour moi... Il faut d'abord que je m'habitue à l'idée que nous n'avons rien en commun, que nous n'aurons jamais rien en commun... Comment je vais y arriver, ça, Dieu seul le sait... Il y a des moments dans la vie où on se sent parfois dépassé... Mais là, mon vieux... je me sens comme un pou, une poussière, un moins que rien...

Il s'arrêta, à bout de souffle, et se mit à regarder ses mains avec une expression accablée. Le hurlement d'une sirène d'ambulance s'éleva au loin, décrut peu à peu, puis se perdit dans la rumeur de la ville.

— Je te remercie de ta franchise, répondit enfin Charles d'un ton froid et compassé. Je te promets que tu ne la reverras plus.

Par politesse, il lui réitéra son offre d'une bière ou d'un café, mais l'autre secoua tristement la tête. Alors, comme ils n'avaient plus rien à se dire, Blonblon se leva et quitta l'appartement.

À quelques jours de là, Charles eut avec Steve une conversation qui entraîna des conséquences importantes. Ils se trouvaient dans une brasserie devant un plat de choucroute et un pichet de bière. Quand le pichet fut largement entamé et que Charles sentit son âme enveloppée comme d'une peluche épaisse et moelleuse, il annonça à Steve qu'il avait besoin de son avis sur une chose confidentielle et délicate, et lui raconta la visite nocturne de Blonblon, qui n'avait cessé de lui tourner dans la tête depuis la fameuse nuit, mais dont il s'était bien gardé de parler à Lodoïska. Steve l'écouta jusqu'au bout sans l'interrompre, l'œil arrondi, la cadence de ses gorgées de bière ayant considérablement augmenté. Quand Charles eut terminé, il lui demanda une cigarette (il avait cessé de fumer à cause du petit Gérard, mais en grillait une de temps à autre dans des occasions spéciales); d'un air pensif et grave, il prit trois ou quatre bouffées, puis :

— L'aimes-tu, cette fille? Niaise pas. Réponds franchement.

— Je ne sais pas.

— C'est tout dire. Alors, laisse-la aller. Il l'aime, lui. Un gars a le droit de tenter sa chance. Surtout lui.

— Laisse-la aller? Comme si je la retenais! N'empêche que c'est sacrément chiant de se faire siffler sa blonde par un ami... J'aimerais bien qu'on me fiche un peu la paix de temps à autre.

Steve réussit à demeurer impassible malgré la méchanceté de l'allusion et se contenta de jeter sur le plancher sa cigarette à peine commencée, qu'il broya sous son talon.

— Tu en trouveras bien une autre. Tu en trouves toujours.

— C'est que je commence à être tanné de chercher.

Steve se mit à rire :

— Ben voyons!

— Puisque je te dis.

— Pourtant, je parle au roi des peloteurs.

— Et moi, je parle à un con.

— Court-la-fesse.

— Doigt-dans-le-nez.

— Vicieux.

— Bande-mou.

— En tout cas, je peux prouver que je bande, moi! Ma preuve se réveille chaque nuit à trois heures pour que je lui apporte un biberon. Toi, tes preuves, où elles sont?

— Veux-tu que j'ouvre ma braguette?... Bon, ça va, ça va, arrêtons. Je me dégoûte et tu m'écœures.

— Moi aussi. Sors ton chapelet, on va faire une petite prière.

Ils éclatèrent de rire.

— Au fait, sais-tu que je n'ai jamais eu de chapelet, même 'tit cul, observa Charles après avoir vidé son verre. Surprenant que Lucie ne m'en ait jamais offert un, elle qui est si dévote...

Steve dressa en l'air un index prophétique :

— Alors, là, je suis sûr que tu vas rôtir en enfer avec ta quéquette en caoutchouc !

— Laisse ma quéquette et revenons à notre affaire. Est-ce que tu crois que Blonblon plaît à Lodoïska ?

— Il faut avoir de la vaseline plein les yeux pour ne pas le voir, ricana Steve. Tu n'as pas remarqué la façon dont elle le regardait l'autre soir ? Ils ont passé dix minutes dans un coin à se parler seule à seul. Tu ne t'es aperçu de rien ?

— Bien sûr que je m'en suis aperçu, abruti, répondit Charles, affreusement humilié et essayant de sauver la face. Je voulais ton avis, c'est tout.

— Eh bien, tu l'as.

Steve regretta aussitôt la cruauté de sa franchise. Malgré tous ses efforts, Charles faisait peine à voir. Le visage écarlate, il tirait sur sa cigarette comme s'il voulait l'avaler.

— Écoute, reprit Steve pour tenter de mettre un peu de baume sur son orgueil blessé, même si elle trouve Blonblon de son goût, je suis sûr que c'est toi qu'elle préfère.

— C'est ce qu'on va voir pas plus tard que tout de suite, répondit Charles en se levant.

Steve voulut régler l'addition. Mais le regard que lui jeta son ami l'incita à remettre à plus tard tout geste de compassion amicale.

11

Ce même soir, Parfait Michaud, qui filait sur la route 132 vers le tunnel Hippolyte-La Fontaine, connut un grand malheur à cause d'un concerto pour violon.

Vers dix-huit heures, il s'était rendu à Longueuil auprès d'une vieille et riche cliente, à la cervelle devenue un peu patraque, qui avait décidé de modifier son testament; elle le faisait tous les trois ou quatre mois, selon son humeur ou les événements qui s'étaient déroulés dans sa famille. Aussi ses proches, aspirant à plus de stabilité, souhaitaient-ils ardemment son trépas. Michaud s'attendait à passer avec elle au moins deux bonnes heures, car la dame était chichiteuse et compliquée; mais l'approche de la mort venait sans doute de lui donner le goût de la simplicité, car, cette fois, l'affaire fut réglée en vingt minutes.

Ayant du temps devant lui, il eut alors l'idée d'aller souper à Joliette avec son vieil ami, le père Fernand Lindsay, ancien professeur d'humanités, intrépide fourchette, grand mélomane et fondateur du célèbre Festival de Lanaudière; à son instigation, Michaud siégeait depuis deux ans au comité de direction du festival; cela lui avait permis de côtoyer certains des plus grands musiciens de la planète.

— Je vous attends, répondit le religieux de sa voix onctueuse et grasseyante, d'une cordialité infinie. Justement, j'ai soupé merrcrredi derrnier dans un petit rrestaurrrant forrt sympathique à Sainte-Mélanie – c'est à quelques kilomètrres de Joliette – où on m'a serrvi des antipastos et une lasagne... *trrrès* intérr-ressants, je ne vous dis que ça. La carrte des vins ne manque pas d'allurrre, non plus.

— Eh bien, allons-y.

— Je m'occupe des rréserrvations. Sept heurres, ça vous va?

— Ça me va.

— Cela me donnerra le temps de terrminer mon brréviairre. À tout à l'heurre.

Le notaire monta dans son auto, tout heureux de l'agréable soirée qui l'attendait, car le père Lindsay était homme de bonne compagnie et fin causeur.

En arrivant au boulevard Marie-Victorin, il alluma la radio et tomba au milieu de l'exécution d'un concerto pour violon qui le plongea dans le ravissement. Il entendait l'œuvre pour la première fois et essaya d'en deviner l'auteur. Elle appartenait manifestement au vingtième siècle. Britannique? Américaine? Scandinave? Son caractère lyrique et pastoral l'apparentait, songea-t-il, à l'école anglaise de la première moitié du siècle.

— S'il existe, il faut absolument que j'achète ce disque, dit-il à voix haute.

C'est à ce moment que les choses commencèrent à se gâter.

Pour acheter le disque, il fallait connaître le nom du compositeur. On allait le donner sans doute dans quelques minutes, car il semblait à Michaud qu'on était en train de jouer un allegro final. Mais, dans quelques minutes, il se trouverait sous le fleuve Saint-Laurent, à l'intérieur du tunnel Hippolyte-La Fontaine, où ne parvenaient pas, hélas, les ondes radio.

Alors, il ralentit, pour gagner du temps. L'aiguille tomba à soixante-dix kilomètres à l'heure. On le dépassait en lui jetant parfois des regards étonnés ou en lui adressant un geste peu aimable, mais il s'en fichait : les injures s'envolent, la musique reste.

Les choses se gâtèrent vraiment sur le pont qui menait directement au tunnel. Une déneigeuse était en panne, entourée de fusées éclairantes, et il ne restait plus qu'une travée de libre. À l'heure de pointe, cela aurait créé un bouchon d'une ampleur babylonienne qui aurait donné le temps à Parfait Michaud d'écouter en toute quiétude son concerto, plus quelques autres, mais l'heure de pointe était passée et la circulation était fluide.

Le notaire poussa un juron. Il restait peut-être une cinquantaine de mesures avant la fin de l'œuvre, mais la gueule du tunnel approchait et, une fois qu'elle l'aurait avalé, il n'entendrait plus que des grésillements, et le nom du merveilleux compositeur lui échapperait.

Une solution éminemment pratique et raisonnable apparut, bien sûr, à son esprit : le service de renseignements aux auditeurs. Mais Parfait Michaud, impatient, la rejeta.

Il choisit plutôt de ralentir encore davantage. L'aiguille du tableau de bord tomba à soixante, puis à quarante kilomètres à l'heure. C'était là, il le savait bien, de la provocation. Comme on ne pouvait le dépasser, il forçait tout le monde, sans aucune raison apparente, à prendre son allure de tortue. Des coups de klaxon rageurs éclatèrent bientôt. Mais que représentait un retard de quelques dizaines de secondes en comparaison de l'œuvre admirable qui s'achevait et dont il voulait absolument connaître l'auteur ? Parfait Michaud ne semblait pas réaliser qu'il était le seul à pouvoir établir cette comparaison, mais ce n'était pas la première fois que la passion de la musique l'aveuglait !

Elle n'aveuglait certainement pas le conducteur du quatre-quatre qui se trouvait derrière lui. C'était un gros homme colérique de trente-deux ans aux traits grossiers, à la mâchoire lourde, au front bas, dont la chevelure hirsute touchait presque les sourcils ; les enfants de son quartier l'avaient surnommé Cro-Magnon. Cro-Magnon, deux semaines plus tôt, avait appris de Cro-Magnonne, en présence du frère de celle-ci, qu'elle partait vivre le jour même avec un autre homme, qu'il pouvait garder les meubles du salon et la chaîne stéréo (tous en piteux état), mais qu'elle se réservait les électroménagers étant donné qu'elle les avait payés. Et, malgré promesses, menaces et supplications, elle était partie illico, sous la protection de son frère et de deux imposants déménageurs que ledit frère avait pris la précaution de faire venir. Depuis ce moment, lui, le colérique fendeur de table, ne dérageait pas. L'univers entier était l'objet de sa haine, qu'il arrosait de bière pour tenter de la calmer, avec bien peu de succès.

Cro-Magnon klaxonna deux ou trois fois pour signifier au vieil abruti, dont il apercevait la nuque grise en contrebas de son capot, de débarrasser le paysage. Mais l'autre, avec une tranquille arrogance, maintint son allure. Alors il klaxonna sans interruption pendant vingt secondes. N'obtenant aucun résultat, il perdit soudain la tête et, donnant un coup d'accélérateur, percuta l'arrière du véhicule.

Charles venait d'arriver chez lui dans un grand état d'agitation et tournait dans la cuisine, un café à la main, en se demandant de quelle manière il allait aborder la discussion qu'il avait décidé d'avoir le soir même avec Lodoïska lorsque le téléphone sonna et que Lucie Fafard lui annonça que Parfait Michaud venait d'être victime d'un grave accident d'automobile ; on l'avait transporté inconscient à l'hôpital Notre-Dame, où il subissait une délicate opération dans l'abdomen.

Charles passa une partie de la nuit à l'hôpital en compagnie de Fernand, de Lucie et d'Anouchka Chouinard ; la jeune femme oscillait entre un calme d'entrepreneur de pompes funèbres et des crises de larmes dignes d'un mélodrame italien. Parfait Michaud souffrait d'une perforation du foie et de fractures multiples au bassin et se trouvait dans un état critique en quittant la salle d'opération. Il semblait avoir été victime d'un cas de rage au volant. La police interrogeait un automobiliste impliqué dans l'accident.

— Si jamais je mets la main sur ce bandit, lança Fernand Fafard avec un grincement de dents, je lui fais avaler son linge et ses bottines.

— Prie donc au lieu de semer la haine autour de toi, lui recommanda Lucie, que le malheur portait au mysticisme.

— Pensez-vous qu'il va s'en tirer, madame Fafard ? demanda une nouvelle fois Anouchka d'une voix qui semblait annoncer une autre crise de larmes.

— Si Dieu le veut – et Dieu est bon –, répondit Lucie en levant pieusement la tête vers le plafond.

— Le moins qu'on *peut* dire, remarqua son mari d'un ton acide, c'est qu'Il ne montre pas sa bonté bien souvent.

Il poussa un soupir excédé, puis, se tournant vers sa femme :

— Dis donc, Lucie, es-tu en train de déménager ? Tornade de clous ! depuis quelque temps, t'es tombée dans la bondieuserie comme c'est pas possible. T'écoutes-tu parler ? On dirait que tu vas entrer chez les bonnes sœurs ! Ménage ton huile de Saint-Joseph, chère, elle nous coule par les oreilles ! Charles, mon beau Charlot, poursuivit-il du même souffle sans paraître remarquer la mine effarée de sa femme, va donc aux nouvelles. T'as plus le tour de leur parler que moi. Ces histoires-là m'enlèvent tous mes moyens.

Charles revint au bout de quinze minutes, n'ayant réussi qu'à voir brièvement une infirmière préposée aux soins intensifs : l'état du blessé semblait stable ; il était inutile de rester sur les lieux ; le médecin pourrait donner un pronostic le lendemain vers la fin de l'avant-midi.

Il était cinq heures du matin. Anouchka, épuisée, dodelinait de la tête, assise contre un mur, sa petite robe rose à la coupe sexy (cadeau récent de Parfait Michaud) chiffonnée comme un torchon sous l'effet de la sueur.

Fernand la reconduisit chez elle, puis se dirigea vers l'appartement de Charles, rue Saint-Denis. À l'intersection des rues Sherbrooke et Papineau, un camelot offrait *Le Journal de Montréal*. En apercevant la photo en page couverture, Lucie demanda à son mari de l'acheter.

On voyait un monceau de ferraille contre un mur de béton avec, en médaillons, la photo d'un homme à bajoues, l'air exténué, le regard fixe, et celle de Parfait Michaud, vingt ans plus jeune, souriant, coiffé d'un panama.

En dessous, on pouvait lire en grosses capitales rouges :

NOTAIRE VICTIME D'UN FOU AU VOLANT

— Eh bien, Péladeau continue de faire des sous, murmura Charles avec une moue sardonique.

Lucie, la larme à l'œil, jeta le journal sur la banquette arrière, sans même l'ouvrir.

◆

— Réponds, je t'en prie, répéta Charles pour la troisième fois d'une voix lasse. C'est vrai ce que m'a raconté Steve?

Il l'observa un moment, étendue sur le canapé, en train de sangloter, le visage enfoui dans un coussin.

— Tu sais, Lodoïska, le fait de ne pas répondre, c'est déjà une réponse... une réponse très éloquente.

Elle leva alors son visage aux traits fins et racés, ruisselant de larmes et d'une beauté si émouvante que Charles ne put s'empêcher de penser : « Quelle photo ça ferait! » Sa rage tomba d'un coup, remplacée par un sentiment de perte accablant.

— Je vous aime *tous les deux*! gémit Lodoïska. C'est ça qui est terrible!

— Tous les deux? s'exclama Charles. Allons, tu veux rire ou me conter des histoires. Une femme ne peut pas aimer deux hommes à la fois, pas plus qu'un homme ne peut aimer deux femmes. Ça va contre la nature humaine.

— Qu'est-ce que tu en sais? riposta la jeune femme avec colère. Il y a des personnes dont le cœur est si vaste... si vaste... La mère de ma meilleure amie a aimé deux hommes... pendant cinq ans! Et quand je dis aimer, c'est aimer!

— Sa mère était une pute!

— Sa mère, répondit avec dignité la jeune fille, est quelqu'un de très bien, qui n'a jamais menti à personne et qui m'a rendu de grands services. Je t'en souhaiterais une pareille.

— Parlons plutôt de toi. Ainsi donc, tu aimes Blonblon?

— Ce n'est pas ma faute, Charles, répondit-elle en se tordant les mains, je n'y suis pour rien, c'est arrivé comme ça, malgré moi, je te le jure! Comme on fait une crise cardiaque! Comme on dégringole un escalier!

128

— Les belles comparaisons!... Est-ce que tu l'as revu depuis... cette soirée?

— Non.

— Lui as-tu parlé?

— Non.

— Eh bien, j'ai une bonne nouvelle à t'apprendre: il est venu me trouver chez moi durant la nuit pour me demander de ne plus jamais t'amener chez lui, parce que ça le met sens dessus dessous, car... il est fou de toi.

Lodoïska s'était redressée sur le canapé, frappée de stupeur:

— Il t'a dit ça?

— Mot pour mot.

Elle se jeta de nouveau sur son coussin et se remit à sangloter.

— Que je suis... malheureuse... que je suis donc... malheureuse!

Charles la fixa un instant. Et il se produisit alors chez lui un phénomène étrange: *il eut l'impression de se glisser dans la personne même de Lodoïska et de ressentir ce qu'elle ressentait.* Un désarroi vertigineux s'empara de lui; son âme était tiraillée en même temps par le désespoir et une joie aveugle qui l'écartelaient dans toutes les directions, tandis que grandissait en lui un besoin irrépressible de *devenir plusieurs* afin de satisfaire cette faim gigantesque d'amour qui dépassait les limites de sa pauvre personne. Mais cela ne dura qu'un instant et il en ressentit une sorte de honte mêlée de peur.

— Tu es malheureuse? Alors je vais te consoler en trente secondes: vous pourrez vous aimer à tour de bras et à perte de vue si ça vous chante, parce que, moi, je m'éclipse, tu comprends? Je me transforme en courant d'air. Je deviens une carte postale de l'ancien temps, que tu pourras jeter à la poubelle. C'est fini entre nous deux. Comme si ça n'avait jamais commencé. Les copains, je les aime bien, mais ils ne coucheront pas avec mes blondes. Ça fait partie de mes règles d'hygiène.

Elle se jeta dans ses bras, affolée, délirante, et se pressa convulsivement contre lui, plus larmoyante que jamais. Il essaya de se libérer, puis se laissa faire, stupéfait, bouleversé, furieux. La frêle et timide Lodoïska, aux manières si exquises, cachait donc en elle cette Furie passionnée?

Ils firent l'amour. Extase, larmes et déchirements. L'espoir renaissait pour mourir aussitôt. Les souvenirs les plus délicieux se transformaient en lames coupantes qui déchiquetaient le cœur. Moments abominables.

Puis ce fut la fin. Ils se rhabillèrent silencieusement, évitant de se regarder. Il la reconduisit à la porte et lui tendit la main:

— Bonne chance.

Elle détourna la tête et renifla. Quelques secondes plus tard, il l'entendit descendre lentement l'escalier. La porte d'entrée émit son petit couinement, puis se referma avec un soupir asthmatique.

— Ah! ce maudit Blonblon, je ne suis pas près de lui revoir la fraise, murmura Charles en se jetant à son tour sur le canapé.

Et il se remit à pleurer. Mais il savait, tout au fond de lui, que c'était son orgueil avant tout qui avait été blessé dans cette histoire.

Le notaire, véritable mort vivant, était néanmoins d'une humeur charmante. Ce soir-là, il tenait salon dans sa chambre d'hôpital. Extrêmement faible mais d'une étonnante volubilité (sans doute à cause de sa médication), il obligeait tout le monde au silence le plus complet, car sa voix, fragile filet incolore, se rendait à peine jusqu'au pied de son lit. Avec une aisance de grand seigneur, il prenait des nouvelles de chacun et s'efforçait de mettre tout le monde à l'aise, comme dans une soirée mondaine. Les visiteurs observaient sa longue tête émaciée, dont le front s'était largement dégarni, cette main squelettique qu'il levait parfois pour souligner un mot, montrant un avant-bras vidé de chair dont la peau flasque et jaune pendait comme un vieux chiffon, et chacun se disait à part soi que, si jamais le pauvre homme réussissait à s'en tirer, la mort n'attendrait pas bien des années avant de poser la main sur son épaule.

Pour l'instant, pendant qu'Anouchka peignait amoureusement les vestiges de sa chevelure, il expliquait à Charles que sa situation ne présentait pas que de mauvais côtés :

— Notre corps peut nous faire souffrir de tellement de façons en même temps, mon garçon, si tu savais... Je suis chanceux, au fond : je ne souffre qu'à un seul endroit. Et encore... seulement pendant les quelques minutes qui précèdent mes prises de morphine, qu'on m'administre généreusement.

Steve et Monique l'écoutaient, béats d'admiration, comme si un grand philosophe ou un saint venait de parler. Fernand se tourna vers Lucie et son regard disait : « Ils l'ont drogué. La tête lui flotte au-dessus des clochers. »

— Et toi, Lucie, reprit le notaire, la santé est bonne ? Ce problème d'intestin n'est jamais reparu ?

— Dieu merci, non.

— Comment va la quincaillerie ?

— Ah ! les affaires ont repris du pic !

— Grâce à Henri, précisa Fernand.

— On fait son possible, ajouta son fils avec un sourire modeste.

Et il rougit de plaisir, car il était rare que son père le complimentât en public.

— Son possible vaut dix fois le mien, je t'assure, poursuivit le quincaillier, qui avait vu sa réaction. On appelle ça *la bosse des affaires*. Il en a toute une, je t'en passe un papier ! Si ça continue, on va devoir agrandir. Mais ce ne sera pas simple. Il y a des problèmes de zonage. La ville va nous picosser avec ses règlements.

— Je pourrai regarder ça avec toi, fit le notaire, quand j'aurai recollé un peu mes morceaux.

Il se tourna vers Anouchka et esquissa une caresse :

— Ma petite hirondelle adorée m'a apporté les journaux ce matin. J'ai lu ton article dans le dernier *Clair*, Charles. Ma foi ! tu manies maintenant la plume comme un sabre ! Jean Charest n'est pas près de venir te serrer la main !

— Je n'en ai nul besoin.

— Tu lui as donné une leçon d'histoire qui a dû lui rester en travers de la gorge !

— S'il me lit.

— Tu lui parlais comme à un écolier qui a fait pipi dans le coin de la classe.

— Il fait pipi dans tous les coins où ça fait son affaire.

— Quant à moi, avec sa chevelure frisée, je le vois comme un croisement de Saint-Jean-Baptiste et de Judas. Affaire d'opinion, bien sûr. Mais ce n'est rien en comparaison du ministre Flingon, mon cher. Tu as entendu parler de sa déclaration d'hier à Ottawa ?

— Non, répondit Charles.

— Moi, oui ! lança Fernand. Quel trou de cul !

— Hum... L'expression est un peu leste, fit le notaire, mais je dois avouer qu'elle lui convient assez bien.

« Il va s'épuiser, pensa Lucie. Cette visite va le tuer ! »

Et, regardant fixement Anouchka, toujours à son chevet, elle lui fit un signe discret. Steve Lachapelle, pris de la même inquiétude, réagit à sa manière à lui, qui était plutôt carrée :

— Vous parlez trop, monsieur Michaud. Vous allez vous abîmer quelque chose en dedans. Vous devriez vous reposer un peu.

— Ne t'adresse pas à moi comme à un mourant, répondit le notaire avec humeur. Je suis faible, mais je me sens bien. Quand je n'aurai plus rien à dire, je me tairai.

Et, se retournant vers Charles, il poursuivit dans un filet de voix de plus en plus fragile :

— Figure-toi donc, mon garçon, que notre Flingon vient de déclarer qu'une victoire du Oui pourrait être fatale... pour l'avenir du français! En effet, prétend-il, advenant l'indépendance, le Québec tomberait dans une telle misère que les gens, révoltés, finiraient par renier leur langue pour passer à l'anglais, qui, de toute façon, est la langue dominante des affaires et du commerce.

— Pour ramper aussi bas, il faut être un ver de terre, répondit Charles.

Et, ravi de sa formule, il prit soin de la mémoriser pour l'utiliser plus tard dans un texte.

Mais Lucie et Steve avaient vu juste. Au bout de quelques minutes, Parfait Michaud pâlit brusquement et ferma les yeux : un accès de douleur venait de l'assaillir.

— Tu as un malaise ? fit Anouchka, alarmée.

D'un faible mouvement de la tête, il indiqua que non et voulut sourire, mais le sourire ne se rendit pas à ses lèvres.

— On devrait le laisser se reposer un moment, suggéra Monique, que la vue du malade faisait pâlir à son tour.

— Allons au salon, chuchota Lucie. C'est tout près d'ici, au bout du corridor.

— Non, restez, parvint à murmurer le notaire. C'est bientôt l'heure de mon injection. Après, j'irai mieux.

— De toute façon, il se fait tard, mon Parfait, intervint Fernand. J'ai ma journée dans le corps, et les autres aussi, je suppose.

— Restez, répéta-t-il, les yeux toujours fermés.

Il y avait un tel accent de supplication dans sa voix que les visiteurs, après un échange de regards, décidèrent d'obéir.

Une infirmière entra bientôt en coup de vent, joyeuse, affairée, les gestes un peu mécaniques, prit le pouls et la température du malade, lui lançant des taquineries qui semblaient convenues entre eux, mais auxquelles il répondit à peine. Puis elle lui administra son médicament et repartit de son même pas rapide, déjà à son prochain malade et sentant monter peu à peu en elle la fatigue de cette journée échevelée, qui en suivait tellement d'autres.

Le silence s'installa dans la chambre. Henri sortit et revint avec deux chaises afin que tout le monde puisse s'asseoir. Parfait Michaud semblait dormir, mais de légers tressaillements dans son visage montraient plutôt qu'il était occupé à lutter contre la douleur.

Charles se mit à l'observer. Le sentiment de perte qu'il avait ressenti devant Lodoïska en larmes l'atteignit de nouveau. Le pauvre homme semblait avoir reçu un de ces coups dont on ne se relève jamais complètement. D'homme vieux, il était devenu un vieillard. Retrouverait-il la moitié seulement de ses forces ? Charles songea qu'il s'en était fallu de bien peu pour que la manchette du *Journal de Montréal* ne prenne un ton macabre. Ah ! pourquoi le sort n'avait-il pas choisi plutôt Wilfrid ? Mais la vie se fichait la plupart du temps de nos désirs comme de nos besoins. Elle lui conservait un père nuisible et allait peut-être lui enlever bientôt un ami qui l'avait repêché du malheur.

Un silence attendri régnait dans la chambre. On se chuchotait dans le creux de l'oreille pour ne pas déranger le malade. De temps à autre, Anouchka se penchait au-dessus de lui pour observer son visage, maintenant détendu ; Lucie avait replacé délicatement le drap qui le recouvrait ; Fernand, avec des précautions qu'on ne lui avait jamais vues, avait soulevé la fenêtre pour faire entrer un peu d'air frais, car on commençait à étouffer dans cette chambre bondée et surchauffée.

Soudain, la porte s'ouvrit doucement et le père Lindsay apparut et porta aussitôt le doigt à ses lèvres, car, à sa vue, un remuement s'était fait dans le groupe. Il referma la porte avec des soins infinis, s'avança de quelques pas et, les mains derrière le dos, contempla avec un sourire affectueux son ami qui dormait à présent. Puis, de temps à autre, il fixait quelqu'un et hochait doucement la tête, sans que l'on puisse bien saisir ce que ces hochements signifiaient.

Henri se leva et lui offrit sa chaise, qu'il refusa d'abord avec de grands gestes, puis finit par accepter sur l'insistance du jeune homme et peut-être aussi sous l'effet de l'incommodité de sa corpulence.

Son ventre imposant, ses gestes lents, ses manières douces et affables lui donnaient une allure chaleureuse et patriarcale. Malgré la situation, son regard pétillait d'une telle bonne humeur qu'on avait l'impression qu'il faisait des clins d'œil. En le voyant, tout en sourires et en signes d'acquiescement, on se disait : « Cet homme ne peut faire que du bien. Cet homme ne peut apporter que le bonheur. »

Il se pencha à l'oreille de Lucie et souffla :

— Il a l'airrr beaucoup mieux que la semaine passée. On va le sauver, notrre ami.

Puis il se racla la gorge.

Ce raclement réveilla Parfait Michaud :

— Père Lindsay ? fit-il en se soulevant à demi. Vous ici ? Vous avez trouvé le temps de revenir ?

— On trrouve toujourrs le temps d'aller voirr un ami, voyons, répondit le clerc de Saint-Viateur avec un rire bon enfant.

— Quand même ! Vous êtes en pleine préparation pour la saison prochaine. Toutes ces réunions, ces coups de téléphone, ces discussions, ces lettres...

Le religieux leva les mains dans un grand geste d'apaisement :

— Je suis si bien entourré, Parrrfait, que je pourrrais venirr vous voirr tous les soirrs. Mais j'aurrrais peurr de vous lasser.

Le notaire se laissa retomber sur son oreiller, fixa le plafond un instant, puis :

— Je me sens mieux. Charles, fais les présentations, je t'en prie.

Charles s'exécuta.

— Je disais justement à madame que voici, fit le religieux en se tournant vers Lucie, que vous avez l'airrr *beaucoup* mieux que la semaine passée. Encorre un peu de temps, et vous pourrrez de nouveau siéger à notrre comité de dirrrection.

— Oh ça... fit Michaud, sceptique.

Puis il sourit :

— Peut-être bien, après tout... On me soigne merveilleuse-ment ici.

— C'est un des meilleurs *hôpital* au monde, déclara grave-ment Fernand Fafard en dressant un menton solennel.

— Monsieur a tout à fait rrraison, reprit le père Lindsay de sa voix grasseyante. Le plus durr est fait, à prrésent. Bons soins, bonne nourrriture et bon morral, et vous allez rreprendrre du poil de la bête bien plus vite que vous ne crrroyez... La musique ferra le rreste ! Sans compter, bien sûrr, l'action du Seigneurr...

Parfait Michaud eut un grand sourire et, à cette seconde, les prédictions du religieux parurent se réaliser.

— Justement, à prrropos de musique, poursuivit le père, je viens d'effectuer une petite rrecherrrche pourr vous, mon cherr Parrrfait, et figurrrez-vous donc que j'ai fini par découvrrir le compositeurr de ce fameux concerrto pourr violon qui a failli vous coûter la vie.

— Ah oui ? fit le notaire.

Arc-bouté sur ses bras, il réussit à s'asseoir tout droit dans son lit.

— Il s'agit du concerrto de Samuel Barrberr, un excellent compositeurr amérricain morrt dans les années 1980 et que vous connaissez peut-êtrre... Ah non ?... Ce pauvrre Barrberr, qui était un peu passé de mode verrs la fin de sa carrrière, vient de trra-verrser son purrrgatoirre, figurrez-vous, et on le rrejoue de plus en plus souvent depuis quelques années. Il va bientôt rrretrrrouver la place que son immense talent lui mérrritait. Malheurrreusement, il n'est plus là pourr en prrrofiter.

136

— Ainsi va la vie, murmura le notaire.

— Je me suis même perrrmis de vous apporrter un enrregis-trrement de ce concerrto, que vous pourrrez écouter ici même si vous possédez un lecteurr porrtatif.

Et, glissant la main dans la poche de son veston, il lui tendit un disque compact dont Parfait Michaud s'empara avec un sourire extasié :

— Je m'en ferai apporter un, balbutia-t-il, je m'en ferai apporter un dès demain...

Ses mains tremblaient tellement qu'il dut remettre le disque à sa petite amie. Monique et Lucie, fortement émues, essuyèrent une larme, tandis que Steve, médusé, se demandait comment un disque de *musique classique* pouvait faire autant plaisir.

Le religieux, tout fier de la joie que son cadeau apportait, se mit à rire, de ce rire profond et gras qui était chez lui comme une célébration de la vie :

— J'espèrrre qu'à l'avenirr – si je peux me perrmettrre un conseil – vous manifesterrrez un peu moins d'impatience dans vos rrrecherrches musicales !... On ne pourrra pas vous rrafistoler comme ça encorre bien des fois, vous savez !

Parfait Michaud, transfiguré de bonheur, le contemplait, la bouche entrouverte :

— Vous êtes magnifique, finit-il par murmurer.

◆

Autant il s'entendait bien avec le bon père Lindsay, qui ne lui parlait jamais de religion, car il savait que cela l'ennuyait (« Mais je prrie pourr vous chaque soirr », lui disait parfois le religieux avec un malicieux clin d'œil), autant il avait peine à supporter l'aumônier de l'hôpital, jeune prêtre fluet au crâne rose et aux manières douces qui s'était donné pour mission de convertir ce *libre penseur* et venait le voir à tout moment pour discuter des *fins dernières*.

— Monsieur l'abbé, monsieur l'abbé, soupirait Michaud, l'homme n'est qu'une lueur éphémère qui tremblote entre deux néants... Oui, oui, j'en suis sûr ! Néant avant sa naissance, néant après sa mort. Laissez-moi trembloter en paix, de grâce, et ne me gâchez pas le peu de vie qui me reste à vivre...

— Je n'aime pas l'entendre parler comme ça, se scandalisait Lucie, à qui le notaire avait répété ses propos sacrilèges. Ce genre d'idées ne vaut rien de bon pour la santé, ça rend tellement triste... Il faut un peu de religion quand on veut bien digérer et bien dormir, sinon on finit par en pâtir...

Et, parlant ainsi, elle tordait la courroie de son sac à main, signe chez elle de profonde inquiétude.

12

Le second référendum sur la souveraineté eut lieu le 30 octobre 1995 ; au terme d'une lutte acharnée, les souverainistes perdirent par la faible marge de cinquante-quatre mille voix. La soirée du scrutin avait débuté par une avance du Oui. Fous de joie, les partisans de l'indépendance crurent assister à l'émergence du Pays tandis que leurs adversaires, tétanisés, contemplaient la dislocation du Canada ; mais le vent tourna bientôt en faveur des fédéralistes, qui finirent par obtenir une victoire à l'arraché. À Ottawa, on se promit de n'avoir plus jamais à revivre pareilles émotions.

Le lendemain, le premier ministre du Québec, Jacques Parizeau, annonça sa démission, qui devait prendre effet le 15 décembre. Le premier ministre du Canada, lui, se montra un vainqueur magnanime et, dans le meilleur français qu'il pût trouver, prononça les phrases habituelles sur la nécessité de la réconciliation, exhortant ses partisans à une fraternelle compréhension à l'égard des vaincus. On le trouva noble et généreux. C'étaient des traits de caractère qu'il manifestait rarement, sans doute par modestie.

Dans les rangs souverainistes régnait une profonde amertume, mais, contrairement à 1980, on n'assista pas à l'effondrement moral qui avait marqué la première défaite référendaire. Cette *quasi-victoire*, affirmaient certains, annonçait la vraie, qui ne saurait tarder. Les progrès de l'option permettaient tous les espoirs. Il suffisait de continuer la lutte.

Les souverainistes allaient découvrir quelques années plus tard que leur *quasi-victoire* était en fait une *victoire volée*.

Des faits troublants surgirent peu à peu et l'air se chargea d'une odeur de pourriture. On apprit qu'environ 350 000 personnes inscrites sur la liste électorale ne figuraient dans aucun des registres gouvernementaux. Ou elles n'existaient pas, ou leur habilité à voter était douteuse.

Une circonscription à majorité anglophone comme celle de Westmount-Saint-Louis avait vu, comme par magie, le nombre de ses électeurs bondir de 16 % par rapport à l'élection tenue un an avant le référendum.

Le Devoir révélerait qu'Ottawa avait mis sur pied un plan d'intervention de grande envergure pour gonfler le nombre d'électeurs opposés à la souveraineté du Québec. De 1993 à 1995, les attributions de citoyenneté au Québec avaient augmenté de 87 %, une croissance fabuleuse qui ne s'était plus jamais reproduite par la suite. Or, on savait depuis longtemps que les immigrants de fraîche date appuyaient massivement le Non ; 43 155 d'entre eux avaient ainsi obtenu leur citoyenneté.

Ces faits, connus et publics, pas plus que d'autres qui allaient être révélés plus tard, ne réussirent à s'imposer ni à la conscience des citoyens ni à celle de leurs dirigeants.

Il devait y avoir, se disait Charles, quelque chose de mou et de recroquevillé dans l'âme de ses compatriotes qui acceptaient ainsi leur sort même quand c'était l'injustice qui le dictait. Une résignation si profonde semblait les habiter qu'ils en refoulaient leur rancune et parvenaient même à en oublier la cause! Ce curieux petit peuple, joyeux, laborieux et bon enfant, mais timoré et indécis parce qu'ayant toujours vécu dans une cage, craignait peut-être la liberté tout en y aspirant.

◆

Charles avait décidé de soutenir le camp du Oui en publiant des textes humoristiques et persifleurs dans *Clair*. Ils obtinrent un certain succès. Le journaliste commença à se faire connaître. Des commentaires élogieux ou furibonds parvenaient de temps à autre au journal. Deux fois, on l'invita à la radio, où il manifesta beaucoup d'aplomb.

À certains signes chez Pierre Péladeau, il se demanda si ce dernier ne regrettait pas son refus de l'embaucher au *Journal de Montréal*. «La vie est mal foutue», soupirait le jeune homme. Péladeau, en effet, en plus de pouvoir lui assurer un rayonnement incomparable, était un des rares hommes d'affaires à avoir eu le courage de se prononcer publiquement en faveur de la souveraineté; comme patron, il ne lui aurait pas fait subir les petites tracasseries que Charles devait endurer à *Clair*. Car les textes que le jeune homme offrait à l'hebdomadaire ne ravissaient pas toujours son fondateur. Nicolas Rivard, que l'âge commençait à rendre peureux et dont le journal recevait une subvention d'Ottawa (*sans fil à la patte*, bien entendu), en limait parfois certaines aspérités. Il avait même censuré un article dans lequel son employé avait donné du *Saint-Jean-Baptiste-Judas* à Jean Charest. Les deux hommes avaient eu quelques mots vifs.

— Il faut être sans pitié avec les gens nuisibles, s'était défendu Charles. On ne caresse pas une ordure.

— Mon pauvre Charles, tu ne comprends rien. En journalisme, il faut assommer *avec élégance*, sinon tu passes pour un vaurien et on ne t'écoute plus qu'avec des haussements d'épaules. Pense à André Arthur. Tout le monde l'écoute, personne ne le croit.

— *Avec élégance*, s'était moqué Charles. Tu veux dire qu'il faut attaquer une forteresse à coups de plumeau, c'est ça? Elle risque de tenir longtemps, la forteresse, et moi, de recevoir un seau de plomb fondu sur la tête!

— Allons, allons, tu ne comprends toujours pas. Ce qui importe, mon cher, c'est d'être *efficace*. Ef-fi-ca-ce! À force de japper, tu vas finir par passer pour un chien fou, c'est tout.

— Je ne jappe pas, *je décris*.

— Désolé : dans ton texte sur Charest, tu jappes.

— La vraie raison de ton refus, c'est que tu as peur de prendre des risques.

— *Je n'ai pas peur des risques*. Mais il faut les calculer, bon sang! C'est ce que l'expérience t'apprendra, mon p'tit gars. On ne nage pas bien loin avec une meule au cou.

— Il y en a, ricana l'autre, qui préfèrent rester sur la plage à se dorer la bedaine. C'est plus sûr et moins fatigant.

Il s'arrêta. Rivard, le visage rouge et crispé, s'était mis à fourrager dans ses papiers, sans raison. L'ombre d'un congédiement planait dans le bureau. Charles tenait à son emploi. Il plia.

Fernand lisait les articles de Charles avec passion et lui déclara un jour qu'il n'y avait pas trois têtes dans toute l'Amérique du Nord (et même celle du Sud) capables d'en écrire d'aussi bons. Mais l'admiration que le quincaillier portait à son fils adoptif valut à celui-ci d'être conscrit dans un comité du Oui. Il se prit vite au jeu. Le député André Boulerice, fine mouche, vit tout le parti qu'il pouvait tirer d'une étoile montante; il lui demanda de l'accompagner pour faire du porte-à-porte. Charles visita avec lui mille sept cent quatre-vingt-deux électeurs et devint un virtuose des poignées de mains et de l'art de faire les présentations. Presque tout le monde connaissait le député Boulerice, fort populaire dans sa circonscription, qu'il représentait depuis dix ans à l'Assemblée nationale ; Charles ne jouissait évidemment pas d'une telle notoriété ; mais parfois, lorsqu'il se nommait, on lui demandait : « Êtes-vous le gars qui écrit dans *Clair* ? » ; cela faisait apparaître aux lèvres du jeune homme un radieux sourire.

À force de monter et de descendre les escaliers, il attrapa une tendinite au pied gauche, mais un début de bedon qui commençait à l'agacer fondit. On accueillait généralement les deux hommes avec cordialité, souvent avec ferveur, mais parfois d'une façon ignoble.

Un soir, un gros homme en camisole reçut le député avec un plein chaudron de soupe aux légumes, mais le jet atteignit surtout Charles, qui avait frappé à la porte. Cela lui valut une chemise et un pantalon neufs, cadeau du député tout confus.

Une autre fois, à la suite de l'accueil que lui fit une jeune Torontoise venue à Montréal pour apprendre le français, il crut bon de se présenter chez elle quelques heures plus tard, mais seul, et il n'eut pas à s'en repentir. Malheureusement, le séjour au Québec de la jeune femme tirait à sa fin ; Charles ne la revit que deux autres fois et leur aventure se termina par une série d'appels téléphoniques qui s'interrompit avant l'hiver.

Le jour du référendum, Charles fut représentant du Oui dans un bureau de scrutin. Toute la journée, des masses d'électeurs affluèrent à l'école où se tenait le vote ; il ne quitta les lieux que tard dans la soirée, complètement fourbu. En mettant le pied dehors, il apprit d'un passant que le Non avait gagné de justesse. Une tristesse affreuse l'envahit. Le Québec venait de couler dans le noir, entraînant son avenir avec lui. Ses compatriotes étaient-ils minables au point de se saborder eux-mêmes ? Il se rendit chez Steve et se soûla avec lui devant la télé, où se pratiquait une interminable autopsie.

Il faillit se quereller avec son ami; les excès d'alcool ne lui convenaient pas. « C'est un trait que je partage avec mon père », lança-t-il en ricanant.

Le cafard des lendemains de beuverie partit en quelques heures. Mais ses rêves écrabouillés mirent beaucoup plus de temps à dissiper leur tristesse qui, en fait, ne le quitta jamais complètement, demeurant à l'arrière-fond de son esprit, rideau de pluie grisâtre et perpétuelle, alimentant de petits ruisseaux de boue qui serpentaient secrètement dans les recoins de l'âme.

Être Québécois, c'était donc ça?

Le peu de temps que Charles n'avait pas consacré à son travail ou à la campagne référendaire, il l'avait passé chez Parfait Michaud; cela lui avait presque fait oublier Lodoïska, dont il avait appris par Steve qu'elle fréquentait Blonblon; la nouvelle l'avait laissé froid.

Le notaire se remettait lentement de son accident et ne pouvait travailler qu'une ou deux heures par jour. Anouchka lui faisait un peu de cuisine et de ménage (lorsqu'elle trouvait encore le courage d'aller tenir compagnie à son vieil amant), mais c'était Lucie et Charles qui préparaient la plupart de ses repas et se chargeaient des courses; Fernand, déjà occupé à la boutique de Blonblon, se réservait le rôle de *souteneur moral* (comme il disait) et d'homme à tout faire, quand s'imposaient des réparations ou de petits travaux d'entretien.

La lenteur de sa guérison désespérait Parfait Michaud, dont les ressources financières allaient en s'épuisant; il traversait parfois des crises de désespoir et attaquait alors la médecine:

— Il n'y a aucun problème, ironisait-il, qu'un bon spécialiste, en y mettant suffisamment d'efforts, ne saurait empirer. Tel que vous me voyez, je constitue une réussite médicale: je suis comme mort, mais tout à fait vivant, je parle, je bouge un peu, j'importune tout le monde et je ne sers à rien ni à personne. Par contre, je fais progresser la science chaque fois que je vois mon médecin.

— La prochaine fois que je t'entends parler comme ça, s'emporta un soir Fernand Fafard, je te plante là *net, fret, sec*, compris ? On essaye de t'aider, et toi, tu prends plaisir à te démolir le moral ! Quand on t'a retiré de ta bagnole, Parfait, t'étais quasiment de la viande hachée. Et maintenant tu voudrais courir le marathon – et le gagner en plus ! Prends ton mal en patience et cesse de pleurnicher, trompette de cuivre !

Le notaire le fixa un moment, puis pencha la tête d'un air soumis :

— Tu as peut-être raison, après tout... Il faudrait que je tienne mes idées noires un peu plus en laisse.

Charles comprit bientôt que Parfait Michaud avait davantage besoin de compagnie que d'encouragements. Anouchka, lassée de fréquenter un malade – âgé de surcroît –, le délaissait de plus en plus ; des hommes plus jeunes et en bonne santé tournaient autour d'elle. Il aurait fallu être bien folle pour ne pas en tirer parti.

Le notaire décida de profiter de la présence quasi quotidienne de Charles pour parfaire la culture musicale du jeune homme. Assis au salon, un verre de porto à la main (mais seul à en boire, car tout alcool était défendu au malade), Charles écouta avec lui l'œuvre des grands symphonistes : Beethoven, Schubert, Mendelssohn, Sibelius, Mahler, Chostakovitch, Prokofiev et Martinu – ce qui en faisait pas mal ! –, plus une dizaine de symphonies de Mozart et une vingtaine de Haydn, pour lequel Parfait Michaud éprouvait une admiration sans borne.

— C'est lui, disait-il, qui me fait le plus de bien. Il déborde d'esprit et de joie de vivre. Ça vaut bien des vitamines !

Ces doses massives de musique exerçaient aussi leur action sur Charles. Il se mit à voir la vie différemment, d'un regard plus clair et plus pénétrant, et avec un certain détachement. Elle se mit à lui apparaître comme un spectacle grandiose et absurde, où le grotesque, le sublime et le tragique s'entremêlaient dans un tourbillon insensé ; une sorte de beauté farouche en émanait, qui prenait à la gorge. De savoir qu'on faisait partie du spectacle procurait une sorte de fierté.

Après une œuvre ou entre deux mouvements, Charles et son mentor échangeaient parfois des commentaires. Mais, la plupart du temps, ce qu'ils pouvaient se dire semblait dérisoire en comparaison de ce qu'ils venaient d'entendre. Le message de la musique, d'une éloquence mystérieuse, se suffisait à lui-même.

Sans qu'ils sachent trop pourquoi, la musique les rapprocha. À présent, ils pouvaient se comprendre à demi-mot. Un simple geste valait un discours. Charles se mit à aimer profondément ce vieil homme malade qui luttait contre la mort. Il craignit de le perdre ou, pire encore, de le voir traîner une vie languissante et diminuée. Les jours de grande fatigue ou de déprime, le notaire lui faisait penser à ces fantômes de vieilles maisons qu'on voit étalés sur les murs de buildings au-dessus des stationnements qui les ont dévorées. Est-ce que Parfait Michaud se vidait peu à peu de lui-même? Ne serait-il plus bientôt qu'un vague souvenir de ce qu'il avait été?

Le jour du référendum, malgré ses douleurs et sa faiblesse, il voulut aller voter. Le père Lindsay, qui lui rendait visite ce matin-là, offrit de le conduire. Cela valut de fortes émotions au bon religieux. Parfait Michaud s'évanouit dans l'isoloir, qu'il entraîna dans sa chute. L'instant d'après, quatre agents de sécurité l'entouraient. On avait cru à un attentat.

— J'ai eu le temps de faire ma croix! s'écria-t-il en revenant à lui.

Le représentant du comité du Non, qui connaissait les opinions politiques du notaire, voulut faire annuler son bulletin de vote en invoquant une irrégularité. Celui du Oui, un jeune homme galvanisé par sa mission, s'y opposa bruyamment et menaça de traîner l'autre par la cravate jusqu'au poste de police. Le clerc de Saint-Viateur, à force de bonhomie et de gestes apaisants, réussit à ramener le calme. Le bulletin de vote, dûment plié, fut introduit dans la boîte de scrutin et tout fut dit. Mais Parfait Michaud, secoué par l'incident, dut garder le lit jusqu'au soir.

◆

Amélie, qui avait appris le malheur de son ex-mari par l'intermédiaire de Lucie, décida d'aller le voir – résolution généreuse mais quelque peu risquée. Vers sept heures, un soir, elle arriva en taxi avec un énorme chaudron de gaspacho, « le meilleur revitalisant alimentaire, assura-t-elle, à condition d'en prendre quatre fois par jour », et elle déposa le chaudron aux pieds du notaire qui, prévenu la veille, l'attendait au salon en compagnie de Charles et de Lucie ; ces derniers l'avaient préparé de leur mieux à cette rencontre, dont la perspective avait rempli le convalescent de nervosité et d'agacement.

— Si elle pense m'attendrir avec de la soupe et qu'on va reprendre la vie commune, avait-il déclaré, elle se trompe comme une buse qu'elle est.

— Allons, Parfait, avait répondu Lucie, pourquoi voir des complots partout ? Elle agit par compassion, tout simplement.

— Je ne veux pas de sa compassion ! avait sifflé le notaire. Je me prodigue à moi-même toute la compassion qu'il me faut !

On craignait le pire de cette rencontre, qui se déroula pourtant d'une façon fort convenable. Les anciens époux se parlèrent comme de vieux amis séparés par une brouille déjà à moitié oubliée ; ils évitèrent avec soin tous les écueils (ou presque) et cachèrent leurs rancœurs sous une affabilité de circonstance.

— Je ne pourrai pas rester longtemps, annonça Amélie dès son arrivée comme pour rassurer le malade, car mon perroquet n'endure pas la solitude... contrairement à moi, ajouta-t-elle avec un soupir qui démentait ses paroles.

Puis elle demanda à Parfait Michaud de lui raconter son accident. Malgré qu'il l'eût déjà fait au moins deux cents fois, il se lança dans son récit avec beaucoup de verve, ne cachant pas qu'il était lui-même la cause très ridicule de son propre malheur, ce qu'Amélie contesta en soutenant que la terre regorgeait de psychopathes qui ne cherchaient qu'un prétexte pour satisfaire leurs instincts criminels ; mais on sentait à son ton qu'elle était plutôt de l'avis de son ex-mari. Se tournant alors vers Lucie, elle lui demanda d'aller chercher un bol qu'elle remplit de gaspacho et présenta au notaire ; il l'avala avec appétit et en redemanda :

— Je n'ai jamais rien goûté de si bon, assura-t-il.

Assise devant lui, Amélie l'observait en hochant la tête avec satisfaction :

— Je t'en préparerai d'autre, dit-elle. Si je trouve le temps.

Le temps ne semblait pourtant pas lui manquer, pensèrent Charles et Lucie, mais ils gardèrent leur remarque pour eux-mêmes. Le notaire, pour sa part, déclara qu'il ne voulait lui imposer aucun surcroît de travail et lui demanda plutôt sa recette.

— Ça, ça fait partie de mes secrets, répondit-elle en dressant l'index, et mes secrets font partie de mon âme.

Au bout d'une quinzaine de minutes, elle soupira de nouveau, souleva un peu son turban et se gratta le crâne en disant qu'il était temps pour elle de se donner un shampoing, car ses démangeaisons la reprenaient. Lucie s'offrit à la reconduire chez elle.

Amélie se leva et tendit la main au notaire :

— Adieu, lui dit-elle.

— Pourquoi « adieu » ?

— Parce que nous ne nous reverrons sans doute plus. Du moins en ce monde.

Il pâlit :

— Tu crois donc que je vais bientôt mourir ?

Elle éclata de rire :

— Mais non, vieux schnoque ! Je plaisantais ! Tu en as encore pour au moins trente ans à nuire à tout le monde !

Elle lui caressa la joue et sortit.

— Je pense, confia Parfait Michaud le lendemain à Charles, qu'étant donné son état on ne pouvait espérer une visite plus agréable.

13

La visite de Wilfrid Thibodeau, quelques jours plus tard, fut beaucoup moins réussie. Un soir, vers dix heures, il sonna à la porte du notaire au moment où celui-ci, après une longue discussion avec Charles sur le référendum – la défaite faisait bouillir encore bien des cerveaux –, sentait le besoin de se mettre au lit. Pris tout à coup d'une grande fatigue, il venait de confier à son jeune ami le soin d'éteindre les lumières et de verrouiller les portes avant de partir.

Voici les derniers moments de cette discussion qui avait débuté après un souper à l'italienne constitué d'un minestrone, de cannellonis, d'une salade de tomates et d'épinards, d'un tiramisu et de deux solides espressos, que le notaire, outrepassant les ordres de son médecin, fit suivre de quelques portos.

— Si tu cherches une source inépuisable de soucis, Charles, compte sur les Anglo-Saxons. Je ne connais pas d'emmerdeurs plus admirablement tenaces. En quelque lieu qu'ils aillent, ils s'incrustent. Il n'y a pas d'eau de Javel pour les déloger. Quoique aux Indes... Comme ils se croient supérieurs à tout le monde, ils veulent tout diriger à leur façon et n'arrivent pas à dormir en paix tant que chacun n'est pas devenu Anglais comme euxmêmes. Le Canada, c'est la cage qu'ils nous ont construite pour nous dominer jusqu'à l'assimilation complète. Britanniques, Américains, Australiens, Canadiens, tous de même farine. Nous les avons sur le dos depuis 1759 et je ne vois pas encore le jour où ils nous feront la grâce d'en descendre.

— Voilà des propos racistes, Parfait, fit Charles, railleur (il adorait les prises de bec).

— De quel racisme parles-tu, mon garçon? Ils sont de la même race que nous. Nous avons la peau des fesses exactement de la même couleur...

— Propos haineux, alors.

— Haineux, haineux... Non, le mot est trop fort... La haine est bête et n'entend rien. Sans être un génie, je crois pouvoir comprendre deux ou trois choses. Tu les aimes, toi, les Anglais?

— C'est notre situation que je déteste.

— Et qui l'a causée, d'après toi?

— Nous-mêmes, en grande partie. Il y a eu la Conquête, bien sûr, et ce minable Louis XV avec sa volonté de mastic et ses deux doigts dans le nez. Mais nous aurions regagné depuis longtemps notre liberté sans tous ces collabos canadiens-français qui font métier de nous trahir. Savais-tu, Parfait, que le lendemain de la bataille des Plaines d'Abraham, la petite noblesse locale recevait les officiers anglais pour le thé? Il fallait bien que la vie continue, n'est-ce pas, et elle avait ses filles à marier, la petite noblesse... Et puis, n'oublions pas le haut clergé, qui prêchait la soumission pour conserver ses privilèges.

— Je vois que monsieur scrute maintenant les choses avec la longue-vue de l'objectivité. Il s'est distancié de notre petite vie quotidienne. Après cela, il n'y a plus qu'à se taire.

— Parfait, dis-moi, qu'est-ce que ça donne de toujours blâmer les autres? Est-ce que les haïr nous rapporte deux sous? Si les Québécois sont dans la merde depuis si longtemps, c'est parce qu'au fond ils ne s'aiment pas assez. À vrai dire, nous trouvons que la merde nous convient assez bien. C'est ce que les Flabotte, Flingon et tant d'autres ont toujours dit ou sous-entendu, et il y en a toujours eu des masses pour le croire. Selon eux, nous ne sommes pas dignes de la liberté. Sans tuteurs, nous ne savons pas comment nous comporter. Un peuple avec des béquilles, quoi, et c'est le Canada qui les fournit.

— Voilà la nouvelle école de pensée, je suppose : tout mettre sur notre dos. Eh bien, je n'en fais pas partie, car je ne vois pas les choses de cette façon.

La discussion se poursuivit ainsi jusqu'à ce que les forces manquent tout à coup au notaire. Il pâlit et s'affaissa dans son fauteuil.

— Dieu m'a puni pour mes propos haineux, murmura-t-il au bout d'un moment dans un maigre filet de voix. Je vais mourir.

— Va te coucher, plutôt. Tu t'es trop excité et le porto n'a sûrement rien arrangé, avec tous ces remèdes que tu prends...

— Je m'ennuyais trop du porto, Charles. C'est tout ce qui me reste, avec la musique.

Le jeune homme voulut l'aider à se lever, mais le notaire le repoussa d'un geste impatient et réussit à se rendre jusqu'à sa chambre.

— À demain, Charles, fit-il en glissant ses maigres jambes sous les draps. Tu es bon pour moi.

— Tu l'as toujours été pour moi aussi.

— Mais ne compte pas sur un héritage. Je donne tout aux Sœurs Grises.

— C'est qu'elles t'ont sans doute fourni bien des maîtresses.

— En effet. Religion et vice... quel mélange délicieux... Allez, ferme les lumières, veux-tu ? Et n'oublie pas de verrouiller la porte. Bonne nuit.

Charles se rendit à la cuisine porter les verres sales et décida d'y mettre un peu d'ordre. Il finissait de remplir le lave-vaisselle lorsqu'on sonna à la porte.

Il n'avait pas franchi la moitié du corridor que la sonnette retentissait de nouveau. Tout de suite, il sut que c'était son père. Il s'arrêta, atterré. Il ne pouvait plus supporter la vue de cet homme.

La sonnette retentit encore, rageuse.

— Qu'est-ce qui se passe? demanda Parfait Michaud d'une voix éraillée.

— Ça doit être Wilfrid qui vient chercher son chèque.

— Je n'en ai plus. Il faudra que tu en fasses d'autres.

— C'est que je n'ai pas de chéquier sur moi, marmonna Charles, devenu pâle, et il se rendit à la porte.

Wilfrid Thibodeau, l'œil allumé, son visage osseux parcouru de tressaillements sinistres, attendait sur le perron, une main appuyée au mur, plus petit et plus maigre que jamais, comme si l'horrible combustion qui rongeait son corps s'était amplifiée et qu'elle allait d'un instant à l'autre le réduire en fumée. Frémissant et rabougri, il avait quelque chose d'un insecte venimeux. Bien qu'on fût au début de décembre et qu'un vent frisquet balayât les rues couvertes ici et là de plaques de neige durcies, il ne portait sur sa chemise de coton qu'une autre chemise à peine plus épaisse et n'avait aux pieds que de mauvaises chaussures de sport aux bouts fissurés.

— Qu'est-ce tu fais ici? s'étonna-t-il à la vue de son fils.

La buée qui s'échappa de sa bouche atteignit Charles et le renseigna d'une façon très explicite sur la cause de son agitation. Celui-ci, sans répondre à sa question, le salua à peine et, d'un ton sec, lui annonça que, pour le moment, on ne pouvait lui donner aucun chèque. Qu'il revienne le lendemain soir, mais un peu plus tôt, tout de même, car, à cette heure, le notaire était habituellement au lit.

— Comment, plus de chèques? Ça fait deux mois que je suis pas venu en chercher, j'arrive de Calgary sur le pouce. Il m'en faut deux!

— C'est bien dommage, papa, mais, comme je viens de te le dire, Parfait n'a plus de chèques et je n'ai pas de chéquier. Demain.

— J'ai plus une crisse de cenne, tabarnac! tonna le menuisier d'une voix suraiguë qui fit tressaillir Charles.

Mais l'homme se calma aussitôt et parut réfléchir. Son fils s'était avancé d'un pas sur le perron et avait tiré la porte derrière lui afin de ne pas refroidir la maison et de soustraire Parfait Michaud à une scène pénible.

— Est-ce que je peux coucher ici? demanda alors l'ivrogne à voix basse.

Son ton s'était fait soumis, presque suppliant.

— C'est impossible, papa. Parfait est malade. Il se remet d'un grave accident. Il va falloir que tu ailles dormir ailleurs.

Pendant quelques secondes, il ne se produisit rien. Wilfrid Thibodeau, qui se trouvait un peu plus bas que son fils, fixait la poitrine de ce dernier avec un sourire étrange, tandis que les tressaillements de son visage s'amplifiaient.

Soudain, il se rua sauvagement sur Charles. Celui-ci tomba à la renverse et alla heurter la porte, qui claqua contre le mur, tandis que le menuisier ricanant faisait irruption dans la maison pour s'arrêter devant le notaire effaré, debout dans le corridor, les jambes flageolantes.

La vigueur du petit homme, tout en nerfs, avait été stupé-fiante.

— Qu'est-ce qui se passe? murmura Parfait Michaud. De la violence chez moi?

— Pas du tout, *boss*... Il ne voulait pas me laisser entrer. Mais il n'est pas chez lui, icitte. C'est à toi de me crisser à la porte, si tu le veux bien, parce que la maison t'appartient à toi, pas à lui.

Et il lança un regard de défi à Charles, qui se relevait, rouge de honte et de fureur.

Le silence se fit.

— J'ai pas un trou à soir où aller me coucher, se plaignit de nouveau Wilfrid Thibodeau d'une voix misérable. Un chien ou un chat finirait toujours par se trouver une boîte de carton ou un paquet de guenilles pour se réchauffer un peu, tandis que moi... Si j'avais de l'argent, je *m'aurais* loué une chambre... mais j'ai pas une cenne, hostie.

— Veux-tu que j'appelle la police ? proposa Charles au notaire sans daigner jeter un regard au menuisier.

Mais ce dernier se planta devant lui, les mains dans les poches, le sourire terrible :

— Appelle-la, 'tit gars, appelle, et tu vas voir ce que tu vas voir...

— Allons à la cuisine, fit le notaire, alarmé, il faut que je m'assoie, les jambes vont me manquer. Quant à toi, Wilfrid, calme-toi, je t'en prie. Je ne suis vraiment pas content, mais pas du tout... Ce n'est pas une façon de se comporter, ça... Tu te conduis comme dans une porcherie...

Le menuisier suivit docilement Parfait Michaud et l'aida même à s'asseoir à table, puis s'installa en face de lui. Il tournait le dos à son fils qui, debout contre un mur, fixait la nuque de l'ancien menuisier d'un œil meurtrier. Si un couteau ou un objet contondant s'était trouvé à portée de sa main, qui sait ce qui aurait pu se produire ?

Le notaire, par son tempérament et sa profession, avait un fort penchant pour les règlements pacifiques. Il trouva la force de lancer quelques plaisanteries, puis, jugeant son visiteur suffisamment tranquillisé, fit signe à Charles qu'il pouvait s'en aller. Le jeune homme refusa d'un mouvement de tête. Alors, toujours du même ton aimable, il offrit au menuisier de l'héberger pour la nuit, à la condition expresse que ce dernier se conduise d'une façon irréprochable; cela incluait l'abstention de toute boisson alcoolique, dont une certaine quantité se trouvait dans le buffet de la salle à manger. Mais la mine de Charles le fit brusquement changer d'idée et il proposa alors à Wilfrid Thibodeau de lui appeler un taxi qui le conduirait à un motel; il payait, bien sûr, tous les frais.

Et, demandant à Charles de lui apporter son pantalon, il en sortit son portefeuille et tendit quarante dollars à l'ancien menuisier :

— Ça, Wilfrid, c'est pour ton taxi et tes petites dépenses. En arrivant au motel, tu demanderas qu'on me téléphone pour le règlement de la note.

La vue des billets de banque opéra une transformation majeure chez l'ivrogne ; il devint doux comme une soie et des larmes de repentir lui montèrent aux yeux. Il se retourna vers Charles, toujours adossé au mur, tandis que le notaire appelait un taxi :

— Tu m'excuses pour tout à l'heure, mon gars ? Je ne sais pas ce qui m'a pris...

Charles le fixa un moment avec un sourire glacial, puis répondit :

— Non.

— Allons, allons, faut pas prendre ça comme ça, fit Thibodeau en se levant, saisi tout à coup d'une crainte horrible quant aux conséquences financières de son inconduite. Tu connais mon caractère... Je m'emporte des fois pour des niaiseries, mais j'ai bon cœur au fond. J'y suis allé un peu fort, ça, c'est sûr, mais c'est parce que j'avais peur de passer la nuit dehors et de geler comme une crotte, tu comprends...

Il se leva et, allant chercher la main de son fils, se mit à la presser entre les siennes, mais l'autre, dégoûté, la retira vivement.

— Le taxi s'en vient, annonça le notaire comme s'il s'agissait d'une grande nouvelle.

— Écoute, Charles, mets-toi un peu à ma place... Je me suis conduit en fou, c'est sûr, mais as-tu déjà passé une nuit au frette ?

— La principale raison, c'est que t'étais soûl. Comme d'habitude.

Le notaire, craignant un nouvel esclandre, s'avança :

— Tu peux partir, Charles, tout est réglé.

— Je ne partirai pas tant qu'on n'aura pas mis cette pompe à bière dans son taxi, parce que tant qu'il sera ici, tout peut arriver. *Tout*, comprends-tu ? Il est fait comme ça et rien ne pourra jamais le changer. J'ai appris ça quand j'étais petit et je ne suis pas près de l'oublier.

L'ancien menuisier, dégrisé à présent, s'était rassis et fixait le plancher d'un air stoïque. Que pouvait-il faire d'autre? Peut-être son attitude humble et soumise abrégerait-elle l'orage qui tombait sur sa tête et limiterait-elle un peu les dégâts?

Charles quitta la cuisine et alla se planter devant la fenêtre du salon.

Le notaire, devenu très paternel, s'employait à secouer les puces à Wilfrid Thibodeau, essayant de le convaincre d'aller en cure de désintoxication, lorsqu'un cri de Charles leur signala l'arrivée du taxi.

— J'espère qu'un peu de sagesse va finir par t'entrer dans la caboche, Wilfrid, fit Michaud en se levant (il dut s'aider de ses mains). Regarde-toi, misère à poil! Tu n'es plus dans ta folle jeunesse mais à l'âge des cheveux blancs, mon ami! Le temps des erreurs est terminé depuis belle lurette. Vas-tu penser à ce que je viens de te dire?

Wilfrid Thibodeau marmonna quelques mots confus, mélange d'acceptation et de remerciement, et enfila le corridor, suivi par le notaire. Une idée fixe lui barrait le front d'un pli : les chèques de son fils.

Charles attendait dans le vestibule :

— Bonne nuit, Parfait.

— Bonne nuit, mon Charles... Bonne nuit, Wilfrid... N'oublie pas en arrivant au motel de demander qu'on me téléphone.

L'ancien menuisier se retourna, grimaça un sourire en faisant un salut de la main, puis sortit et, saisi par le froid, se dirigea à grands pas vers le taxi. Le chauffeur avait déjà ouvert la portière.

Thibodeau allait monter, mais il s'arrêta et, à demi penché, leva la tête vers son fils debout derrière lui :

— Et... mes chèques? demanda-t-il avec une sorte d'insolence craintive. Ça marche toujours?

Charles eut un violent sursaut, comme si un filet d'eau glacée venait de lui couler dans le dos :

— Tes chèques... tes chèques, bégaya-t-il, les yeux rapetissés de colère. Dans le cul, tes chèques !

Et, se jetant sur lui, il le poussa la tête la première dans le taxi, claqua la portière et fit signe au chauffeur de partir.

Immobile, il regardait le véhicule s'éloigner, rempli de honte par son geste, lorsqu'un toussotement le fit se retourner. Parfait Michaud sur le seuil, les bras serrés frileusement contre sa poitrine, le regardait, et ce regard atterré disait :

— Tel père, tel fils, hélas !

Alors Charles partit en courant dans la nuit, sans trop savoir où il allait.

— T'es comme lui, t'es juste comme lui, marmonnait-il en pleurant.

La morve et les larmes coulaient sur son visage sans qu'il prenne la peine de les essuyer.

Le 8 décembre 1995, Charles reçut d'un lecteur de *Clair*, amateur de drôleries et de curiosités, une publicité électorale fort pittoresque :

« C'est réglé !
Nous déneigerons les trottoirs ! »

Albin Braveau

« La population m'a convaincu de l'urgence d'une décision. Ces dernières semaines, j'ai rencontré des milliers de Saint-Désidéronais et de Saint-Désidéronaises : leur plus grande inquiétude est le déneigement des trottoirs. Il m'apparaît donc urgent de les rassurer en leur garantissant que les trottoirs seront déneigés l'hiver prochain. J'ai rencontré la majorité des conseillers municipaux qui m'appuient et nous avons convenu de revoir le budget dans ce sens. »

On y avait joint ce mot :

Cher Monsieur Thibodeau,

Depuis vos débuts à *Clair*, je vous lis avec plaisir. Vous êtes drôle, parfois insolent, jamais ennuyeux. Dans cette mer de médiocrité journalistique, cela repose l'esprit. Vous trouverez ci-joint la promesse électorale d'un candidat à la mairie de Saint-Désidéron. J'ai pensé qu'elle pourrait peut-être vous inspirer un de ces articles piquants qui savent si bien nous égayer.

Admirativement vôtre,
Roger-Robert Larose,
retraité et toujours amoureux de la vie à 78 ans

Le vieil homme avait eu du flair. Le texte parut à Charles d'une solennité si niaise, d'une bêtise tellement suave, d'une nullité si prospère et satisfaite qu'il en devenait comme un objet d'art ; il fallait le proposer à l'admiration de tous.

Le lendemain, Charles pondait un article qui allait faire jaser tout Montréal (du moins sa population francophone) : le jour de sa parution, lorsqu'il le lut à la radio, le chroniqueur Marc Laurendeau déclencha le fou rire parmi les membres de l'équipe de *CBF Bonjour* ; à onze heures, on ne trouvait plus d'exemplaires de *Clair* nulle part et Charles, en se rendant chez Quebecor ce matin-là, se fit arrêter trois fois dans la rue par des inconnus qui le félicitèrent en riant aux éclats, l'un d'eux l'invitant même à prendre un café, ce qu'il refusa le plus gentiment qu'il put, car Pierre Péladeau ne souffrait aucun retard.

Vers midi, lorsqu'il sortit de chez l'homme d'affaires (presque au terme de son entreprise biographique), plusieurs messages l'attendaient sur son bureau ; ils provenaient de Parfait Michaud, de Fernand, d'Amélie, de Blonblon (oui, de Blonblon !), de Bernard Délicieux (qui l'invitait à souper à L'Express) et même de Stéphanie, son ancienne blonde dont il était sans nouvelles depuis cinq ans ; la jeune psychologue vivait à Roxboro, mariée depuis trois ans à un programmeur qui, avec une belle régularité, lui faisait un enfant par année ; elle les élevait selon les données les plus récentes de sa science ; les soins de la famille la retenaient à la maison, mais elle y avait ouvert un bureau et recevait quelques patients. D'une voix chaleureuse, elle félicita Charles pour son talent, lui disant tout le plaisir qu'elle prenait à le lire quand l'occasion se présentait.

Son appel étonna Charles au plus haut point ; il crut sentir dans sa voix une sorte de regret ou de dépit, comme à la constatation d'une erreur impossible à corriger.

— Tant pis, se dit-il avec satisfaction. Elle s'aperçoit, mais trop tard, que je ne suis pas n'importe qui.

Quelqu'un avait sans doute parlé à Pierre Péladeau du petit ouragan d'éclats de rire qui déferlait ce matin-là sur Montréal – et, grâce à la radio, sur une bonne partie du Québec, comme Charles put le constater dans les jours qui suivirent –, car l'homme d'affaires apparut tout à coup dans son bureau, un numéro de *Clair* à la main ; il riait encore.

— Dis donc, mon ami, tu ne l'as pas manqué, ce pauvre imbécile !

— Vous trouvez ? fit Charles en rougissant de plaisir.

— Ma foi ! c'est assez, je pense, pour lui faire perdre le goût de la politique !

Puis, tendant un doigt menaçant :

— J'espère que tu ne me feras jamais perdre le goût des affaires, hein ?

— Jamais je n'oserais, monsieur Péladeau, bredouilla Charles, embarrassé. D'ailleurs, se reprit-il aussitôt, craignant d'avoir commis un sous-entendu blessant, j'en serais tout à fait incapable, car, si je puis me permettre, vous êtes... euh... tout le contraire d'un imbécile, c'est-à-dire que...

— Tatata. Il y a un imbécile en chacun de nous, mon garçon. Il peut se réveiller n'importe quand.

— Il est vrai, convint Charles, que personne n'est à l'abri de...

— Par prudence, poursuivit le magnat avec une moue ironique, je devrais peut-être m'arranger pour que tu sois toujours mon employé.

Et il quitta la pièce sur un nouvel éclat de rire.

— Tabarnouche, murmura Charles, ébahi, qu'est-ce qui m'arrive ?

La boutade de son patron exprimait une crainte, à n'en pas douter. Il pouvait donc faire trembler un milliardaire en alignant tout simplement des mots sur une feuille de papier ? Un moment de vertige l'obligea à fermer les yeux.

Mais c'est la soirée qui lui réservait la plus grande surprise.

14

Il venait d'attaquer un steak tartare à L'Express en compagnie de Bernard Délicieux lorsqu'un homme dans la trentaine aux allures d'échassier, élégant, les traits fins, l'air à la fois retenu et décidé, s'approcha de leur table et demanda à Charles la faveur d'un court entretien. Bernard Délicieux, qui connaissait tout Montréal, lui serra la main avec une bruyante cordialité et le présenta à Charles. Il s'agissait de Bertrand Latulipe, producteur de *Rose Nanane*, la fameuse émission télévisée qui s'était donné comme mission de faire tomber le plus grand nombre de têtes possible sous la guillotine du ridicule. Latulipe félicita Charles pour son article du matin, ajoutant qu'il lisait ses textes avec beaucoup de plaisir, et lui demanda si une chronique hebdomadaire à *Rose Nanane*, consacrée à l'actualité politique, l'intéresserait.

— Dis oui, Charles ! s'exclama Délicieux. Tu serais formidable !

Celui-ci, occupé par l'ingestion d'une bouchée de viande qui avait décidé tout à coup d'emprunter sa trachée-artère, fut un moment sans pouvoir répondre ; les contractions de son visage empourpré incitèrent même Délicieux à lui donner de grandes tapes dans le dos.

Ayant retrouvé ses moyens, Charles remercia le producteur de son intérêt et les deux hommes convinrent d'un rendez-vous pour le surlendemain.

— Charles, fit Délicieux en se penchant à son oreille quand l'autre fut parti, c'est la gloire ! Le réalises-tu ? La gloire ! Dans deux semaines, tu seras dix fois plus connu qu'une vieille picouille comme moi qui trottine dans le crottin depuis trente ans !

— J'ai peur, murmura celui-ci en repoussant son assiette. J'ai peur de me planter.

— C'est normal, mon grand. Tremble tout ce que tu peux dans tes culottes, ça va te faire du bien et ta trouille finira par passer. Mais nourris-toi bien, par contre, poursuivit-il en ramenant son assiette vers Charles. Il n'y a rien de pire qu'un ventre creux pour entretenir les idées noires. Les panses vides font les peureux, disait ma mère, qui est morte grosse comme une tour et qui aurait pu tenir tête toute seule à l'armée canadienne pendant la crise d'Octobre.

Charles tourna dans son lit toute la nuit et dut prendre trois cafés le lendemain matin pour se remettre les idées en place. Une immense jubilation l'habitait, et une peur non moins immense, les deux s'épaulant pour lui faire atteindre parfois des sommets jamais connus, où il se demandait si c'était bien à lui que ces choses survenaient ou s'il n'avait pas rêvé sa rencontre de la veille à L'Express.

À son arrivée au journal, ruelle Chagouamigon, Nicolas Rivard, homme pourtant peu démonstratif, le serra longuement dans ses bras, les larmes aux yeux, en lui disant qu'un père ne serait pas plus fier du succès de son fils : le distributeur de *Clair*, assailli de demandes, demandait cinq mille exemplaires supplémentaires pour la semaine suivante et ce n'est que son extrême prudence qui avait poussé Rivard à n'en faire imprimer pour l'instant que trois mille de plus.

Puis, avec un sourire malicieux qui lui creusait de longues pattes d'oie, il lui tendit un communiqué de presse :

— Je crois, mon Charles, que tu vas avoir encore l'occasion de t'amuser : conférence de presse ce matin à dix heures trente du ministre Flingon dans le grand hall de l'Université de Montréal.

— Et sur quel sujet ?

— Oh, le sujet habituel.

Si Charles, ce matin-là, avait commencé la journée dans l'euphorie, on ne pouvait en dire autant du ministre Anatole Flingon. Ancien professeur de sciences politiques à l'Université McGill, il avait été nommé deux ans plus tôt par le premier ministre du Canada, dit Flabotte, à la tête du ministère de la Coordination interprovinciale et responsable du Conseil de l'harmonie nationale, duquel relevaient le Commissariat aux langues officielles et celui aux minorités visibles et invisibles. De ces lourdes charges, il s'acquittait énergiquement, animé par un patriotisme farouche et jouissant d'une santé que la cinquantaine et les travaux harassants n'avaient pas encore altérée. C'était un homme brillant, rigoureux, vif et nerveux, peu enclin aux sourires, qui considérait le monde comme un immense collège où devaient régner l'ordre et la discipline ; il s'en voyait un peu comme le préfet.

En fait, ses ennuis avaient commencé dès avant son lever. Vers trois heures du matin, une crampe au petit orteil du pied gauche s'était mise à grignoter son sommeil, l'amincissant à tel point qu'il s'était presque confondu avec un état de veille. Cela arrivait chaque fois qu'il s'endormait en pensant à un événement désagréable survenu dans la journée.

Cette fois, cela avait été l'interview qu'il avait donnée dans une radio communautaire de Montréal, sur les conseils de son attachée de presse, à un jeune barbu au crâne rasé qui avait essayé de le mettre en boîte en évoquant les irrégularités qui s'étaient produites au cours du référendum de 1995 ; on lui avait appris à sa sortie du studio (c'était bien le temps !) que l'individu était chroniqueur à *L'Aut' Journal*, cette feuille de chou séparatiste qui lui faisait une guerre féroce. Il s'était plutôt bien tiré des questions sournoises du jeune rasé, mais avait failli piquer une colère devant le micro et il lui avait fallu une bonne heure avant de retrouver son calme.

Rien ne soulevait davantage sa fureur, en effet, que la vue d'un séparatiste, surtout lorsque ce dernier essayait de jouer au petit malin. Il en avait développé une exécration pour le Québec qui, depuis une trentaine d'années, produisait un nombre sans cesse croissant de ces avortons, et une exécration toute particulière pour Montréal, foyer principal du mouvement séparatiste. Bien qu'il trouvât certains attraits à cette ville, où il résidait entre les sessions parlementaires, il lui préférait à présent Ottawa malgré son ennui sirupeux, car au moins on y jouissait d'un air idéologiquement pur.

Or, à une nuit pénible succédait un matin qui l'avait mis en rogne.

L'ordre et la discipline, avec une certaine incidence sur la salubrité, lui paraissaient faire gravement défaut ce jour-là dans sa maison de la chic rue Pratt.

Trois sujets alimentaient son irritation. Ils étaient, chacun pris séparément, d'une importance relative, bien sûr ; c'était leur simultanéité qui les rendait intolérables.

Le jus de légumes en conserve dont il prenait un verre chaque jour à son lever n'avait pas été mis au réfrigérateur. Outre qu'il détestait le jus tiède, la boîte, déjà ouverte, avait passé la nuit sur le comptoir à une température de 22 °C et son contenu avait dû commencer à se corrompre. Or, c'était la dernière boîte de la maison, Agata, leur servante, ayant oublié d'en acheter la veille.

Il se passerait donc, pour ce matin, de jus de légumes.

Mais il y avait plus grave.

Il sortait de la douche lorsque sa femme Édith lui avait appris qu'Agata avait brisé la petite cafetière de porcelaine, dite de Luxembourg, dont il se servait chaque matin pour préparer lui-même son café (personne n'arrivant à le faire à son goût). La veille, elle l'avait laissé échapper tout bêtement sur le carrelage de la cuisine. Cela avait causé une grande commotion dans la maison. Comme l'objet était difficile à remplacer, parce que rare, on avait fait le tour des marchands par téléphone ; puis on était allé chez des brocanteurs et des antiquaires.

Peine perdue, la cafetière demeurait introuvable.

Un importateur de la rue Bernard avait placé une commande express en Italie, sans rien promettre.

Agata, depuis, se retirait à tout moment dans sa chambre pour pleurer.

— Je ne crois pas qu'il faille la semoncer, lui conseilla Édith. Elle est déjà assez punie comme ça.

Anatole Flingon se contenta de plisser ses lèvres minces et son regard, en se portant sur sa femme, lui fit détourner la tête.

Bon. Il se contenterait ce matin d'un café *ordinaire*. Mais combien de temps cela durerait-il ?

La troisième cause de son irritation n'était pas d'ordre privé mais public.

Sa limousine étant tombée en panne, on l'avait remplacée par une auto de location. Mais l'imbécile qui s'occupait de ces choses ne l'avait pas examinée. C'est en jetant un coup d'œil machinal dans la rue, où le véhicule se trouvait garé, qu'il avait aperçu la plaque d'immatriculation :

FIF 2822

« Fif », au Québec, étant l'abréviation courante de « fifi », la chose portait à conséquence. Il n'était pas homophobe, bien au contraire ; c'est de tout son cœur qu'il approuvait les dispositions de la Charte canadienne des droits et libertés en ce qui concernait l'orientation sexuelle, legs majestueux du grand Elliott Trudeau. N'importe où sauf au Québec, cette affaire aurait été considérée à juste titre comme insignifiante.

Mais on n'était pas n'importe où. Sa croisade acharnée pour l'unité canadienne lui avait attiré bien des ennemis dans la Belle Province. Il fallait vraiment penser avec ses pieds pour ne pas avoir prévu les désagréments que ce FIF 2822 pouvait lui apporter. Déjà que les caricaturistes québécois lui vouaient un intérêt féroce ! Quelles fureurs matinales n'avaient-ils pas fait lever en lui lorsqu'il ouvrait un journal ! Ils n'oseraient sans doute pas se servir de cette plaque d'immatriculation pour le ridiculiser. Mais sait-on jamais ?

La sournoiserie de ses ennemis ne connaissait pas de bornes. Ces dégénérés prenaient un plaisir immonde à détruire le pays qui leur apportait liberté et prospérité. Tôt ou tard, il en était sûr, leur racisme latent finirait par trouver sa juste punition. En attendant, il fallait parer leurs coups et, mieux encore, les prévoir.

Donc, pas d'auto de location ce matin, mais un taxi.

Il finit de s'habiller, déjeuna avec sa femme qui, du coin de l'œil, observa sa réaction lorsqu'il porta à ses lèvres la tasse de café *ordinaire* qu'elle lui avait préparée (il ne fit aucune remarque), parcourut en silence les résumés de presse qu'on venait de lui apporter, puis s'enferma dans son bureau pour faire des appels téléphoniques et jeter un dernier coup d'œil sur les notes de l'allocution qu'il devait prononcer à l'Université de Montréal.

À dix heures, il enfila son manteau et ses couvre-chaussures, et se dirigea vers la sortie.

Édith s'approcha pour le rituel baiser matinal.

Il l'embrassa du bout des lèvres, son œil froid fixé sur la corniche du plafond.

Le pire de sa journée restait à venir.

◈

Lorsque Charles, un peu essoufflé, pénétra en toute hâte dans le grand hall de l'université, il s'arrêta, saisi, au milieu de l'entrée, car, bien que Montréalais de naissance, c'était la première fois qu'il y mettait les pieds. L'endroit avait quelque chose de froid et de maussade, mais on était forcé de convenir qu'il ne manquait pas d'allure. Tout ce marbre beige étalé à perte de vue, ces colonnes massives qui s'élevaient loin au-dessus des têtes et ces énormes lustres Art déco qui laissaient tomber une lueur blanchâtre donnaient vraiment l'impression qu'on se trouvait dans le Temple du savoir et que le savoir, sur cette planète, était la seule chose qui importait vraiment.

Il se sentit tout à coup appauvri et rabaissé de ne posséder aucun diplôme universitaire et cela le ramena au temps où il fréquentait Stéphanie.

Mais sa bonne humeur reprit vite le dessus. Il avança parmi la foule déjà dense qui se pressait contre une petite tribune qu'on avait élevée pour l'occasion au milieu du hall. La rumeur des conversations s'enflait sous la voûte en un roulement sourd et indistinct qui tournait autour des colonnes et rappelait vaguement le bruit de la mer. Quelques têtes se tournèrent à son passage pour le fixer une seconde; il y eut des sourires furtifs et intimidés. On l'avait reconnu. Une jeune journaliste du *Devoir*, qu'il côtoyait dans les conférences de presse, lui envoya la main. Un caméraman de Radio-Canada lui fit un clin d'œil complice.

Les diplômes n'étaient peut-être pas si nécessaires, après tout.

Soudain il se retrouva devant une grosse femme en manteau de fourrure, à coiffure piquée d'une broche de corail, qui lui souriait de toutes ses dents jaunies :

— Vous êtes bien Charles Thibodeau?

— Oui, madame.

— Laissez-moi vous serrer la main! J'aime *tellement* ce que vous écrivez! Et pourtant, je suis difficile, vous savez...

— J'en suis ravi, madame, fit Charles en s'inclinant. Merci beaucoup. Très honoré.

— Continuez! roucoula-t-elle. Ne lâchez pas!

Elle secoua la tête et les épaules en riant, comme pour lui transmettre son énergie, et se précipita sur quelqu'un d'autre.

«Qui parle de lâcher?» se dit Charles avec un frisson de plaisir.

Il se fraya un chemin jusqu'à la tribune.

On y avait installé un microphone sur pied devant quatre fauteuils de cuir et, au fond, on avait déployé pour l'occasion un immense unifolié afin de rappeler à tout le monde qu'on se trouvait au Canada et non ailleurs. Cela faisait nu et très universitaire. Et cela promettait d'être long, solennel et ennuyeux.

Charles soupira. Son patron s'était gouré. Impossible de rien tirer de drôle des discours qui allaient être prononcés. C'était comme vouloir faire rire avec une corde de pendu. Évidemment, il y avait le ministre Flingon. Mais, en dépit de son caractère excessif qui lui faisait commettre des bourdes parfois bien rigolotes, c'était loin d'être un sot. Il avait de la répartie et une mémoire de prêteur sur gages, savait manipuler les chiffres et les idées, et ne manquait pas d'aplomb. On ne pouvait être assuré qu'il se couvre de ridicule à chacune de ses apparitions.

Charles sentit ses mains devenir moites. Il fouilla dans sa poche et en ressortit le communiqué de presse, qu'il lut de nouveau.

Toute l'affaire illustrait un conflit de compétence. Vieux conflit, bien abstrait pour plusieurs, qui, depuis des années, ne cessait de s'amplifier.

Ottawa, par la bouche de son ministre de la Coordination interprovinciale, allait annoncer un investissement massif dans la recherche universitaire, domaine de compétence québécoise. L'Université de Montréal qui, comme les autres universités de la province, subissait compressions sur compressions depuis quelques années, affamée d'argent, débordée par les problèmes administratifs, n'en était plus à regarder la provenance des subventions. Elle les acceptait la main tendue, le sourire aux lèvres et les yeux fermés.

Les années Trudeau avaient légué au Canada une dette énorme aux intérêts ruineux. Ottawa avait décidé de s'y attaquer en réduisant unilatéralement ses paiements de transfert aux provinces, gardant pour lui une part de plus en plus grande des impôts. Celles-ci, privées de ressources, avaient été forcées à leur tour d'imposer des restrictions aux niveaux inférieurs.

Cela comportait un merveilleux avantage en ce qui concernait le Québec, *la province qui voulait s'en aller*. Écrasée sous les problèmes de gestion, minée par les dissensions internes, elle devenait beaucoup plus vulnérable devant la stratégie fédérale d'*unité canadienne*. Les spécialistes appelaient cela la *guerre financière*. Il fallait donner de l'argent, certes, mais pas trop, car il importait de maintenir une certaine disette dans la Belle Province afin de ternir l'image que les Québécois avaient de leur gouvernement et nourrir leur insécurité, ce qui les rendrait moins enclins aux aventures politiques. Tant pis si les malades étaient mal soignés (et en mouraient parfois), les routes mal pavées, les étudiants mal formés et les enfants mal nourris ou maltraités.

La conférence de presse faisait partie de cette stratégie ; le ministre Flingon allait montrer, pièces sonnantes en main, toute l'importance qu'Ottawa accordait à la recherche universitaire, domaine, il va sans dire, d'*intérêt national*, même si les universités relevaient de Québec.

Charles soupira de nouveau. Il avait beau tourner l'affaire dans tous les sens, elle continuait de lui apparaître complexe et bien peu divertissante. Il fallait miser sur autre chose, qui ne se présenterait peut-être pas.

L'autre chose se présenta, et de la façon la plus curieuse qu'on puisse imaginer.

Il promenait son regard sur la foule, surveillant l'apparition du ministre et de ses acolytes, lorsque ses yeux tombèrent sur une jeune femme debout près d'une colonne à quelques mètres de lui. Elle était seule et semblait attendre quelqu'un. La beauté racée de son visage le frappa. Elle était vêtue d'une robe beige aux lignes simples et portait son manteau replié sur le bras, n'ayant sans doute pas voulu faire la queue au vestiaire ou ne comptant pas rester longtemps. Charles admira tour à tour sa chevelure châtaine retenue derrière la tête par un élastique recouvert de tissu, son teint d'un brun de miel, ses pommettes saillantes, sa bouche aux lignes fermes et sensuelles, son œil magnifique et plein de vivacité, et sa taille svelte qui donnait une impression de force. Quant à ses jambes, elles étaient faites pour être nues.

Le jeune homme sentit comme un choc. Il voulut soudain être aimé de cette femme ou, à tout le moins, lui faire savoir qu'il existait. Flingon et ses déclarations sournoises venaient de se perdre aux confins de la galaxie. Une sorte de transe s'empara de lui. Il s'approcha de la jeune femme d'un pas décidé, la regardant droit dans les yeux :

— Mademoiselle, excusez ma hardiesse, mais vous me faites un effet du tonnerre. Plus je vous regarde, plus je m'intéresse à vous.

— Ah bon ? Eh bien, merci, répondit-elle, un tantinet dédaigneuse, et elle tourna un peu la tête.

— Je serais ravi que vous vous intéressiez aussi un peu à moi, insista Charles, le sourire crispé.

Le regard de la jeune femme revint sur lui et elle l'examina froidement.

Quelques secondes passèrent.

— Il me faudrait une raison, dit-elle enfin.

— Facile à trouver : je suis un être exceptionnel.

Dans le passé, la bouffonnerie lui avait parfois été d'un grand secours.

— Ah oui? En tout cas, ça ne saute pas aux yeux.

— Vous ne sentez rien d'extraordinaire en moi? À part, bien sûr, l'admiration que je vous porte?

— À part cela, non, rien, je dois dire.

À son expression, il crut sentir que l'entretien commençait à l'amuser.

— Alors, il faudrait que je vous en donne des preuves.

— Ça pourrait aider.

— Quelles preuves voulez-vous que je vous donne?

Elle réfléchit un moment, puis un sourire malicieux, infiniment adorable, apparut sur ses lèvres:

— Une preuve de courage.

— De courage? s'étonna-t-il. Ici?

— Ici même.

La femme au sourire jaune s'était approchée d'eux, un verre à la main, apparemment à la recherche d'un interlocuteur; l'expression de Charles et de sa compagne l'intrigua; faisant mine d'examiner quelque chose dans la salle, elle tendit l'oreille.

Charles hésita une seconde, puis:

— Et qu'est-ce que vous voudriez que je fasse?

Il eut soudain l'impression que son interlocutrice se moquait de lui, mais, au lieu de le décourager, cela décupla son ardeur.

— Euh... je ne sais pas, moi... laissez-moi y penser...

Un mouvement de foule se fit soudain à leur gauche, des gens s'écartèrent, et le ministre Flingon apparut, accompagné d'un grand homme chauve en habit noir, l'œil soucieux, l'allure solennelle, qui devait être le recteur, et d'un autre, tout petit, en habit bleu, les cheveux pommadés, la moustache finement taillée, qui parlait au ministre avec de grands gestes pour retenir son attention.

La jeune femme eut alors un grand sourire:

— Eh bien, si vous êtes vraiment un être exceptionnel, comme vous l'affirmez... vous... vous empêcherez le ministre de tenir sa conférence de presse – sans violence, évidemment.

Charles, pendant quelques secondes, la fixa, ahuri. Il fallait accomplir cet exploit insensé... ou passer à tout jamais pour insignifiant. Or c'était chose impossible. Elle se moquait de lui.

Le ministre Flingon continuait d'avancer, serrant des mains, adressant des sourires rapides à droite et à gauche. Dans un instant, il aurait gravi l'escalier qui menait à l'estrade et tout serait joué.

Poussant un soupir étranglé, Charles promena son regard autour de lui à la recherche d'une solution miraculeuse et ses yeux tombèrent sur le verre que tenait la femme au sourire jaune et qui contenait une boisson noire, Coke ou Pepsi. Un frémissement le traversa.

— Permettez? fit-il en s'emparant du verre.

Et, s'efforçant de prendre une démarche nonchalante, il se dirigea vers le ministre Flingon, qui s'était arrêté devant un groupe d'étudiants et poussait de grands éclats de rire un peu forcés.

Le recteur se pencha vers le ministre et glissa quelques mots à son oreille; Flingon fit un grand signe d'assentiment et reprit sa marche, tandis que son compagnon à la chevelure pommadée se remettait à pérorer en faisant voleter ses mains.

Le ministre obliqua vers l'estrade et, ainsi, passa près de Charles. Ce dernier, feignant de trébucher lourdement, piqua du nez vers Flingon et projeta sur lui le contenu du verre, arrosant copieusement la fourche de son pantalon. Un murmure horrifié s'éleva et, la seconde d'après, Charles se retrouva immobilisé entre deux colosses cravatés qui lui broyaient les bras. Il y eut comme une bousculade et des éclairs se mirent à jaillir de partout.

— Pas de photos, je vous prie! lança une voix impérieuse.

Anatole Flingon, paralysé de fureur, fixait, hagard, son pantalon maculé d'une immense tache sombre, comme s'il venait de s'y soulager, tandis que le recteur, à grands gestes, essayait de repousser les curieux et que le petit pommadé, les mains sur les hanches, poussait des exclamations indignées à l'adresse de Charles.

Le ministre, écarlate, leva alors la tête et son regard perforant vrilla celui de son agresseur, toujours maintenu par les deux gardes du corps.

— Espèce d'idiot! siffla-t-il.

— Maladroit, plutôt, monsieur le ministre, répondit Charles en essayant de s'incliner. Toutes mes excuses... Je suis désolé.

Il ne put ajouter un mot de plus, car on l'entraîna rapidement à travers la foule tandis que les fulgurations des flashes jaillissaient de plus belle et que les « Qu'est-ce qui se passe? Qu'est-ce qui s'est passé? » s'éparpillaient dans toute la salle.

Charles se retrouva bientôt dans une petite pièce poussiéreuse où l'on rangeait des portemanteaux et des chaises de bureau.

L'interrogatoire dura une vingtaine de minutes. Il nia fermement toute préméditation, présentant la chose comme un accident stupide, qui le contrariait d'ailleurs au plus haut point, car il était journaliste et on lui faisait rater la conférence de presse.

On le relâcha après avoir pris ses coordonnées et en l'obligeant à quitter les lieux par la porte d'un atelier de menuiserie afin d'échapper aux médias.

La conférence de presse avait dû être reportée d'une heure, le service de sécurité qui veillait sur Flingon ayant prévu toutes les éventualités imaginables, sauf le remplacement d'un pantalon.

Après avoir longé l'édifice, Charles se retrouva dans la grande cour d'honneur qui donnait sur l'entrée principale de l'université. Un immense charivari régnait dans sa tête. Ses jambes flageolaient, il avait faim et besoin de dormir. La fierté d'avoir accompli un coup d'éclat et la honte d'avoir commis une folie l'emportaient tour à tour dans son esprit. La femme qui l'avait poussé à ce geste insensé – quoique fort amusant – avait bien pris garde de lui laisser son nom et devait se moquer de lui en ce moment, et avec raison !

Mais l'affaire avait du bon. Il venait de déclasser magistralement les entrevues loufoques du Raymond Beaudouin des *Rose Nanane* et ferait sûrement les manchettes le lendemain ; sa photo – un peu infamante, il est vrai – paraîtrait sans doute en première page et le sujet de son article était tout trouvé, sans qu'il doive assister à la conférence de presse, ce qu'on lui aurait interdit de toute façon. Il fallait soigner particulièrement cet article, de façon à mettre les rieurs de son côté. Avec Flingon comme sujet, c'était chose facile.

Il se rendit à l'escalier mécanique qui reliait les hauteurs de l'université au boulevard Édouard-Montpetit ; l'endroit était presque désert. Deux étudiants qui montaient, serviette à la main, le fixèrent un instant. On l'avait peut-être reconnu, mais, plus vraisemblablement, c'était son air effaré qui avait attiré l'attention.

Parvenu sur le trottoir, il se dirigea à grands pas vers le chemin de la Côte-des-Neiges à la recherche d'un restaurant. Il arrivait au coin de l'avenue Decelles lorsqu'une auto s'immobilisa près de lui et qu'une voix de femme lui demanda :

— Est-ce que je peux vous déposer quelque part ?

C'était la déesse au teint de miel qui lui adressait un grand sourire, toute froideur disparue.

Il essaya de contenir sa joie, mais la rougeur de son visage le trahit.

— Oh ! je m'en vais casser la croûte quelque part sur Côte-des-Neiges.

— Montez.

Pendant un moment, ils roulèrent en silence. Profitant de son coup d'éclat, Charles prit un petit air nonchalant et fit mine d'observer la rue. « Laissons-la venir, se dit-il. Si elle n'est pas appâtée, elle ne le sera jamais. »

— Eh bien, vous m'avez époustouflée, dit-elle enfin. On ne peut pas dire que vous manquez de cran, vous ! Je ne connais personne qui aurait pu faire ce que vous avez fait.

Il haussa les épaules avec un air d'indifférence :

— Bah, je me suis un peu amusé, c'est tout... Je ne lui ai jamais aimé la fiole, à ce bonhomme... L'ayatollah de l'unifolié ! ricana-t-il. Tellement constipé qu'un jour il va exploser, vous allez voir...

— Vous risquez d'avoir des ennuis, non ?

Il se tourna vers elle avec un sourire malicieux :

— Il n'y a que vous qui pourriez m'en causer, car il n'y a que vous qui savez que... Mais, au fond, vous êtes ma complice ! Par conséquent, je ne risque rien. Dites donc, j'ai oublié de vous demander votre nom.

— Jennifer Savard. Mais tout le monde m'appelle Jennie. Je déteste Jennifer.

Il se présenta à son tour, mais son nom ne sembla produire aucun effet.

— Est-ce que je peux vous inviter à dîner ?

Après une légère hésitation, elle accepta. Ils se retrouvèrent bientôt dans un restaurant vietnamien devant une énorme soupe aux raviolis relevée de gingembre. Le menu du midi, fort abordable, attirait chaque jour une flopée bruyante d'étudiants et d'employés de bureau ; ici et là, un professeur d'université lisait gravement un journal au milieu du tapage. Jennie Savard lui avait laissé choisir le restaurant. Une gentillesse marquée de déférence remplaçait à présent son attitude hautaine. Charles triomphait et, trouvant sa compagne plus accessible, ne la désirait que davantage. Mais il sentait que la moindre précipitation de sa part risquait de le faire passer pour un fier-pet ébloui par son propre succès et de réduire ses chances à zéro. Aussi avait-il adopté un ton léger de camaraderie, qui laissait place de temps à autre à des moments de sérieux; il questionnait alors Jennie Savard sur sa vie, ses occupations, ses goûts et ses idées, ne manquant pas, quand l'occasion se présentait, d'exprimer les siennes avec le plus d'esprit possible, car il fallait bien lui montrer qu'elle ne se trouvait pas devant un vulgaire dragueur.

Jennie, fille d'avocat, étudiait le droit à l'Université de Montréal; enfant unique, elle avait grandi à Westmount; elle trouvait Westmount « étouffant et dépassé » sans pouvoir en préciser les raisons. « Une bourgeoise qui a honte d'être bourgeoise », conclut Charles en retenant un sourire.

En se présentant comme journaliste à *Clair*, il avait espéré marquer un second coup, mais Jennie n'avait jamais lu le journal et connaissait à peine son existence; il n'avait finalement récolté qu'une petite piqûre à son orgueil. Cependant, elle se montra fort impressionnée en apprenant qu'il travaillait également pour Pierre Péladeau, qu'elle n'estimait pas outre mesure, il est vrai, car elle trouvait le personnage un peu vulgaire, mais son immense fortune n'était pas sans lui en imposer.

Charles revint alors à son exploit de la matinée afin de sonder ses opinions politiques et lui demanda ce qu'elle pensait du ministre Flingon.

Elle se mit à rire, légèrement embarrassée, l'œil espiègle, ce qui souleva la curiosité de son compagnon, lequel se mit à insister.

— C'est mon oncle, dit-elle enfin.

— Oh!

Pendant un moment, il garda son attention fixée sur deux raviolis soudés l'un à l'autre par la cuisson, essayant de les séparer avec le côté de sa cuillère, puis, prudemment:

— Et... euh... vous l'aimez, votre oncle?

— Comme un oncle, répondit-elle avec un sourire énigmatique.

— Mais encore? Il y a des oncles qu'on adore, d'autres qui nous indiffèrent et d'autres enfin qu'on déteste. Si je me base sur le défi que vous m'avez lancé tout à l'heure, votre oncle ne doit pas faire partie de la première catégorie, non?

— C'est qu'à vrai dire je ne croyais pas que vous relèveriez mon défi!

— Êtes-vous contente que je l'aie fait?

Elle garda le silence un moment, puis:

— Tout le monde sait que mon oncle n'a pas un caractère facile, mais c'est un homme brillant et honnête, avec des opinions très arrêtées, et qui travaille quatorze heures par jour, six jours par semaine. Je ne pense pas me couvrir de ridicule en disant qu'il fait honneur à notre famille.

— Et au Canada, ajouta Charles avec un sourire persifleur.

Jennie eut une moue d'agacement:

— Je ne m'intéresse pas à la politique. N'essayez pas de me ranger dans un camp, je n'appartiens à aucun.

— On appartient toujours à un camp.

Mais il changea aussitôt de sujet, car le terrain paraissait miné et il ne voulait pas perdre le fruit de ses considérables efforts de séduction pour une malheureuse question d'idéologie.

Depuis un moment, les haut-parleurs du restaurant diffusaient en sourdine une polonaise de Chopin jouée à la flûte. Cela lui donna l'idée de parler musique. Par bonheur, Jennie Savard avait suivi pendant plusieurs années des cours de piano et, bonheur encore plus grand, cela ne l'avait pas dégoûtée à tout jamais de la musique classique; elle s'assoyait encore devant le clavier, allait assez souvent au concert et possédait une petite collection de disques. Et c'est en parlant de son amour de Schubert qu'elle se mit soudain à le tutoyer, comme à son insu. Charles attendait cette manifestation de familiarité depuis un moment déjà, n'osant prendre lui-même l'initiative; il se hâta naturellement d'imiter sa compagne.

De sorte qu'une heure plus tard, ce furent deux amis qui se quittèrent devant le restaurant après avoir échangé leurs numéros de téléphone en promettant de se revoir bientôt. « J'espère, murmura Charles en regardant Jennie monter dans son auto, que je ne resterai pas trop longtemps l'*ami* d'une femme aussi ravissante... »

15

Ce matin du 10 décembre 1995, Blonblon se leva plus tôt que d'habitude, car il avait remarqué la veille qu'il n'y avait plus de crème dans le réfrigérateur ; or Lodoïska prenait toujours son café avec de la crème. Il s'habilla dans la cuisine afin de ne pas la réveiller et se rendit au dépanneur, qui se trouvait à deux coins de rue.

C'est au moment de sortir du magasin qu'il aperçut parmi les piles de journaux *Le Journal de Montréal*.

On y montrait à la une le ministre Flingon à demi courbé, fixant d'un œil furieux un homme qu'on voyait de côté, un verre à la main, et qui ressemblait étrangement à Charles ; une immense tache noire maculait la fourche du pantalon ministériel ainsi que le bas du veston et une flaque luisante s'étalait à ses pieds. En haut de la photo, on pouvait lire en grosses lettres rouges :

LE MINISTRE ARROSÉ

et, en plus petit :

DÉTAILS EN PAGE 3

Blonblon s'empara du journal, l'ouvrit et poussa une exclamation devant une photo qui faisait le tiers de la page : c'était bien Charles, en effet, un Charles grimaçant, maintenu par deux gorilles endimanchés.

Quelques minutes plus tard, il était de retour chez lui et plongé dans la lecture pendant que la cafetière poussait des glouglous et des petits sifflements. L'affaire était présentée comme un accident, mais le ton de l'article laissait subtilement entendre qu'il s'agissait d'une mauvaise blague. Chose certaine, le journaliste prenait un grand plaisir à la mésaventure du ministre Flingon, sûrement le politicien le plus détesté du Québec.

Blonblon ne crut pas une seconde lui non plus à l'accident et se mit à rire. Quel culot! Et quelle merveilleuse victime! Puis son visage s'assombrit. Est-ce que son ancien ami n'était pas allé trop loin? N'allait-on pas le prendre désormais pour un bouffon? Et cela ne risquait-il pas de ruiner sa carrière débutante de journaliste?

Lodoïska venait de se lever. Il lui montra l'article. Elle eut les mêmes réactions que lui: hilarité, puis inquiétude. Ils réagissaient souvent d'une façon identique aux choses les plus diverses. C'est que depuis deux mois ils vivaient la fusion des cœurs. Ce que l'un ressentait, l'autre l'éprouvait aussitôt. Corps et âmes s'unissaient dans les mêmes délices et connaissaient souvent les mêmes déplaisirs. C'était la naïve extase de la lune de miel.

Pendant ce temps, Charles vivait la même succession de sentiments, mais d'une manière différente. Ce n'est pas le journal qui lui apprit le retentissement de son exploit, mais un coup de téléphone, qui le laissa ahuri à cause de sa provenance.

— Dis donc, Charles, lui annonça Pierre Péladeau en riant aux éclats, tu m'aides à faire mes unes, à présent? As-tu vu le journal de ce matin? Alors, cours le chercher, tout le Québec est en train de rire avec toi, snoreau! Mais j'ai l'impression que t'es pas sorti du bois, mon p'tit gars...

Il était sept heures moins le quart. Une demi-heure plus tard, il avait reçu cinq autres appels, dont trois provenant de recherchistes attachées à des émissions de radio, qui lui réclamaient la faveur d'une entrevue téléphonique. Il en accorda deux, s'y montra prudent, presque embarrassé et nullement drôle, ne livrant manifestement pas la performance qu'on avait espérée de lui.

Puis il s'attabla, songeur, devant les journaux, car au *Journal de Montréal* s'ajoutaient *La Presse* (un article en page 3 avec photo), *Le Devoir* (*idem* en page 2) et *The Gazette* (un entrefilet en page 17).

Au plaisir de la vanité et de la cruauté satisfaite succédait à présent une sorte d'étourdissement inquiet. Il avait naturellement prévu ces réactions, ayant même eu du mal à s'endormir la veille à force d'y penser. Mais la réalité l'emportait sur ses prévisions; il en était presque écrasé. Tout allait trop vite. Il ne savait plus où poser le pied. Il avait l'impression de subir une transformation étrange, qui l'acheminait vers un état inconnu. Bouffon, marginal, fauteur de troubles, bête à scandales ou héros? Impossible de le savoir. Il n'aimait pas du tout cela! Ah! pouvoir se cacher dans un coin perdu, se faire oublier quelque temps! Mais au lieu de se réfugier dans une rassurante obscurité, il s'apprêtait à parader à *Rose Nanane* aux côtés de Raymond Beaudouin, de Bob Binette, de Richard Z. Sirois et de Jacques Chevalier-Longueuil!

Le téléphone sonna de nouveau.

— Cette fois-ci, je ne réponds pas! dit-il à voix haute.

À la dixième sonnerie, la curiosité l'emporta.

— Salut, Charles, fit timidement la voix de Blonblon. Je ne te réveille pas, au moins?

— Oh non! je turbine depuis au moins une heure!

— Je t'ai vu dans *Le Journal de Montréal*, ce matin.

— J'ai fait aussi *La Presse*, *Le Devoir* et *The Gazette*, imagine-toi donc, répondit Charles d'un ton un peu fat.

— Eh ben... Je suis content pour toi... et content pour lui! Il le méritait! Quelle face à claques! Il nous a causé tellement de tort durant le référendum. Tu l'as fait exprès?

— Je n'aime pas parler de ces choses au téléphone.

— Tu as raison. Excuse-moi.

— Je t'en prie.

Et il se tut. Que lui voulait Blonblon ? Profiter des circonstances pour tenter un rapprochement ? C'était bien naïf.

— Dans ce cas, reprit l'autre, de plus en plus embarrassé, je crois qu'il vaut mieux... c'est-à-dire que j'avais cru... mais comme tu dis... Est-ce qu'on peut se voir ? demanda-t-il brusquement.

Charles, cruellement, laissa passer quelques secondes.

— Pourquoi ?

— Pour... euh... parler justement de... l'affaire... de l'affaire de ce matin, j'entends.

— Et pourquoi en parler ?

— Charles, s'emporta Blonblon tout à coup, comment veux-tu que je te réponde ? Tu viens justement de me dire que tu n'aimes pas...

— Bon, ça va...

Et il proposa un rendez-vous au début de la soirée à la Brioche Lyonnaise, rue Saint-Denis, ce qui lui évitait de le recevoir à son appartement, la dernière visite de Blonblon ayant laissé dans son esprit un souvenir plutôt amer.

Il devait maintenant écrire son article pour *Clair*, passer chez Quebecor, puis se rendre au milieu de l'après-midi à sa première réunion de production de *Rose Nanane,* où on allait sûrement le couvrir de félicitations, qui cacheraient sans doute un peu d'envie. Mais pouvait-on espérer mieux de la nature humaine ?

Son article sur Flingon lui vint facilement et en le relisant, deux heures plus tard, il en fut satisfait. Il racontait les événements de la veille sur un ton faussement naïf, mettant toute l'affaire sur le compte de sa maladresse, qu'il exagérait d'une façon bouffonne, puis, s'aidant des comptes rendus de la conférence de presse parus le matin dans les journaux, il ridiculisait doucement la ferveur patriotique du ministre, le comparant à une Jeanne d'Arc un peu mêlée dans ses papiers qui se serait mise par inadvertance au service des Anglais.

Il lui fallait à présent porter la disquette de son texte au journal. Durant le trajet en métro, Charles fut l'objet d'une attention un peu accablante. On le dévisageait en souriant, des passagers s'approchaient pour le féliciter, un vieux monsieur fouilla dans un sac et tint absolument à lui remettre un recueil de conférences du chanoine Groulx, un autre lui proposa un projet de livre en termes si fumeux qu'il se perdit lui-même dans son propos. Mais, à son arrivée à la station Champ-de-Mars, une femme voulut le gifler, puis un gros homme en costume trois-pièces l'arrêta sur le trottoir et le traita de bandit, ajoutant qu'il ne faisait que suivre l'exemple du *fondateur du séparatisme*, René Lévesque, qui en 1977 avait écrabouillé *volontairement* un clochard avec son auto.

En le voyant apparaître devant lui, Nicolas Rivard éclata de rire :

— As-tu perdu la tête, Charles ? Au train où tu vas, je ne saurai bientôt plus quoi faire de toi.

— C'était un accident, répondit Charles avec un sourire angélique.

— Je vois, je vois... Quel malchanceux ! Tu as ton texte ? Passe-le-moi... Excellent, fit-il après l'avoir lu à l'écran, tu as su éviter tous les écueils, et certains auraient pu t'envoyer au fond, crois-moi...

Il pencha la tête, soudain pensif :

— Nous sommes vraiment différents, toi et moi... Je ne sais pas où tu t'en vas, mais tu y vas à une belle vitesse !

— Ça t'inquiète ?

— Non, pas vraiment, car tu me sembles bien équipé pour affronter la vie. Au fond, ce n'est qu'une question de choix, vois-tu : amuseur ou journaliste. Je te voyais journaliste, mais ce n'est pas moi qui porte ta tête, n'est-ce pas ?

De plus en plus troublé, Charles quitta le journal et se rendit chez Quebecor, où il devait mettre la dernière main à sa biographie. La réceptionniste annonça son arrivée à Pierre Péladeau qui, chose extraordinaire, interrompit une réunion pour venir le trouver et lui montrer des photographies de l'incident de la veille que le journal n'avait pas cru bon d'utiliser, dont l'une où le ministre Flingon, ouvrant les pans de son veston, ressemblait à un exhibitionniste souffrant d'incontinence. L'homme d'affaires, d'humeur joyeuse, le félicita encore une fois pour son cran, mais Charles crut voir dans ses yeux une expression de condescendance narquoise. « Il ne me prend plus au sérieux, se dit-il. Oublie ta chronique au *Journal de Montréal*, pauvre Charles, il ne la confiera jamais à un écervelé. »

Plutôt que de traiter Charles en héros, les *Rose Nanane* firent encore mieux : ils l'accueillirent comme un des leurs, avec cette camaraderie simple et bon enfant qu'on ne réserve qu'aux pros du métier. Charles dut raconter de nouveau l'incident où il s'était illustré mais, cette fois, laissa tomber toutes les précautions et provoqua un fou rire qui dissipa sur le coup son inquiétude et sa morosité. Il avait apporté la photo du ministre que lui avait remise Péladeau ; l'hilarité tourna au délire ; Jacques Chevalier-Longueuil en renversa sa tasse de café ; on décida d'utiliser la photo au cours de la prochaine émission ; Charles verrait à obtenir l'accord de Pierre Péladeau.

— On dirait vraiment, marmonna Bob Binette de sa voix molle et rocailleuse, qu'y a eu *un coup de pisse* juste avant de sortir sa pissette !

Le sujet de la contribution de Charles à la prochaine émission des *Rose Nanane* était évidemment tout trouvé. Il devait fournir pour le surlendemain, jour de répétition, un texte de quatre minutes sous forme de dialogue entre lui et l'animateur Pierre Brassard, qu'on illustrerait de séquences vidéo mettant en scène le ministre Flingon ; Charles visionnerait ces séquences avec le réalisateur avant de se mettre à l'œuvre.

— Sois drôle comme tu l'es à *Clair*, l'encouragea amicalement Brassard, et l'affaire va être dans le sac.

Charles quitta les bureaux de Quatre-Saisons vers six heures, fourbu mais de meilleure humeur qu'à son arrivée. Un détail l'avait frappé durant la réunion : si on ne comptait pas le producteur et le réalisateur, il était, et de loin, le membre le plus âgé de l'équipe. Chez les *Rose Nanane*, l'humour se confondait, semblait-il, avec la jeunesse. Il était encore jeune, bien sûr, et la plupart des gens ne lui donnaient pas son âge, mais la trentaine n'en approchait pas moins. Cela donnait à réfléchir.

Comme il avait un peu de temps devant lui avant sa rencontre avec Blonblon, il eut l'idée, par curiosité, de téléphoner à Jennie Savard, afin de connaître sa réaction au traitement que lui avait accordé la presse. Elle attendait peut-être son appel pour lui prodiguer les marques les plus tangibles de son affectueuse admiration ? De cela, il avait un pressant besoin. Il n'y avait rien comme les plaisirs de l'amour pour ranimer l'optimisme.

Mais Jennie ne répondit pas. Cela lui parut un mauvais présage. Alors, repris par ses interrogations inquiètes, il se rendit à la Brioche Lyonnaise prendre une bouchée en attendant l'arrivée de l'ami qui, sans le vouloir, lui avait chipé sa blonde.

Blonblon arriva à l'heure dite, souriant et l'air très ému. Charles, qui ne l'avait pas vu depuis presque un an, fut frappé par sa bonne mine. L'amour semblait lui réussir.

Blonblon lui serra la main avec chaleur et prit place devant lui :

— Tu as déjà mangé ?

— Je mourais de faim.

— Que me conseilles-tu ? Je n'ai jamais mis les pieds ici.

Cela était dit avec une simplicité si confiante que Charles revit soudain l'adorable Blonblon du temps de la petite école, l'enfant qui séduisait les élèves les plus rudes et les professeurs les plus venimeux, car personne ne pouvait résister à sa gentillesse et à son entrain – sauf la vie, bien sûr, qui lui avait appliqué une sérieuse taloche. Mais la taloche paraissait encaissée à présent et

Charles, surpris et impuissant, sentit fondre en lui tout le ressentiment accumulé contre son ami. Était-ce indulgence ou faiblesse?

Sur ses conseils, Blonblon choisit une crème de brocoli, un sandwich au camembert et une petite salade, tandis que Charles commandait de la bière, car il sentait que son compagnon était venu en mission pour *faire le bien* et, si on voulait supporter sans trop de mal les assauts de sa bonté, il valait mieux avoir les nerfs un peu détendus.

Ils causèrent d'abord de tout et de rien, évitant l'un et l'autre de prononcer le nom de Lodoïska, puis Charles montra à Blonblon la photo qui avait produit tant d'effet sur les *Rose Nanane* et son compagnon s'étouffa avec une gorgée de bière.

Après quelques commentaires et moqueries sur Flingon, dont l'impopularité était telle que même ses supporters semblaient le haïr, Blonblon devint tout à coup sérieux, car la photo venait justement d'amener le sujet qu'il voulait discuter avec Charles.

— Ne va pas croire que je ne t'admire pas pour ton geste d'hier, dit-il en guise de préambule. Je ne connais personne avec ton cran et ta présence d'esprit. Tu enfonces Foglia, Petrowski, Martineau, tout le monde, je te dis! Tu vas devenir le Superman du journalisme québécois.

— Tu veux rire, fit Charles, très flatté.

— Non, je t'assure, et tu sais fort bien que je ne suis pas le seul à le penser. Péladeau va peut-être te faire une offre.

— J'en doute.

— Doute si tu veux, ça n'empêchera pas les pommiers de faire des pommes et les journaux de courir après les bons journalistes.

Il s'arrêta et porta le verre à ses lèvres, le temps de choisir ses mots.

— C'est justement à cause de cette superbe carrière qui t'attend que je m'inquiète.

— Ah bon.

— Écoute, poursuivit Blonblon en prenant une deuxième précaution oratoire, un conseil ne vaut pas plus que celui qui le donne et je n'ai pas la prétention d'être plus fin qu'un autre, d'autant plus que...

— Accouche, Blonblon, tu m'énerves.

— Eh bien, Charles, sans vouloir t'offenser, je crois que tu fais fausse route. Cette blague à Flingon, et puis maintenant les *Rose Nanane*...

— Alors, toi aussi, tu trouves que je m'embouffonne.

— Je ne connaissais pas le mot, mais ça doit être ça.

— Tu es le deuxième aujourd'hui à me tenir ce langage et je n'ai pas encore parlé à Fernand ni à Lucie ni à Parfait, non plus qu'à Délicieux. Je sens que dans deux ou trois jours je vais connaître votre chanson par cœur...

— Je t'en prie, Charles, ne te fâche pas. Si je te parle ainsi, c'est parce que tu es mon ami... du moins encore un peu, je l'espère... Ç'aurait été bien plus facile pour moi de me fermer la trappe et de te laisser aller, mais je me suis dit que...

— Merci mille fois, vieux, fit Charles avec un sourire acide. C'est vraiment une merveilleuse journée pour moi. Jamais je n'ai reçu autant de conseils. J'en ai une provision pour au moins dix ans.

Blonblon eut alors l'air si malheureux et désemparé que Charles se sentit honteux. Les propos de son ami demandaient du courage et témoignaient d'une générosité que bien peu possédaient. C'était un geste *angélique*, typiquement Blonblon, fait sans autre calcul que celui de vouloir aider; il manifestait une merveilleuse anomalie du comportement humain, si naturellement égoïste, et provenait sans doute d'une sorte de craquelure de l'âme, qui la rendait encore plus vulnérable; Charles avait peut-être devant les yeux un exemple de cette *folie de la sainteté* dont parlait un livre pieux qui lui était tombé un jour sous la main – et au lieu de tenter de se hisser à la hauteur de son ami, il pataugeait dans la boue comme un cochon.

Alors, lui saisissant la main :

— Oublie ce que je viens de dire, Blonblon, je suis lamentable. Je ne te mérite pas comme ami. Tu devrais me botter le cul et crisser le camp.

— Allons, allons, fit l'autre en souriant, tu dérapes...

— Je ne dérape pas, Blonblon, je me réveille enfin... Prenons encore une bière, Blonblon, et parle-moi de Lodoïska... Est-ce que vous allez bien tous les deux ? Est-ce que vous vous aimez comme des fous ? Je suis content pour vous, oui, je t'assure, crois-moi... C'est tellement difficile d'attraper ce maudit bonheur... Lorsque quelqu'un réussit, tout le monde devrait applaudir... J'ai tout oublié, Blonblon, c'est comme si rien ne s'était passé, tu es encore mon ami, tu l'as toujours été et je te promets de réfléchir sérieusement à ce que tu viens de me dire. Peut-être que tu as raison et que je suis en train de me gourer...

Blonblon l'écoutait, ravi, les yeux pleins d'eau. Sous l'effet de l'émotion, son visage avait comme aminci et Charles trouva qu'il ressemblait à un petit garçon, un petit garçon qui croyait encore naïvement que c'était la bonne volonté qui gouvernait le monde. Blonblon déglutit avec effort, puis, d'une voix basse et toute changée :

— Charles, tu ne sais pas combien tu me fais plaisir... Je n'osais plus espérer...

Il se leva d'un bond :

— C'est moi qui paye la bière ! lança-t-il joyeusement.

Et il se rendit au comptoir en commander.

Ils causèrent longtemps, se racontant les derniers mois de leur vie, tout réconfortés par ce rattrapage qui scellait de nouveau leur amitié. Par prudence et délicatesse, Blonblon se montra néanmoins discret dans la description de son bonheur avec Lodoïska. Ils ne vivaient pas encore ensemble, mais c'était tout comme. Elle avait dû louer un petit appartement, la vie chez sa mère, qui l'accusait de débauche, étant devenue intenable. En Ukraine, une fille honnête ne quittait la maison de ses parents que pour celle de son mari. Son départ avait donné lieu à une scène atroce. Madame veuve Tchertchanova s'était jetée sur le plancher en sanglotant et en s'arrachant les cheveux tandis que le grand-père de Lodoïska, debout dans la porte de sa chambre, les tendons de sa gorge décharnée tendus à se rompre, lui lançait du regard une muette malédiction. Ce n'était pas du mauvais cinéma, avait observé Lodoïska, c'était pire encore : du cinéma démodé, dont elle n'avait que faire.

— Est-ce qu'ils se sont brouillés à tout jamais? demanda Charles.

— Sans doute. Mais, un de ces jours, j'irai peut-être trouver madame Tchertchanova pour tenter une réconciliation.

— Je serais très surpris que tu ne le fasses pas, répondit Charles en souriant.

Ils se quittèrent vers dix heures en promettant de se revoir bientôt. Blonblon aurait voulu inviter Charles à souper chez lui en compagnie de Lodoïska, mais il s'agissait d'une opération délicate qu'il fallait préparer avec soin! La prudence recommandait d'attendre que ce dernier se soit d'abord trouvé une petite amie. Cela lui permettrait de faire bonne figure et ménagerait son amour-propre.

Deux surprises attendaient Charles lorsqu'il arriva à son appartement. Le concierge avait laissé une note lui demandant de venir chercher un colis qu'on avait livré à son intention. Le colis, provenant de la quincaillerie Fafard, contenait un répondeur accompagné d'un petit mot :

Salut, Charles,

J'ai essayé toute la soirée de te rejoindre au téléphone pour jaser avec toi de ce qui vient de t'arriver. Peut-être qu'avec ce nouveau répondeur à puce on arrivera à se parler? Lucie est encore plus excitée que moi par l'affaire Flingon. Garde l'œil ouvert, mon gars : tu as affaire à un spécialiste des coups dans le dos.

Fernand

La seconde surprise, encore plus agréable, prit la forme d'un appel téléphonique deux minutes après que Charles eut mis le pied chez lui.

Il s'agissait de Jennie Savard qui, malgré l'heure un peu tardive, l'invitait à prendre un verre chez elle afin de discuter des derniers événements.

16

Parfait Michaud avait conçu un stratagème assez adroit. Avec le retour de ses forces, un sentiment de privation de plus en plus pénible se répandait en lui : Anouchka lui manquait.

Sa maîtresse le délaissait et, si elle le délaissait, c'était pour le tromper, chose bien normale dans les circonstances et dont il ne lui tenait pas trop rigueur. En effet, comment une femme aussi jeune et jolie aurait-elle pu trouver plaisir et intérêt à côtoyer l'homme qu'il était devenu ? « Les jeunes doivent fréquenter les jeunes, se disait-il en guise de consolation. Je suis bien chanceux qu'elle ait fait une exception pour moi, sans qu'il m'en coûte trop cher ! » Ses souffrances et son extrême faiblesse l'avaient aidé, en quelque sorte, à supporter les absences de plus en plus nombreuses et prolongées d'Anouchka, mais, à présent, il faisait des demi-journées de travail et, de temps à autre, des journées complètes. L'appétit était revenu, il dormait assez bien, son humeur s'améliorait et seuls des élancements au bassin lui rappelaient parfois qu'il avait passé près de finir en pièces détachées.

Tout aurait été parfait si Anouchka avait pu retrouver les sentiments qu'elle avait déjà eus à son endroit. Sous prétexte qu'il n'était pas encore suffisamment rétabli et qu'elle avait peur de causer sa mort (!), elle refusait à présent de coucher avec lui et ses cajoleries avaient fait place – quand elle était là – à des attentions de garde-malade.

Quelque temps après l'affaire Flingon, Parfait Michaud l'appela un soir, lui demandant de venir le trouver, car il avait des choses importantes à lui communiquer.

La manœuvre qu'il avait conçue au terme de longues réflexions s'appuyait sur la connaissance intime qu'il avait d'Anouchka. Cette fille avait beau être frivole, il était forcé de lui reconnaître de la générosité et de la droiture.

Par exemple, elle ne lui avait jamais caché l'identité de son *amant temporaire*. Il s'agissait d'un homme dans la trentaine, jovial, costaud et beau garçon, du nom d'Aurèle Séguin, qui tenait un petit restaurant rue Ontario ; avant son accident et qu'il apprenne leur liaison, le notaire y avait accompagné Anouchka à quelques reprises pour lui faire plaisir, sans se douter le moins du monde de la sorte de plaisir que cela lui apportait.

Il éprouvait pour l'individu un vague mépris, ne serait-ce que pour l'enseigne de son établissement.

3 MARIES HOT-DOGS
Bienvenue
Merci
Commandes pour apporter

Qui étaient au juste ces fameuses Maries, et pourquoi y en avait-il trois ? Quel était leur rapport avec les hot-dogs ? De quoi remerciait-on les gens ? Et qu'était-ce donc que ces commandes qu'on *apportait* ?

Autant d'interrogations qui rejoignaient les énigmes de l'univers – ou les abîmes de la bêtise.

Mais le plus minable des corniauds possède des qualités. Aurèle Séguin en possédait au moins une : de la bienveillance à l'égard du genre humain.

En approchant des 3 Maries en compagnie d'Anouchka, Parfait Michaud avait aperçu un jour le restaurateur en train de glisser des vingt-cinq sous dans les parcomètres en face de son établissement afin d'éviter une contravention aux automobilistes négligents ; au bout de la rue, un policier s'occupait à flanquer des amendes. Anouchka, transportée d'admiration, avait demandé des pièces de monnaie au notaire pour participer à cette opération humanitaire.

— Pensez-y un peu, avait expliqué Séguin. Avec un p'tit vingt-cinq sous, vous faites épargner à ces pauvres diables quarante-deux belles piastres ! C'est d'un très bon rapport, ça : du dix-sept mille pour cent !

◆

— Et alors, mon Perfecto, comment vas-tu aujourd'hui ? fit Anouchka en pénétrant en coup de vent dans le salon où Parfait Michaud, pour mettre un peu d'émollient sur ses nerfs tendus, écoutait des impromptus de Schubert.

Ses joues rosies par le froid la rendaient encore plus jolie que d'habitude et elle portait un jean moulant qui, au temps des puritains de la Nouvelle-Angleterre, l'aurait envoyée en prison.

— Ça va, ça va, répondit-il en dodelinant de la tête avec un sourire ambigu.

Et il arrêta la musique.

— Tu ne m'as pas fait venir pour m'annoncer une mauvaise nouvelle, au moins ? s'écria-t-elle en lui saisissant le poignet.

Et, selon une habitude qu'elle avait contractée depuis son accident et qui agaçait souverainement le notaire, elle prit son pouls.

— Non, ma belle enfant, pas du tout. Dois-je te rappeler encore une fois que, depuis trois mois, je ne cesse de gagner des forces et que j'aspire de tout mon cœur au jour où ces petites couronnes funéraires cesseront d'apparaître dans tes yeux chaque fois que tu me regardes ?

— Tu me reproches de m'inquiéter pour toi, Perfecto?

— Non, ma chérie, je te reproche de t'inquiéter pour moi *inutilement*. Et je te reproche aussi quelques autres petites choses, mais je n'ai pas l'intention de revenir là-dessus ce soir.

— Si tu le fais, je m'en vais. Et tout de suite!

— Tu n'auras pas à t'en aller, ma belle Anouchka. Au contraire, après ce que je m'apprête à t'annoncer, tu vas peut-être vouloir rester un peu plus longtemps – pour me faire la causette, bien sûr, précisa-t-il dans un geste rassurant.

— Et qu'est-ce que tu as à me dire? demanda Anouchka avec un soupçon de méfiance dans la voix.

— Attends-moi une seconde, veux-tu?

Et il se leva avec le plus de souplesse et de vivacité possible afin de bien montrer à son amie qu'il n'était pas le vieux débris qu'elle croyait, puis, quittant prestement le salon, il se dirigea vers son bureau, d'où il revint avec une chemise de carton vert pomme:

— Il s'agit de mon testament, annonça-t-il en se rassoyant. De grâce, Anouchka, ne fais pas cet air-là! Je te ferai observer que la plupart des testaments sont rédigés par des personnes en bonne santé, comme c'est actuellement mon cas, ou presque. Viens t'asseoir près de moi, chérie – si tu permets que je t'appelle encore ainsi –, que nous regardions ça ensemble.

Très intéressée tout à coup, Anouchka bondit sur ses pieds et vint le rejoindre, se pressant même un peu contre lui.

— Je ne veux pas t'obliger à lire tout ce fatras, fit le notaire en tournant les feuilles de papier ministre, il y aurait de quoi te momifier d'ennui. Je veux tout simplement te montrer la clause qui te concerne.

— Il y a une clause qui me concerne?

— En doutais-tu?

— Oh, tu sais, Perfecto, avec toutes ces femmes que tu as eues dans ta vie, je ne me fais pas trop d'illusions sur la place que j'occupe...

— Et tu as tort : la place que tu occupes est tout à fait spéciale.

Et, ayant dit ces mots, il se garda bien de la moindre caresse.

— Voyons donc cette clause 23, poursuivit-il. Accepterais-tu de la lire à voix haute ? J'adore le son de ta voix quand tu lis, j'ai l'impression de te retrouver écolière.

— *Et à ma bien-aimée Anouchka Chouinard*, lut-elle avec une application qui laissait deviner un certain effort, *je lègue à mon décès ma maison (ci-dessus décrite), dont elle pourra disposer à sa convenance, et cela sans condition d'aucune sorte, dans le souci que j'ai de respecter l'entière liberté de nos rapports. Et je déclare à la date des présentes cette clause ferme et exécutoire quoi qu'il puisse advenir plus tard entre nous, en bien ou en mal.*

Anouchka leva la tête. Sa bouche frémissait :

— Tu as écrit ça ?

— Oui, je l'ai écrit, mon petit chou d'amour. Mais toi, as-tu bien compris ?

Elle hocha la tête :

— Oui, je crois bien. Tu veux dire que, peu importe ce que je fais ou ce que je ferai... la maison sera à moi.

— C'est bien ça. Tu as parfaitement compris. Il n'y a pas de femmes plus intelligentes.

Elle resta immobile un moment, pensive, l'œil dans le vague.

— Tu es fou, Perfecto, murmura-t-elle enfin.

Deux larmes coulèrent sur ses joues devenues écarlates et comme bouffies.

— Pourquoi dis-tu ça ? demanda tendrement le notaire. C'est ma façon à moi de te remercier pour tout le bonheur que tu m'as apporté.

— Mais je ne t'en apporte plus beaucoup, Perfecto, fit Anouchka entre deux sanglots... Depuis ton accident, je me conduis mal envers toi...

— Le présent, ma chérie, ne change pas le passé, qui reste ce qu'il est... Quant à tes petites incartades, je les comprends... Et puis, comment dire... elles me font moins de peine qu'avant,

d'une certaine façon... On s'habitue à presque tout, tu sais...
Vache mouillée ne craint pas la pluie.

Anouchka, éperdue de reconnaissance et tourmentée de
remords, voulut alors passer la nuit avec lui. Mais le notaire était
bien trop habile pour accepter tout de suite et, soucieux de
sauver les apparences et de se prémunir ainsi contre toute accusation d'avoir acheté son affection, il affirma qu'il ne voulait pas
déranger ses plans pour la soirée, mais surtout qu'il serait le plus
malheureux des hommes si la décision qu'il venait de prendre
poussait la jeune femme à changer de comportement à son
égard ; car en rédigeant la clause qui la concernait, il n'avait voulu
que lui faire plaisir, sans porter atteinte d'aucune façon à sa
liberté, qu'il voulait pleine et entière, comme cela avait toujours
été le cas depuis le début de leur relation. Avec douceur et fermeté, il repoussait en souriant ses caresses.

Elle insista. Il déclara alors que, chose inhabituelle depuis
quelques semaines, il se sentait ce soir-là un peu fatigué et préférait se reposer.

— Tu reviendras me voir une autre fois, suggéra-t-il en lui
caressant la nuque, si le cœur t'en dit.

Elle se résolut enfin à le quitter, après lui avoir prodigué les
minoucheries les plus tendres, promettant de revenir sans faute
le lendemain. Quant à Aurèle Séguin, ce don Juan de pacotille
qui sentait la graisse à patates frites, c'était comme s'il n'avait
jamais existé ; d'ailleurs, elle avait eu une querelle avec lui la veille
et s'apprêtait à rompre.

— N'agis pas avec précipitation, lui enjoignit le notaire, affectueux et paternel. Tu risquerais de le regretter.

— Le regretter, moi ? Tu parles ! Il essaye toujours de me
mener par le bout du nez et, une fois sur deux, il n'arrive même
pas à bander !

— Ah ! le pauvre homme, déplora Parfait Michaud avec une
compassion hypocrite. C'est sans doute l'effet des cigarettes. J'ai
lu un article à ce sujet la semaine passée.

Il l'aida à enfiler son manteau et la regarda s'éloigner dans la rue, où de gros flocons de neige voletaient dans l'air radouci, annonçant une tempête qui allait sans doute tourner en pluie.

Tant de naïveté le réjouissait et l'attristait à la fois. Il s'était bien gardé de lui dire que rien ne se change aussi facilement qu'une clause de testament, surtout lorsqu'on est notaire. Mais le plus curieux de la chose, c'est que, à moins d'une abominable vacherie de sa part, il ne prévoyait pas changer ladite clause.

◈

Dans la lumière bleutée de cet après-midi finissant où l'hiver étendait partout sa calme domination, allongés sur un lit, ils étiraient paresseusement leurs corps d'amoureux gavés de plaisir. Voilà trois jours qu'ils passaient ensemble, trois jours et trois nuits qu'ils ne s'étaient pas quittés une seconde, soudés dans une transe d'amour qui leur faisait oublier le temps et toutes les contingences de la vie. Jennie avait décidé de sécher ses cours. Charles s'était déclaré malade, envoyant promener son travail à *Clair*, chez Quebecor et à Quatre-Saisons; il ne répondait pas aux appels, ignorait le répondeur et manifestait pour tout ce qui n'était pas Jennie une indifférence granitique.

Voilà longtemps qu'il n'avait connu un bonheur aussi intense, ce bonheur né de la fusion de deux êtres qui se mettent à tout ressentir à l'unisson, l'un par l'autre, l'un en l'autre. Entre deux étreintes, ils se contemplaient parfois en silence, extasiés devant leur nudité, puis plongeaient de nouveau dans le plaisir. Quand ils marchaient dans la rue, ils ne voyaient personne, l'un n'ayant d'yeux que pour l'autre. L'amour les avait rendus enfants. Ils prenaient leur bain ensemble, mangeaient dans la même assiette, s'endormaient et se réveillaient en même temps et n'avaient comme préoccupation que le désir de se montrer agréable à l'autre et de lui éviter toute contrariété. C'était presque leur unique sujet de discussion. « Est-ce que tu en as envie? Est-ce que ça te tente vraiment? Je t'en supplie, dis-le-moi si ça te déplaît le moindrement, je n'y tiens pas du tout, je t'assure... Il n'y a que toi qui comptes pour moi, tu le sais bien... »

Ils n'arrivaient pas à comprendre comment ils avaient pu vivre si longtemps l'un sans l'autre et voyaient leur passé comme une longue aberration, presque une monstruosité, et la simple idée qu'ils auraient pu ne jamais se rencontrer leur faisait courir des frissons. Ils essayèrent de se raconter chacun leur vie dans les moindres détails pour tenter d'annuler cette erreur du destin. Cela demandait du temps et des milliers de mots. Ils ne comptaient rien.

Le miracle de leur union s'était produit brutalement le soir où Charles, à l'invitation de Jennie, s'était rendu chez elle pour « discuter de l'affaire Flingon ». Ils en avaient parlé durant quatorze minutes et vingt secondes. Après quoi, ç'avait été l'embrasement. Cela s'était fait malgré leur volonté, comme par une sorte de magie. Une voix s'était élevée en eux: « Enfin, tu as trouvé l'âme sœur que tu cherchais depuis toujours. La voici. Prends-la. Elle t'attend. »

C'était un mardi soir. Le lendemain, Charles invita Jennie à son appartement, car elle était très curieuse de voir où il habitait et, du reste, il avait des tas de choses à lui montrer. Elle trouva l'endroit exquis, car il lui apparut comme le prolongement même de Charles. Le jeudi, ils décidèrent de retourner chez elle, rue Worcestershire à Notre-Dame-de-Grâce, car, primo, elle avait oublié d'apporter cet album de photos où on la voyait enfant et jeune adolescente (Charles tenait absolument à les voir) et, secundo, il n'y avait que dans son quartier qu'on pouvait trouver, semblait-il, cette purée de taramosalata qu'elle lui avait fait découvrir lors de leur premier déjeuner d'amoureux et dont Charles voulait désormais tartiner ses rôties.

C'est en mettant le pied dans la rue Saint-Denis pour aller prendre le métro, ce jeudi matin vers neuf heures, qu'ils arrivèrent face à face avec Steve Lachapelle en vêtements de travail, cigarette au bec et mal rasé.

Charles, surpris et amusé, fit les présentations. Steve eut pour Jennie ce sourire à la fois intimidé et séducteur que les hommes n'adressent qu'aux très jolies femmes ; Charles le remarqua avec une grande satisfaction.

— Dis donc, Charlot, je te cherche depuis deux jours, fit alors Steve avec une inflexion de voix qui incita Jennie, par discrétion, à s'éloigner de quelques pas. Où te cachais-tu ?

— J'étais occupé, répondit l'autre en fermant à demi les yeux avec l'expression jouisseuse d'un chat gavé de caresses.

— Je vois, je vois... Sacré beau pétard, ajouta-t-il à voix basse. Je pourrais te l'emprunter, un de ces jours ?

Charles grimaça et ne répondit rien.

— Oui, je te cherchais, reprit Steve, nullement décontenancé, pour t'inviter – *vous* inviter, ça m'a bien l'air – à une petite fête chez nous demain soir. Figure-toi donc que Monique va avoir un autre bébé... Ça ne te fait pas plus d'effet que ça ? s'étonna-t-il.

— Oui, oui, répondit l'autre avec précipitation, bravo, mon vieux, toutes mes félicitations ! Père une deuxième fois... Ce n'est pas rien !

— Oh, fit l'autre avec modestie, je ne suis pas le premier à qui ça arrive... En tout cas, je pourrai mourir un jour en me disant que les Lachapelle vont continuer de faire du bruit sur la planète. Ça sera ma petite consolation. Mais j'ai autre chose aussi à t'annoncer.

— Dépêche-toi, je suis un peu pressé, souffla Charles en faisant un signe de la main à Jennie. *Nous* sommes un peu pressés.

— J'ai un chien pour toi. Ou plutôt une chienne. Elle est arrivée chez nous il y a trois jours, à moitié crevée ; on est en train de la tirer d'affaire. Elle fait un peu dur, mais elle a bon caractère. On ne peut pas la garder : Monique et le p'tit sont allergiques. Alors je te l'ai réservée.

— Pas question, Steve, je n'ai pas le temps de m'en occuper.

— Voyons, Charles, tu ne refuseras pas un chien, tout de même?

— Désolé, je ne peux pas. Allez, il faut que je te quitte.

— Et demain?

— Je t'appelle pour confirmer, répondit l'autre en s'éloignant.

— *Hey!* on compte sur toi, lança Steve au bord de l'indignation. Mais qu'est-ce qu'il a, le verrat? Je ne le reconnais plus... Il ne veut pas de chien? J'ai mon voyage! Est-ce qu'il aurait attrapé un *trouble de la personnalité*?

Et, roulant dans sa bouche cette expression qu'il utilisait sans doute pour la première fois, il se dirigea rapidement vers son bazou stationné un peu plus loin et dans lequel il avait failli faire monter la chienne, certain que Charles l'accueillerait à bras ouverts.

◆

L'article de Charles et ses propos à *Rose Nanane* – qu'un adjoint rapporta au ministre Flingon – mirent ce dernier en furie et il décida d'y répliquer par la voie des journaux. Cela lui arrivait fréquemment, car le pouvoir ne lui avait pas encore enlevé ses habitudes d'intellectuel friand de débats où, dans le choc des idées, il pouvait affirmer la supériorité de son esprit. Lorsqu'on émettait publiquement une opinion sur un sujet qui lui tenait à cœur et que celle-ci lui paraissait erronée ou tendancieuse, il s'assoyait illico devant son ordinateur pour rédiger un texte qui rétablirait les faits, tirerait l'individu de l'erreur où il s'était enlisé ou démasquerait sa malhonnêteté. Il le faisait en termes courtois mais énergiques, avec la bonne conscience de celui qui défend la vérité.

Ayant lu l'article de Charles, il avait demandé qu'on prépare un dossier à son sujet; après l'avoir examiné, il en était venu à la conclusion qu'il s'agissait d'un autre de ces misérables séparatistes égarés dans les rêves d'une époque révolue ; celui-là semblait de l'espèce farfelue et possiblement dangereuse.

Les veines des tempes légèrement gonflées, il avait répondu au farfelu qu'il avait peine à croire que l'incident du 9 décembre fût un accident, que ses déclarations antérieures montraient bien dans quel camp il se trouvait et que, ne pouvant faire triompher ses idées de destruction nationale, il avait sans doute choisi la voie de la provocation et de la violence ; si un jour les gens de son espèce arrivaient à réaliser leurs visées – chose, par bonheur, fort improbable –, on était en droit de se demander quel sort connaîtrait la démocratie.

Il ne daigna pas envoyer son texte à *Clair* – ç'aurait été faire un trop grand honneur à cette feuille de chou – et le fit plutôt paraître dans *La Presse* qui, avec *Le Journal de Montréal*, avait donné beaucoup d'importance à l'incident.

Le lendemain, Charles, enchanté de l'attention que le ministre lui accordait, répondit par un court texte dans le même journal. Il s'y étonnait qu'on puisse voir de la violence dans un simple verre de Coke renversé par mégarde. Il attribuait la réaction du ministre à un possible excès de fatigue, ou à une trop vive sensibilité. Si tel était le cas, peut-être la carrière universitaire lui convenait-elle mieux que la politique ? Cependant, la conception que Flingon se faisait de la violence lui apparaissait si neuve et si personnelle qu'il aurait le plus grand plaisir à en discuter avec lui – par l'intermédiaire des journaux ou de vive voix – et, dans ce dernier cas, il promettait de se présenter devant le ministre sans verre à la main cette fois.

Flingon, conscient d'avoir commis une erreur en faisant paraître son texte, se garda bien de répondre, mais pendant des semaines les *Rose Nanane* firent leurs choux gras de cette affaire et le visage crispé du ministre avec ses lèvres amincies par la colère devint au cours de leurs émissions une sorte d'apparition fétiche, sur laquelle ils faisaient des blagues à perte de vue, ce qui, chaque fois, mettait naturellement Charles en valeur.

Les mois qui suivirent furent pour lui des mois de bonheur presque sans mélange. Il était follement amoureux, de plus en plus connu, débordant d'énergie, les poches remplies d'argent; il avait renoué avec Blonblon, s'était réconcilié avec Lodoïska, retrouvait son vieil ami le notaire aussi guilleret qu'avant, n'entendait plus parler de son père et s'était remis à souper chaque mardi chez Lucie et Fernand, où il amenait Jennie, qui les trouvait adorables.

Cette dernière n'avait toutefois pas les mêmes affinités avec Steve, qui lui avait fait mauvaise impression dès leur première rencontre, et elle s'étonnait en son for intérieur que Charles l'eût comme ami. Des dehors peu invitants cachent parfois de grandes qualités, lui avait-on appris, mais elle en était encore à les chercher. Il lui paraissait grotesque, vulgaire, ignorant, effronté, mal habillé et puant le tabac.

Pour faire plaisir à Charles, elle l'avait accompagné à la petite fête que Steve avait organisée pour marquer la deuxième grossesse de sa femme, et s'y était profondément ennuyée. Monique lui avait paru simplette et un peu commune, quoique beaucoup plus agréable que son mari. Blonblon et Lodoïska, par contre, lui avaient plu, malgré les manières réservées de celle-ci et la gentillesse un peu scoute de celui-là.

Et puis, il y avait eu l'incident de la chienne.

Dès leur arrivée, Steve les avait entraînés vers une petite chambre qui servait de débarras mais qu'on destinait à présent au futur bébé; sur un tas de couvertures usées gisait une affreuse chienne au corps vaguement tordu, qui s'était recroquevillée dans son coin à l'arrivée des visiteurs. Une grasse odeur de bête mal lavée flottait dans la pièce et avait donné un haut-le-coeur à Jennie.

Charles avait fixé l'animal en silence et, à son expression, Jennie avait deviné qu'il allait se mettre à l'aimer.

— Pauvre vieille, avait-il murmuré en s'accroupissant devant la chienne, qu'est-ce qui t'est arrivé? On t'a fait la vie dure?

Et il s'était mis à la caresser. L'instant d'après, l'horrible chose s'était renversée sur le dos, les quatre pattes en l'air, exhibant son dégoûtant ventre rose boursouflé de tétines ramollies, et s'était mise à lui lécher les mains en bavant de délectation.

Steve avait battu des mains:

— Je le savais! Je le savais! À part moi et Monique, personne ne peut l'approcher sans qu'elle se mette à gronder. Mais, avec toi, ça marche! Comme toujours, ça marche!

Après avoir observé la scène un instant, Jennie avait quitté la pièce. Intrigué, presque inquiet, Charles était bientôt allé la rejoindre.

— Qu'est-ce qui se passe, ma Jennichou?

— Charles, ne me dis pas que tu vas prendre cette affreuse chienne?

Il s'était mis à rire:

— Elle fait un peu dur, c'est vrai, mais je la trouve sympathique, finalement...

— Moi, elle me fait horreur, avait répliqué Jennie en détournant la tête.

Charles l'avait regardée un moment, puis avait poussé un soupir.

— Alors, je ne la prendrai pas.

Elle lui avait souri et pris la main, mais, pendant une seconde, le regard de Charles lui avait paru incommensurablement lointain, comme s'il la regardait d'un autre monde, qui lui était inaccessible; elle en avait eu un saisissement:

— Tu es sûr? Tu ne le regretteras pas?

— La seule chose que je regretterais, avait-il répondu avec une galanterie un peu apprêtée, c'est de te déplaire.

Et il l'avait embrassée.

Steve les avait alors appelés du salon pour leur faire admirer une finesse du petit Gérard, qui, très fier de son effet, paradait tout nu au milieu de la place, coiffé du vieux képi de son grand-papa, qui avait fait la Deuxième Guerre mondiale. Charles, comme tout le monde, s'était esclaffé et, durant tout le reste de la soirée, avait paru d'excellente humeur.

Leur malaise n'avait duré qu'une seconde. Mais cette seconde pouvait revenir, s'était dit Jennie. Et s'allonger en heures et en jours, qui sait? Pour la première fois depuis sa rencontre avec Charles – et lui-même devait avoir eu cette impression –, elle avait senti que leur union si profonde et si viscérale pouvait s'affaiblir et peut-être même se rompre, alors que durant toutes ces journées incandescentes elle avait vécu dans la certitude qu'*un pareil malheur ne pouvait arriver qu'aux autres.*

Et tout cela à cause d'une vieille chienne recueillie par ce faiseur de ménages, qui en était déjà à sa quatrième bière et produisait des farces plates à la vitesse d'une machine à saucisses!

17

Charles respirait les effluves délicieusement épicés de la gloire. Gloire, pour l'instant, circonscrite en grande partie à Montréal, bien sûr, donc gloire locale, petite gloire, en somme, et dont il ne pouvait dire si elle durerait longtemps. Mais combien de Québécois en jouissaient? Cent? Deux cents? Sur sept millions!

Il n'était pas assez naïf pour croire qu'un Québécois *glorieux* représentait quoi que ce soit aux yeux du monde, puisque le monde dans sa presque totalité ignorait jusqu'à l'existence du Québec. N'importe. Quand il se réveillait le matin et pensait au chemin parcouru, un sentiment de satisfaction si moelleux et si enivrant l'envahissait qu'il se mettait à siffler, puis, sautant du lit, se promenait tout nu dans l'appartement en jetant autour de lui des regards bienveillants et émerveillés. Ou alors, si Jennie avait passé la nuit avec lui, il la réveillait doucement et lui faisait l'amour avec un entrain si cocasse et débridé qu'ils en riaient encore durant le déjeuner.

C'est que la vie était devenue diablement belle ! Jamais il n'aurait cru qu'elle pouvait l'être à ce point, du moins pour lui, le petit bout de cul de la rue Dufresne, fils d'une pauvre couturière de manufacture et d'un menuisier alcoolique qui avait travaillé très fort pour en faire un raté comme lui. De toute évidence, il avait manqué son coup en sacrament !

Tout le monde était gentil avec lui à présent : le dépanneur arabe du coin, qui l'appelait *Charles* comme s'ils prenaient leurs trois repas ensemble et lui gardait fidèlement ses journaux, même quand son client était quelques jours sans venir ; Martine, la secrétaire-réceptionniste de *Clair*, très forte en français, qui, en dépit de sa charge de travail, vérifiait tous ses textes et aurait manifestement bien aimé qu'il monte dans son lit ; le facteur, qui lui donnait du « Bonjour, monsieur » gros comme le bras et prenait la peine de porter son courrier chez le concierge lorsque sa boîte à lettres débordait (ce qui arrivait souvent depuis quelque temps). À l'occasion, on lui demandait son autographe dans la rue ou dans le métro. À présent, son arrivée à L'Express ou au Piémontais faisait courir un frémissement dans la clientèle chic ; des gens qu'il ne connaissait pas le saluaient avec familiarité ; Délicieux le présentait à tout le monde comme *sa découverte* :

— C'est moi qui lui ai enseigné le métier et, à présent, il pourrait presque m'en remontrer ! Essayez d'y comprendre quelque chose !

Nicolas Rivard avait placé sa chronique en page 3 – la page vitrine par excellence quand on n'est pas à la une – juste vis-à-vis de son propre éditorial, qui pâlissait un peu beaucoup à côté de l'article de Charles, ce dont le quinquagénaire était bien conscient et ne s'offusquait pas le moins du monde, car voilà longtemps qu'il avait pris la mesure de ses capacités.

— Toi, tu as du chien, avait-il dit un jour à Charles. C'est ce qui m'a toujours manqué.

— Du chien? s'était esclaffé l'autre. Tu n'as jamais si bien dit! J'ai le chien dans le sang. Quand je passe près d'un poteau, je dois me retenir pour ne pas lever la patte!

Il n'avait pas oublié la chienne aux tétons mous, que Steve avait dû mener à la SPCA, où elle avait sans doute connu le destin des animaux disgraciés par la nature.

À cause du mauvais tour qu'il avait joué au ministre Flingon, Jennie n'avait pas encore présenté Charles à ses parents, gardant son identité secrète et se contentant de leur dire qu'il s'agissait d'un « garçon parmi d'autres », qui était d'ailleurs « un peu sauvage et plutôt original », et qu'elle ne pouvait prévoir pour l'instant la tournure que prendrait leur relation. Elle cherchait, en somme, à gagner du temps dans l'espoir que les choses se tassent; elle se trompait sur les deux points : le temps jouait contre elle, car rien ne s'évente plus facilement qu'un secret d'amour; et le caractère de Charles était tel que, loin de se tasser, les choses iraient en empirant.

Malgré les principes très stricts qu'il s'était toujours efforcé de suivre dans l'utilisation des fonds publics, Anatole Flingon avait dû demander à un de ses conseillers politiques de consacrer tout son temps à la recherche de cette cafetière de porcelaine, dite de Luxembourg, qui demeurait introuvable. Il tentait d'apaiser sa conscience en essayant de se persuader que la qualité de son café matinal avait une telle influence sur le reste de sa journée que cela devenait une *affaire d'État*. Le premier ministre, surnommé Flabotte, à qui on avait raconté son malheur, le taquinait parfois à ce sujet, et un jour il lui avait fait porter une magnifique petite cafetière turque en argent, ornée d'incrustations en or, du plus joli effet ; Flingon l'avait testée sur-le-champ, mais le liquide qui en était sorti lui avait amené une grimace de déception, et le conseiller politique, le teint un peu pâli par les veilles, avait dû poursuivre ses recherches.

Une affaire, survenue quinze jours plus tôt, avait donné l'impression pendant quelque temps à Flingon que la vie n'était que café noir et amer.

Un sénateur donnait une fête intime chez lui à Ottawa pour célébrer son rétablissement après une grave maladie et Flingon faisait partie du groupe sélect d'invités. Par égard pour l'hôte, on causa médecine pendant une demi-heure environ, puis la conversation s'engagea tout naturellement sur le terrain de la politique. Le gendre du sénateur, un petit freluquet à grandes oreilles qui faisait carrière aux Affaires étrangères grâce au beau-père, s'amusait à prendre le contre-pied de tout ce qui se disait et s'était mis à faire l'éloge de la stratégie séparatiste, beaucoup plus près, disait-il, « des sentiments du bon peuple » et qu'on aurait intérêt à imiter si on ne voulait pas que le Canada se balkanise. Flingon, qui en était à son quatrième verre de vin, l'écoutait en silence depuis un moment, les ailes de son nez devenues blanchâtres, et il serrait le pied de son verre entre le pouce et le majeur comme s'il voulait le réduire en poudre. Soudain, il éclata :

— Mais vous n'y êtes pas du tout, mon pauvre ami ! On voit que vous n'allez pas souvent sur le plancher des vaches, vous. Il ne faut pas flatter les Québécois, ça ne ferait que les rendre plus arrogants. On doit au contraire les humilier et même les aplatir si nécessaire, ces éternels pleurnicheurs, jusqu'à ce qu'ils courbent la tête et acceptent de devenir des Canadiens comme les autres ! Après tout, c'est nous qui leur faisons une faveur en essayant de les décrotter !

Un silence gêné avait régné pendant un instant. Flingon s'était un peu trop déboutonné. On avait beau se trouver entre fédéralistes, ces choses-là ne se disaient pas. Le ministre, conscient de sa gaffe, avait essayé de tourner ses propos en plaisanterie, sans grand succès. Par malheur, un ancien éditorialiste de *The Gazette*, que Flingon ne connaissait pas, faisait partie des invités. Devant ce scoop de premier ordre, le journaliste s'était soudain réveillé en lui, l'emportant sur le patriote, et le lendemain matin les propos du ministre figuraient dans un entrefilet en première page.

La semaine qui avait suivi avait paru au ministre longue comme l'extraction d'une molaire. On l'avait attaqué de toutes parts. Il avait dû atténuer ses propos à la Chambre des communes, mais n'avait pu s'empêcher de blâmer l'indiscrétion du porte-panier. Quelle mauvaise idée! Les flammes, qui l'entouraient jusqu'à la taille, s'étaient élevées au-dessus de sa tête. Aux accusations de fanatisme s'ajoutaient à présent celles d'hypocrisie. À Québec, on se roulait par terre de contentement. Le premier ministre du Canada, dit Flabotte, fort ennuyé par cette affaire, avait dû prendre sa défense, après lui avoir passé en privé un vigoureux savon.

Stoïque, Flingon se faisait apporter chaque matin sa revue de presse et lisait méticuleusement chacune des attaques qu'on lui portait, afin, disait-il, de pouvoir un jour y répondre. La chronique de Charles n'avait pas échappé à son attention et, de tous les textes, c'était celui qui l'avait le plus enragé. Le verre de Coke y était sans doute pour quelque chose.

Dans son article, Charles s'étonnait de tout ce boucan. L'importance de Flingon, écrivait-il avec une nonchalance méprisante, ne valait que celle qu'on lui accordait, car, en lui-même, l'individu n'en possédait pas beaucoup, si ce n'était les pouvoirs qu'on lui avait mis entre les mains et qu'on lui retirerait tôt ou tard pour le renvoyer à son université. Si le premier ministre du Canada, surnommé Flabotte, l'avait appelé en politique, c'était à cause de son sectarisme, qui lui plaisait, et du bagout qu'il avait pour l'étaler. Mais, quand ce dernier serait jugé trop encombrant, le sectaire redeviendrait le pou qu'il avait toujours été et personne ne prendrait plus garde aux petites démangeaisons qu'il causerait.

Cependant, cette histoire, en dépit des sueurs qu'elle avait provoquées chez Flingon, pesait bien peu en comparaison de tous les soucis qui l'assaillaient jour après jour. Le plus cruel d'entre tous, celui qui lui faisait passer des nuits blanches pendant lesquelles il avait l'impression de dormir sur un lit d'aiguilles et qui l'empêchait même parfois de satisfaire les désirs légitimes de son épouse, était *la question du référendum.* Comment croire qu'il n'en surviendrait pas un autre? Ah! ce qu'il en avait marre de cette province mal dégrossie qui se prenait pour un État! Le transfuge Lucien Bouchard était au pouvoir et concoctait sûrement quelque chose. Mais quoi, cette fois?

Il s'en était ouvert un jour au premier ministre, surnommé Flabotte, lui disant que ce référendum de 1995 qu'ils avaient gagné de justesse – et à quel prix! – pourrait bien être suivi d'un autre, qu'ils risquaient fort de perdre. Le premier ministre partageait ses angoisses et l'avait officiellement chargé d'un plan d'action visant à rendre la tâche quasi impossible aux séparatistes, en espérant que les plus fous d'entre eux verseraient dans la violence, ce qui discréditerait leur cause à tout jamais. Pour ce faire, il fallait changer les règles du jeu tout en sauvant les apparences. Ou, en d'autres termes, *discipliner* la démocratie en ayant l'air de la consolider. Ce n'était pas chose facile! C'était même une chose qui était en train de faire perdre au ministre l'espèce de fraîcheur juvénile que la cinquantaine n'avait pas réussi encore à lui enlever et dont il se montrait si fier. Même sa voix un peu frêle de ténorino, certaines fins de journée, commençait à s'émousser et à s'érailler, désolante préfiguration de sa voix de vieillard. Mais le Canada valait bien des sacrifices, avait-il répondu un jour à son chef de cabinet qui s'inquiétait de sa mine fatiguée.

Aussi, en ce soir du 14 février 1996, fête de la Saint-Valentin, pendant que tout le monde se bécotait, se caressait et flambait sa paye au restaurant, et que sa femme regardait la télévision en soupirant à moins qu'elle ne fût en train de jouer au bridge avec ses trois bizarroïdes d'amies, le ministre Flingon se trouvait-il encore à son bureau, absorbé par son travail, les lèvres pincées, en train de préparer son projet de loi sur la santé démocratique, dont le Québec avait un si pressant besoin.

Dans les moments graves ou importants (et celui-ci était l'un et l'autre), afin de se stimuler intellectuellement ou de se remonter le moral (et il lui fallait ce soir-là l'un et l'autre), il avait pris l'habitude, lorsqu'il était seul, d'écouter un enregistrement des acclamations qui avaient salué quelques-uns de ses discours – une denrée rare qu'il conservait précieusement; comme les applaudissements duraient généralement moins de quinze secondes, il avait fallu les mettre bout à bout afin d'obtenir un certain effet. Il possédait également deux ovations d'une minute et demie chacune, les seules en huit années de politique. Le peuple ne l'avait jamais choyé, ce qui ne l'empêchait pas de travailler pour son bien. Les principes, chez lui, l'avaient toujours emporté sur la vanité.

Il venait de griffonner une dizaine de pages, parsemées de petits schémas d'où partaient des flèches qui voletaient en tous sens pour se planter dans des mots ou d'autres schémas, lorsque le téléphone sonna.

En règle générale, il ne répondait pas au téléphone après les heures de bureau. Trop d'importuns lui volaient un temps précieux qu'il devait consacrer à l'État.

L'appareil continuait de sonner. À la quatorzième ou quinzième sonnerie, une vague appréhension l'envahit. La personne qui insistait à ce point pour lui parler avait peut-être des choses graves à lui communiquer. Qui cela pouvait-il être? Sa femme? Son chef de cabinet? Le premier ministre? Un jour, ce dernier lui avait promis, s'il savait se montrer discret, de l'amener dans un...

Il s'empara du combiné.

— Flingon. J'écoute.

Son visage se figea aussitôt dans une expression attentive, le regard fixe, les joues légèrement creusées; puis ses yeux s'arrondirent légèrement et ensuite s'exorbitèrent et se mirent à lancer des milliers de flèches de feu, tandis qu'un rictus déformait sa bouche, lui donnant un peu l'apparence d'une grenouille, spectacle étrange dont un photographe malintentionné aurait fait son miel.

— Pas possible, murmura-t-il d'une voix altérée. Tu es sûr?

Son interlocuteur sembla alors lui donner des preuves convaincantes de l'exactitude de ses propos, car le teint du ministre devint aussi blanc que le col de sa chemise (qui était blanche); il donna alors un coup de poing terrible sur son bureau, ce qui souleva la désapprobation muette de Sa Majesté la reine Élisabeth II qui trônait en face de lui dans un cadre doré entre ceux du premier ministre, dit Flabotte, et de l'illustrissime Trudeau.

— Cela ne sera pas! siffla-t-il. Je m'en occupe demain dès la première heure! D'ici là, bon courage.

◆

Le lendemain matin, Charles rangeait ses effets personnels dans une boîte de carton à son bureau de Quebecor, Pierre Péladeau lui ayant annoncé qu'il n'avait plus besoin de ses services pour le moment, mais ayant amorti le choc de cette mauvaise nouvelle par une généreuse indemnité de départ et ses meilleurs vœux de succès, lorsqu'il reçut un appel qui l'intrigua au plus haut point.

Son interlocuteur, un homme d'un certain âge à la voix aimable et chaleureuse, du nom d'Émilien Beaucage, demandait à le voir pour une affaire qui, assurait-il, ne manquerait pas de l'intéresser. S'excusant de ne pouvoir rien dire de plus pour l'instant, il offrait d'aller le rencontrer à l'endroit de sa convenance afin de lui fournir tous les détails, et si possible le jour même, car l'affaire pressait. Charles fut à deux doigts de l'envoyer promener, puis la curiosité l'emporta et il lui donna rendez-vous à dix-huit heures au Piémontais, rue de Bullion. L'onctuosité de son interlocuteur l'avait quelque peu agacé et il se promit, en guise de compensation pour le temps qu'il lui aurait consacré, de lui faire payer une note salée.

À l'heure dite, Charles se présentait au restaurant. L'endroit était presque vide ; un vague remue-ménage venait des cuisines, où l'on se préparait fiévreusement à l'affluence de la soirée, défi quotidien que le prestigieux établissement avait jusque-là vaillamment relevé. Le garçon, après l'avoir débarrassé de son manteau, lui annonça qu'on l'attendait dans la salle de droite. En y pénétrant, Charles aperçut un quinquagénaire grassouillet à cheveux blonds assis dans un coin ; l'homme se leva et vint à sa rencontre avec un grand sourire, la main tendue :

— Merci de votre ponctualité, dit-il à Charles comme s'il s'agissait d'un exploit.

Sa vue déclencha un vague remuement dans la mémoire du jeune journaliste ; il avait déjà rencontré l'individu quelque part, très longtemps auparavant et dans des circonstances déplaisantes, sans pouvoir préciser davantage.

— Je suis toujours ponctuel, répliqua Charles un peu sèchement.

L'autre se mit à rire et, invitant son compagnon à s'asseoir, commanda des apéros.

— Et alors, demanda Charles avec une certaine impertinence quand le garçon fut parti, qu'est-ce que vous faites dans la vie, vous ?

Un sourire espiègle arrondit les lèvres d'Émilien Beaucage en un petit bourrelet de chair rouge, lui retroussant un peu le bout du nez :

— Je travaille pour quelqu'un que vous n'aimez pas.

Charles le fixa, surpris, puis posa son paquet de cigarettes sur la table :

— Et qui est cette personne ?

— Avant de vous dévoiler son nom, je tiens à vous dire qu'elle admire votre talent, même si elle en fait parfois les frais, et vous considère comme un des esprits les plus brillants du monde journalistique.

— Vous travaillez pour le ministre Flingon !

— J'ai l'honneur d'être son chef de cabinet.

— Pas possible ! Et qu'est-ce qu'il me veut, celui-là ? Attendez, laissez-moi deviner, fit Charles, devenu tout rouge et très excité. Je gage...

Il s'interrompit pour s'emparer du verre de pineau des Charentes que le garçon venait de déposer devant lui, en but une longue gorgée, réfléchit un instant, puis :

— ... qu'il veut me rencontrer pour discuter de... Ma foi ! je n'en sais trop rien.

— À son grand regret, il n'a malheureusement pas le temps de vous rencontrer. Vous comprendrez que ses fonctions lui imposent une très lourde charge de travail.

— Nuire aux gens demande parfois plus de temps que les aider, ricana Charles.

— Vous ne partagez pas les mêmes opinions, constata placidement le chef de cabinet, et je ne prévois pas que vous les partagerez à la fin de notre rencontre. Ce n'est d'ailleurs pas le but que je me suis fixé, vous pensez bien !

— Et quel est ce but, monsieur ? fit Charles, dont le regard se remplit d'une flamme héroïque.

— Un poste d'attaché culturel à Paris, ça vous intéresserait ?

Charles le regarda un moment, bouche bée.

— Comme je vous le mentionnais tout à l'heure, poursuivit le chef de cabinet avec une aisance pleine de bonhomie, monsieur le ministre, malgré vos... accrochages, éprouve la plus grande estime pour vous et rien ne lui ferait davantage plaisir... Qui dit *culturel* dit *apolitique*, bien sûr, précisa-t-il en devinant une objection de son interlocuteur. Personne ne vous demande de renier vos opinions, croyez-moi. De toute façon, vous travailleriez avant tout à la promotion de la culture québécoise, cela va de soi. Le ministre a pris des renseignements à votre sujet et l'étendue de vos connaissances – particulièrement dans le domaine artistique – l'a fort impressionné. Et puis, le travail dont je vous parle est bien rémunéré... Sans compter que Paris est une ville magnifique, extrêmement vivante et dynamique sur tous les plans... Êtes-vous déjà allé à Paris?

— Non.

Charles vida son verre et s'amusa un moment à faire rouler une goutte qui restait au fond, mais la goutte s'épuisa dans son trajet et finit par disparaître.

— Et si je refuse? demanda-t-il enfin.

— Ce serait malheureux, croyez-moi.

Charles se remit à tripoter son verre. Il essayait toujours de se rappeler où il avait bien pu rencontrer son interlocuteur, sans y parvenir. Pendant ce temps, ce dernier sirotait calmement son pineau en jetant des coups d'œil dans le restaurant qui se remplissait peu à peu.

— Elle est bien bonne, murmura soudain Charles avec un sourire en coin.

— Pardon?

— Je dis qu'elle est bien bonne.

— Auriez-vous l'obligeance de préciser votre pensée?

— C'est la première fois de ma vie qu'en échange de coups de pied au cul on m'offre un cadeau. Vous ne la trouvez pas bonne, vous?

— C'est une façon de voir les choses.

— Le ministre veut m'éloigner. Je suis surpris qu'il m'accorde autant d'importance. Après tout, je ne suis qu'un petit journaliste employé dans un tout petit journal.

— Vous êtes trop modeste.

— *Clair* ne tire même pas à trente mille exemplaires!

— Il y a trois mois, il tirait à vingt mille. Et puis, vous participez à une émission de télévision très écoutée. Votre étoile monte. Un des fondements de la politique n'est-il pas l'art de la prévision? Cela dit, je dois vous avouer en toute franchise que je ne connais pas le motif précis qui anime mon patron... Ne souriez pas. Après tout, vous ne parlez qu'à un exécutant; ces politiciens, croyez-moi, restent souvent sur leur quant-à-soi et, généralement, ils n'aiment pas qu'on les questionne. Mais supposons que vous ayez raison. Vous devrez convenir avec moi que l'affaire comporte des côtés fort agréables, non?

Et il eut un grand sourire radieux et froid qui déclencha de nouveau en Charles un remuement de souvenirs flous.

— J'ai un peu faim, fit-il, légèrement étourdi par le pineau comme par la tournure de la conversation. Si on commandait?

— J'allais justement le proposer, répondit Beaucage. Vous êtes mon invité, bien sûr.

Charles choisit les ris de veau au marsala, dont Bernard Délicieux lui avait dit qu'ils étaient les meilleurs en ville. L'autre, après avoir hésité, l'imita. Une bouteille de Montepulciano d'Abruzzo (importation privée de la maison) apparut sur la table. Elle s'avéra excellente. En fait, Charles ne se rappelait pas avoir goûté de vin aussi exquis. Il est vrai qu'il n'y connaissait pas grand-chose. Les ris de veau semblaient d'origine céleste.

À la table voisine, occupée par un couple d'Américains entre deux âges enlisés dans une conversation languissante, on avait commandé le même plat. Leurs regards croisèrent à un moment donné celui de Charles et de son compagnon, et les quatre clients, fourchette à la main et mâchoires en mouvement, échangèrent un sourire de connivence extasiée. Une grande lueur dorée illuminait l'esprit de Charles et lui avait fait perdre une partie de sa prudence. Il se sentait des forces illimitées; jamais la vie ne lui avait paru aussi emballante. Sous l'effet du vin, la conversation avait pris un tour léger et voltigeait d'un sujet à l'autre, changeant de cap aussitôt qu'elle risquait de tomber dans la gravité.

Cet Émilien Beaucage travaillait pour une ordure et ne pouvait être lui-même qu'une sous-ordure, mais sa compagnie, pour l'instant, ne manquait pas de charme et l'impression fâcheuse qu'il avait réveillée tout à l'heure en Charles s'était presque entièrement dissipée ; le jeune homme n'était pas loin de croire qu'il s'était trompé sur son compte lorsque, à un mouvement que son compagnon fit en joignant les mains avec ce radieux sourire de commande qu'il avait à tout moment, Charles eut un choc et se rappela tout dans les moindres détails.

Il se trouvait devant l'aumônier du camp de vacances Jeun-enjoie où Fernand et Lucie l'avaient envoyé avec Henri durant l'été de ses onze ans. C'était bien le souriant abbé Beaucage, l'un des hommes qui, dans toute sa vie, l'avait blessé le plus profondément et auquel il ne pouvait penser, malgré le temps écoulé, sans que son cœur se remplisse de haine. En dépit des rides, des pattes d'oie, du léger affaissement de la gorge et des cheveux blancs qui se mêlaient à présent aux cheveux blonds, Beaucage avait conservé cette expression de jeunesse enjouée, si attirante au premier abord, et continuait de donner cette impression de dévouement et de bonté, faux visage de son hypocrisie ; Charles, tout enfant qu'il fût à l'époque, n'en avait pas été dupe bien longtemps.

Depuis sa fuite du camp de vacances en pleine nuit, que s'était-il passé dans la vie de ce fourbe ? Il avait changé de costume, et probablement aussi de croyance (si jamais il en avait eu), mais semait toujours autour de lui les grands sourires et les bonnes paroles, non plus au service de Dieu mais d'un politicien aussi nuisible que ridicule qui travaillait avec rage à l'asservissement de ses compatriotes. Le cadeau qu'on lui proposait ne pouvait être qu'un leurre. Mais de quelle nature ? Il pensa tout à coup à Jennie. Pourquoi n'y avait-il pas songé plus tôt ? Flingon avait appris la liaison de sa nièce avec Charles et avait dû prendre cela comme un outrage. On le garderait à Paris le temps que leurs liens se relâchent et se rompent, puis on le viderait, comme le dernier des cons, en prenant soin auparavant, bien sûr, de salir sa réputation.

L'ancien abbé ne pouvait évidemment l'avoir reconnu. Charles décida de profiter de la situation.

— Que se passe-t-il, mon ami ? s'inquiéta Émilien Beaucage. Quelque chose ne va pas ?

— Non, excusez-moi, j'avais l'esprit ailleurs. C'est peut-être le vin, ou la fatigue alors : j'ai eu une journée bien remplie.

— Ah, la vie moderne serait bien plus agréable si elle avait été conçue pour des humains...

Charles sourit, porta un morceau de ris de veau à sa bouche, l'enveloppa d'une gorgée de vin, puis le mastiqua lentement pour en tirer toute la saveur, mais il ne goûtait rien :

— Il y a longtemps que vous avez défroqué, monsieur l'abbé ?

L'autre le regardait, effaré, son verre de vin arrêté devant ses lèvres.

— Oui, je viens de vous replacer, monsieur Beaucage. Ça m'a pris du temps, mais à présent je me souviens parfaitement de vous, ah ça, oui ! Vous avez déjà été aumônier au camp de vacances Jeunenjoie, non ? C'est bien ça, à votre air, je vois que oui. Je vous ai connu en 1977, ou quelque part par là. J'avais onze ans. Je ne pouvais pas vous avoir oublié : nous nous sommes assez mal entendus, merci ! Vous ne vous rappelez pas de moi, bien sûr, je n'étais qu'un bout de cul à l'époque... Mais peut-être que oui, après tout, si je vous disais... si je vous disais que c'est moi, le petit garçon qui s'était sauvé du camp un soir après avoir arrosé votre lit de cognac. On avait mis la police à mes trousses, mais c'est mon père, à la fin, qui m'avait retrouvé.

— Oui, oui, je me rappelle parfaitement, murmura le chef de cabinet avec un étrange sourire. Comme c'est curieux que nous nous revoyions après toutes ces années... Les hasards de la vie, quoi... Vous aviez un fichu caractère, c'est vrai ! Oh là là !

— Je l'ai toujours. Et vous, à ce que je constate, vous continuez d'abuser les gens. Autrefois la religion, aujourd'hui la politique. C'est chez vous une vocation, je crois.

Émilien Beaucage sourit en levant les mains dans un geste d'apaisement et de défense.

— Je suis content de savoir à qui je parle, poursuivit Charles d'un ton égal et froid (mais la rougeur de son visage trahissait sa colère), car je me dis qu'une offre qui passe par vos saintes mains devient nécessairement merdeuse. Vous me permettrez de la refuser. Paris, ça doit être merveilleux. Mais je me contenterai pour l'instant de Montréal.

Les deux hommes échangèrent un long regard. Puis, voulant sans doute se donner une contenance, le chef de cabinet prit quelques bouchées comme si de rien n'était, tandis que Charles se trémoussait sur sa chaise, partagé entre l'envie de partir et celle de rester pour jouir un peu plus encore de la déconvenue de son interlocuteur.

Ce dernier leva soudain la tête, son haïssable sourire aux lèvres :

— Je vois que vous êtes resté le garçon grossier qui nous donnait tant de fil à retordre. Je vous souhaite quand même bonne chance, et que la sagesse vous vienne un jour.

Puis, levant la main, il fit signe à un serveur d'apporter l'addition.

18

Il dépassait à peine sept heures quand Charles se retrouva seul dans la rue. Une envie soudaine le prit d'aller raconter son tête-à-tête à Fernand et à Lucie. Il les trouva en pyjama et robe de chambre en train de regarder *Race de monde*, le téléroman de Victor-Lévy

Beaulieu que l'on donnait en reprise cette saison, et les taquina gentiment d'être en pareille tenue si tôt dans la soirée.

— J'ai pris froid cet après-midi à la boutique de Blonblon, expliqua Fernand. Elle est mal chauffée. Rien de mieux pour attraper la grippe, hein? Alors je me suis dit ce soir en arrivant à la maison qu'un bon bain chaud et une petite ponce au rhum ne me feraient pas de tort... et le pyjama vient avec, comme de juste. Quant à ma vieille, fit-il en serrant Lucie par les épaules, c'est bien rare qu'on ne la retrouve pas au lit à huit heures, hein, Lulu?

— Et c'est bien rare que tu ne viens pas me rejoindre à huit heures et quart, répliqua-t-elle en lui pinçant le côté.

Et tandis que, ayant prestement fermé la télé, ils l'accablaient d'attentions, Charles s'attristait de les retrouver tout à coup si vieux et si contents du seul fait de sa visite, qu'ils attendaient manifestement depuis des semaines.

Mais l'excitation fut à son comble quand ils en apprirent l'objet.

— Quoi? s'écria Fernand. Si je me souviens de lui? *Hey!* Il faudrait me couper la tête pour que j'oublie ce maudit lapin de sacristie! C'est bien pour dire... Il a sauté la clôture, comme tant d'autres! Remarque que je le comprends... Et le voilà maintenant au service de ce fond de poubelle... Pour un visage à deux faces, c'est l'emploi rêvé, bien sûr... Tu as bien fait de l'envoyer promener, mon Charles. C'est là que je vois combien tu es devenu malin, je suis fier de toi; il voulait te visser une poignée de valise dans le dos, le fin finaud, et bon débarras! Tiens, goûte-moi cette ponce: c'est bon pour la grippe, mais c'est bon *tout court* aussi... Hein? Pas vrai?

— N'empêche, avança timidement Lucie, que je te verrais bien attaché culturel à Paris... Dommage que tu n'aies pu accepter un aussi beau poste... On dirait du cinéma...

— Mais voyons donc, Lucie, ouvre-toi les yeux, tornade de clous! Il aurait été attaché culturel le temps que sa blonde se tanne et le laisse tomber. Ensuite, ils l'auraient viré sous n'importe quel prétexte, en s'arrangeant pour qu'il perde la face, bien entendu... Ça joue sale, ces gens-là... Pourquoi tu penses qu'Ottawa les paye?

Et, rajeuni tout à coup de vingt ans, il se précipita vers son bureau pour retrouver une coupure de presse où l'on rapportait des propos particulièrement horribles du ministre Flingon sur le Québec. Pourquoi Charles ne les utiliserait-il pas dans un de ses papiers?

— Céline a demandé de tes nouvelles, annonça Lucie au moment où il les quittait.

— Les journaux ne lui suffisent donc pas? répondit Charles avec humeur, à l'étonnement du couple. Tu lui diras bonjour de ma part, ajouta-t-il, radouci. Elle enseigne toujours au Cégep du Vieux-Montréal?

Il n'osa pas demander si elle vivait avec son administrateur aux allures militaires et se hâta de partir, non sans qu'on lui eût fait promettre de revenir bientôt.

Une demi-heure plus tard, il se retrouvait chez Jennie en train de lui raconter son entrevue avec le chef de cabinet. Elle l'écouta sans dire un mot, saisie, les yeux brillants d'admiration.

— Toi, mon amour, murmura-t-elle d'une voix changée quand il eut fini, je veux que tu me fasses un enfant.

Et, se pressant contre lui, elle détacha la ceinture de son pantalon. Interdit, amusé, Charles se laissait faire.

En portant Lucien Bouchard au pouvoir, la plupart des Québécois croyaient qu'il travaillerait à la promotion de la souveraineté ; il se contenta de gérer la province en bon père de famille, soucieux de faire régner l'ordre et le calme, d'éviter les vagues et cherchant avec une belle ardeur à concilier des intérêts inconciliables.

L'adversaire avait triché au référendum? Oublions ça. Le démasquer aurait nui à la paix sociale.

Par certains côtés, il faisait penser à un maire qui aurait administré une ville bombardée comme si elle se trouvait en temps de paix. Il voulait cette paix à tout prix, n'écoutant guère ceux qui lui prédisaient que cela le mènerait à une défaite assurée. Quand il en avait le temps, il parlait un peu de souveraineté. Elle dépendait de la volonté du peuple; il n'était, après tout, que son représentant.

À la fois autoritaire et pusillanime, il éprouvait un respect religieux pour les puissances de l'argent. Son charisme et son éloquence avaient soulevé d'immenses espoirs chez les souverainistes; à présent, son indécision les inquiétait; ils n'osaient pas encore le critiquer, décontenancés par cet homme ambigu qui savait si bien soulever les foules mais ne semblait pas capable de les diriger.

Au règne haut en couleur de Jacques Parizeau avait donc succédé une gestion terne et provinciale. Le Québec ressemblait à un petit train qui faisait tchou-tchou sans trop savoir où il allait. Après le paroxysme référendaire, il retombait dans la torpeur, retrouvant ses ornières, prêtant de nouveau l'oreille aux vieilles rengaines. L'ennui était revenu et, avec lui, ce fond de déprime qui semble constituer l'essence même de l'âme québécoise.

Charles avait élargi l'éventail de sujets de sa chronique, car la politique devenait ennuyante. Ses textes se faisaient plus intimistes, s'intéressaient davantage au quotidien ou cultivaient le farfelu, inspirés par son travail à *Rose Nanane*, où il s'amusait ferme. Nicolas Rivard trouvait qu'il se dévoyait et finirait par perdre sa crédibilité encore toute neuve.

Cela n'allait pas se produire.

◆

Un matin, Charles reçut un appel du producteur de l'émission qui lui annonçait, fort embarrassé, que des contraintes budgétaires l'obligeaient à se priver de ses services. On lui verserait un substantiel dédommagement. C'était un mois environ après sa rencontre avec Beaucage. Charles établit un lien entre les deux choses et, fort troublé, alla trouver Nicolas Rivard pour avoir son avis ; celui-ci se contenta d'émettre quelques vagues commentaires sur la nécessité de la modération et des compromis en certaines circonstances, puis coupa court à leur entretien, car une affaire pressante l'appelait.

À quelques jours de là, Charles alla interviewer les membres de Gros Morceau de Carotte, un groupe rock qui connaissait une certaine vogue depuis quelque temps. Leur nom et l'insolence de certaines de leurs chansons l'avaient amusé. La rencontre eut lieu à la fin d'un avant-midi au Sergent recruteur, boulevard Saint-Laurent, et fit réaliser à Charles qu'il prenait de l'âge, car les cinq membres du groupe, tous au début de la vingtaine, lui témoignèrent une déférence qui ne s'adressait pas seulement au journaliste, mais à l'aîné. Rémi, le guitariste, s'adonnait aussi à la littérature ; il avait apporté le manuscrit d'un roman tout juste terminé et, rougissant, gouailleur, se moquant lui-même de son travail, il pria Charles d'y jeter un coup d'œil et de lui donner son avis. Ce dernier en lut quelques pages et encouragea l'apprenti écrivain à poursuivre ses efforts, n'ayant pas la franchise de l'inviter plutôt à tout abandonner. C'était, en effet, si mauvais que son propre manuscrit, mis au placard bien des années auparavant, lui apparaissait comme un chef-d'œuvre.

Quelques jours plus tard, Charles retirait son manuscrit d'une boîte de carton et le relisait. Les maladresses abondaient, mais la matière lui parut juteuse et digne d'être sauvée. Il décida de le remettre sur le métier. Inspirée de sa vie, cette histoire satirique sur les sectes religieuses l'amusait bien plus que l'intrigue policière de son premier roman ; il s'y sentait à l'aise et regretta de l'avoir mise de côté si longtemps.

À partir de ce moment, tous les moments libres qu'il ne consacrait pas à Jennie ou à ses amis s'écoulaient devant l'ordinateur. Quand il dormait chez lui, il se relevait souvent au début de la nuit en prenant garde de réveiller son amie et travaillait jusqu'à deux ou trois heures du matin. On le retrouvait le lendemain l'œil terne et l'esprit un peu visqueux; l'énergie sans borne de ses vingt ans avait disparu.

Il avait interrompu la rédaction de son roman au dernier tiers. Il le termina en trois semaines. Son travail de journaliste en souffrait parfois, mais il avait acquis tellement de métier que cela ne paraissait pas trop. Nicolas Rivard s'étonna deux ou trois fois de certains articles un peu échevelés, mais, pour le reste, il continua de se montrer satisfait de son employé dont, à la vérité, dépendait en bonne partie le succès du journal.

Les semaines passèrent. L'ardeur de Charles ne faiblissait pas. Blonblon, qui avait lu des passages de la deuxième version, l'encourageait vivement. Jennie s'extasiait. C'est un des délicieux effets de la passion. Steve, dont la tiédeur pour la lecture avait depuis longtemps tourné en glace, ne voulait pas même en lire la première page, affirmant qu'il ne connaissait rien à la littérature et ne dirait que des conneries. Mais Monique, grande consommatrice de romans Harlequin, se jeta dessus et trouva l'œuvre assez drôle mais cruelle et « manquant d'amour ». Charles avait besoin de l'avis objectif d'un professionnel. Il pensa à son patron. Nicolas Rivard avait beaucoup d'expérience, une assez belle plume et avait publié bien des années auparavant trois ou quatre recueils de nouvelles. Charles n'en avait lu aucun, mais le fait même que Rivard ait publié n'était-il pas la preuve d'un certain talent? Du reste, c'était un bon diable, qui le considérait un peu comme son garçon et ne lui refuserait certainement pas ce petit service.

Le 3 avril 1996, la ministre Louise Beaudoin, responsable de la Charte de la langue française, fit part de la décision prise la veille par le Conseil des ministres au sujet du dossier linguistique ; cinq semaines après le dépôt d'un rapport plutôt inquiétant sur la situation du français au Québec et particulièrement à Montréal, le gouvernement décidait de ne rien décider, préférant commander des études plus approfondies sur la question : on ne renforcerait donc pas la loi 101, et l'unilinguisme français ne serait pas rétabli dans l'affichage commercial. Les motifs invoqués restaient flous ; on parlait de prudence, d'ouverture aux autres et de la nécessité de préserver « l'équilibre linguistique ».

Charles apprit la nouvelle à la radio en sortant du lit. « Avancez par en arrière », marmonna-t-il avec un haussement d'épaules en répétant la célèbre phrase des chauffeurs d'autobus. Il fronça les sourcils et jeta un coup d'œil par la fenêtre ; le temps gris, vaguement maussade, ressemblait à son humeur. Il se trouvait seul ce matin-là, Jennie ayant passé la nuit chez elle avec une camarade à préparer un examen. Il but deux cafés et reporta encore une fois sa décision d'arrêter de fumer. Décidément, ces péquistes à Québec donnaient à la vie un goût de vase.

Sa journée lui apparut soudain comme un bloc de plomb ; il avait une entrevue au milieu de la matinée avec un fabricant de vêtements sport qui, la veille au téléphone, lui avait paru idiot et il devait remettre sa chronique hebdomadaire avant dix-neuf heures ce jour-là, sans avoir la moindre idée du sujet qu'il traiterait. Une vague nausée monta en lui et il eut l'impression que ses forces quittaient son corps pour se répandre dans le plancher. C'était le cafard, sournois, dissolvant, capable de transformer une journée en trou noir ; il essaya de se raccrocher à une idée réconfortante, qui lui permettrait de surnager, le temps que la crise se dissipe, et pensa tout à coup à son roman. Son roman ! Il l'apporterait tout à l'heure à Nicolas pour lui demander de le lire. Son patron l'adorerait, il en était sûr, et s'étonnerait qu'un pareil texte ait moisi dans une boîte. Cette décision le mit de bonne humeur. Au diable la politique et les politiciens! La vie importait bien plus que leurs minables bouffonneries!

Une heure plus tard, il arrivait au journal; depuis quelque temps, Rivard parlait de déménager, car les locaux étaient devenus trop petits. Par la porte entrouverte, Charles entendit son patron fourrager dans de la paperasse en poussant des soupirs. Peut-être n'était-il pas dans son humeur la plus favorable et valait-il mieux attendre un peu? Mais son envie l'emporta; il frappa.

— Tiens, fit Nicolas en se troublant, j'avais justement à te parler, toi.

Il lui fit signe de s'asseoir et continua de fourrager en se mordillant les lèvres. Charles, intrigué, l'observait. Il comprit que son patron ne cherchait qu'à gagner du temps pour rassembler ses idées. Il avait une nouvelle désagréable à lui annoncer et Charles, en arrivant plus tôt que de coutume, l'avait pris au dépourvu.

— Ça ne va pas? fit Charles. Tu n'as pas l'air dans ton assiette.

Nicolas releva la tête; ses lèvres tremblaient. On aurait cru qu'il allait se mettre à pleurer.

— Non, ça ne va pas du tout. Une sale affaire m'arrive. Depuis hier matin que je me casse la tête pour essayer de m'en sortir, et je n'y arrive pas.

Puis il ajouta:

— Ça te concerne.

— Je le savais.

Ils se regardèrent en silence. Un long craquement résonna dans un mur. Le temps radouci faisait dégeler le vieil édifice.

— Charles, fit alors Nicolas d'une voix blanche, je vais être obligé de me priver de tes services. Contraintes budgétaires. Je n'ai plus assez d'argent pour te payer.

— Je ne te crois pas, répondit froidement Charles. Dis-moi la vérité. J'ai le droit de la connaître.

— C'est la vérité, fit Nicolas en baissant les yeux.

— Tu mens, Nicolas. Le journal ne s'est jamais si bien porté. Tu viens d'acheter trois nouveaux ordinateurs. Et, sans vouloir me vanter, c'est un peu moi qui ai mis *Clair* sur la carte. Dis-moi la vraie raison.

— Je viens de te la dire, répéta Nicolas avec impatience mais sans conviction. Il faut que je réduise le nombre de mes employés. Sinon je risque de perdre ma subvention d'Ottawa... Les fameuses normes de fonctionnement...

— Ah, ah! on brûle, on brûle... Tu risques de perdre ta subvention, hein? À cause de moi?

— Où vas-tu chercher ça? se défendit l'autre faiblement. Tu n'es pas du tout en cause.

— Non, mais si tu ne me mets pas à la porte, tu vas perdre ta subvention. Voilà. C'est très simple. Ça se dit en trois mots. Tu me dégoûtes, Nicolas. Juste à te voir, le cœur me lève. Je ne savais pas qu'une ordure pouvait avoir si bonne mine. Car tu as vraiment l'air de quelqu'un de bien. Qui aurait cru?

Nicolas se dressa debout, livide:

— Je ne te laisserai pas me parler comme ça. Tu sauras, mon ami...

— Je ne saurai rien du tout. Salut!

Il voulut partir, mais Nicolas, contournant son bureau, se précipita sur lui et le saisit par un bras. Un visage étonné apparut dans l'entrebâillement de la porte. C'était la nouvelle secrétaire. D'un geste rageur, Rivard lui fit signe de disparaître. La porte se referma avec un petit claquement.

Alors, tenant toujours Charles sous sa poigne, il se lança à voix basse dans une explication haletante. On le harcelait depuis un mois. Des fonctionnaires lui faisaient des menaces voilées. Tout cela venait du ministre Flingon, il en était sûr. Charles, par ses folies, s'était mis dans une situation impossible. Il avait soulevé la colère d'un homme féroce, puissant, à demi fou. Flingon voulait l'éliminer, le réduire en poudre, le transformer en zéro.

Et comment s'en étonner? Les attaques écrites, ça pouvait encore passer, mais cette agression humiliante au verre de Coke! Et, pour achever de se rendre odieux, Charles couchait avec la nièce de Flingon! Ne savait-il donc pas que cette famille était une tribu? Ce qui arrivait à l'un de ses membres affectait tous les autres. Si Flingon avait eu une fille, Charles aurait sans doute essayé de se la farcir, bien sûr. Devait-il, lui, Nicolas Rivard, payer pour son manque de jugement? Ah! il aurait bien voulu que *Clair* soit plus solide; il se serait bien fiché alors de ce chantage dégueulasse... Mais le journal commençait à peine à faire des profits, le moindre coup de vent pouvait le jeter à terre. Allait-il sacrifier pour Charles le dernier grand projet de sa vie?

Et soudain, relâchant son bras, il se mit à pleurer, là, devant lui, sans la moindre retenue, comme un petit garçon à qui on aurait volé un bonbon.

Charles, stupéfait, le fixait sans parler. Il eut une moue navrée, lui caressa légèrement l'épaule et décampa.

19

Charles chômait. Ou presque. Il attrapait ici et là de petites piges, vivant de ses économies (par bonheur suffisantes pour le soutenir quelques mois), et se cherchait un second début de carrière. Dans son insouciance ou sa présomption, il s'était attaqué à plus gros que lui et subissait le sort des faibles et des mal pistonnés. Il aurait pu aller trouver Pierre Péladeau, qui l'aurait sûrement tiré d'affaire, mais par fierté il s'y refusait. Bernard Délicieux, qui connaissait tout le monde, le recommanda à quelques reprises à des écrivains *en devenir* à la recherche d'un correcteur capable de mettre leur génie en évidence.

C'est ainsi que Charles fit la connaissance d'un certain Rober Bulbe, peintre, compositeur, sculpteur, organisateur de happenings et créateur d'*installations*, qui s'adonnait depuis peu au roman et à la poésie en attendant d'aborder le théâtre. L'artiste, au milieu de la trentaine, froid, engoncé et d'un sérieux mortel, paraissait plus vieux que son âge et avait de lui-même une si haute estime qu'il fit clairement sentir à Charles quel privilège inouï constituait le simple fait de tenir entre ses mains son manuscrit, un recueil de proses poétiques intitulé *Absence de la disparition*.

Rober Bulbe méprisait (cela paraissait dans son manuscrit) la grammaire et toutes ces *technicalités* qui ne font que réfréner l'envol de l'inspiration, mais il avait fini par se résigner aux contraintes bourgeoises encore prédominantes dans notre société en faisant appel à un correcteur, car il voulait que l'humanité accède enfin à son œuvre. Voilà pourquoi il avait confié à Charles le soin d'éliminer les sept ou huit mille fautes, incorrections et solécismes présents, lui avait-on dit, dans son recueil, au risque d'en affaiblir l'originalité. Charles y consacra des dizaines d'heures et fut payé d'une poignée de main condescendante et d'un chèque artistement signé mais qui se révéla en bois.

◆

Charles eut pour client un autre artiste, d'origine roumaine celui-là, et d'un genre tout à fait différent. Slava Sandir (nom de plume) se spécialisait dans les nouvelles cochonnes et, contrairement à Rober Bulbe, représentait le type du bon vivant à son apogée; il convenait volontiers que la nature ne l'avait guère pourvu de talent mais, comme il fallait bien vivre, il devait se débrouiller avec ce qu'il avait, et ce qu'il avait d'abord et avant tout, c'était de l'imagination pour les cochoncetés.

Il avait commencé sa carrière au Québec comme plongeur, mais des gerçures persistantes aux pouces l'avaient forcé à se tourner vers l'écriture, qui se pratique à l'ordinaire en milieu sec. Il avait d'abord essayé de placer dans les journaux de quartier de petits textes satiriques, écrits sous le nom de Joseph Fassaclac, mais leur état de délabrement linguistique comme la vacuité de leur contenu l'avaient rapidement obligé à se tourner vers la porno bon enfant qui, du reste, exprimait beaucoup mieux sa façon d'être. Par malheur, ses textes, croustillants et cocasses, frôlaient si souvent l'illisible qu'il éprouvait autant de difficulté à les faire publier. C'est Bernard Délicieux encore une fois, que Slava Sandir avait rencontré dans une soirée où les deux hommes s'étaient beaucoup plu, qui adressa le joyeux pornographe à Charles, en émettant des doutes cependant sur la solvabilité du bonhomme.

Slava Sandir arriva chez lui un matin avec une bouteille de bourgogne et voulut l'ouvrir sur-le-champ. Charles s'y opposa, expliquant que la journée commençait à peine et que, du reste, l'alcool et l'écriture ne faisaient pas bon ménage ; l'autre finit par se ranger à son avis. Charles jeta alors un rapide coup d'œil sur les douze nouvelles que Sandir lui apportait et déclara qu'il fallait les réécrire entièrement.

— Parfait. Elles seront meilleures.

— Ça va demander du temps. Je ne peux pas faire ce travail pour moins de... disons... mille dollars.

— Je les trouverai.

— Il me faut un acompte.

— Quand ?

— Ça dépend de vous. Je ne peux pas commencer sans un acompte.

— Combien ?

— Euh... disons deux cents dollars.

Sandir lui donna une grande claque dans le dos :

— Je te les apporterai demain soir, vieux !

Et, cette fois, Charles ne put résister à la seconde invitation que l'homme lui fit de goûter au vin.

— Ne crains rien, fit Sandir quand ils eurent vidé la bouteille, je ne déduirai pas le prix du vin de ta rémunération. T'as une face, vieux, qui invite à boire du bon vin. Et il est bon, pas vrai? Ça vient d'une directrice d'un magasin de la SAQ que j'ai baisée avant-hier.

Le lendemain soir, comme promis, Slava Sandir apporta l'argent. Mais sa mine piteuse et son col de chemise à demi déchiré semblaient indiquer que le financement lui avait demandé certains sacrifices.

Chaque semaine, il apporta ainsi cent ou cent cinquante dollars, accompagnés chaque fois d'une bouteille d'excellent vin, signe que sa directrice continuait de se montrer satisfaite de ses services. Les deux hommes la buvaient tranquillement, penchés sur les textes que Charles avait longuement retravaillés, car Sandir écrivait un français indescriptible. À tout moment, durant la relecture, le Roumain, perfectionniste dans l'âme, ajoutait ici et là une petite saleté, que Charles intégrait tant bien que mal au récit, mais avec une bonne humeur et une patience presque sans limites, car son client lui inspirait beaucoup de sympathie. Il en vint même à lui présenter Jennie, à qui il plut également. Sans le savoir, la jeune femme produisit sur le pornographe un effet foudroyant, comparable à l'impact d'un météorite géant sur un champ de patates.

Un soir, Slava Sandir, au milieu d'une joyeuse séance de libations, essaya de convaincre ses deux amis que le bonheur suprême résidait dans le fait de coucher à trois, qui était le chiffre parfait. Ils n'avaient jamais essayé? Quel dommage! poursuivit-il, l'œil fixé sur Jennie. Coucher à trois procurait des moments d'extase qu'on n'était pas sûr de trouver même au ciel. Il déploya tant d'ardeur dans sa démonstration que Charles dut finalement lui montrer la porte et Slava Sandir, très offusqué, la claqua violemment, remportant avec lui trois nouvelles encore intouchées et les quatre cents dollars qu'elles auraient procurés à Charles.

Les économies de ce dernier fondaient. Jennie aimait sortir, dépensait beaucoup et n'avait aucune notion de l'argent; ses parents, plutôt pingres, comme le sont certaines personnes à l'aise, lui versaient une petite pension qui aurait largement suffi à quelqu'un d'économe mais qui n'arrivait pas à satisfaire les besoins de son tempérament gaspilleur. Habituée à se faire gâter par Charles quand il recevait un bon salaire, elle continuait de mener le même train de vie et ne réalisait pas que son amant allait bientôt se retrouver sans le sou. Charles, par amour autant que par fierté, confiant d'ailleurs de se trouver bientôt un emploi lucratif, lui cachait ses problèmes financiers et se privait secrètement pour elle. À Montréal, on a vite fait le tour de la presse écrite; il avait présenté ses services à peu près partout. La direction de *La Presse*, lui répondit-on, avait la plus grande estime pour ses capacités, mais il n'y avait aucun poste de disponible. Au *Devoir*, on l'aurait engagé tout de suite, mais le journal, riche en projets, manquait de moyens pour les réaliser. Il en fut bientôt réduit à saisir une autre perche que lui tendait Bernard Délicieux – homme serviable, décidément – et reprit sous un nouveau pseudonyme son courrier du cœur dans un journal à potins encore plus minable que *Vie d'artiste*. Ce fut pour lui un coup dur; il avait l'impression de recommencer à zéro. Mais il ne pouvait plus prétendre au rôle du jeune homme prometteur; il était à présent un homme fait dont la carrière vient de mal tourner.

Tout le monde l'encourageait, mais il voyait de l'inquiétude dans les yeux de chacun.

Un soir, Steve l'invita à prendre une bière chez lui. À cause du manque de sommeil, il avait de petites poches sous les yeux; les ongles de sa main droite étaient bourrés d'oxyde de zinc, ce miséricordieux calmant pour les bébés souffrant d'érythème fessier; dans la pièce d'à côté, la petite Pascale hurlait à faire tomber la peinture des murs. Et pourtant, Steve avait l'air d'un homme heureux. La vie de couple et la paternité lui avaient apporté une sérénité à l'épreuve, semblait-il, des pleurs et des cris, des nuits hachées menu et des tracas familiaux. Et, ce soir-là, il essayait vaillamment de transmettre à Charles une partie de sa sagesse récemment acquise.

— Tu devrais te remettre aux études, avait-il dit à Charles.

— Pour étudier quoi?

— Je ne sais pas, moi... La médecine, le droit, l'informatique... Bolé comme t'es, tu peux apprendre n'importe quoi.

— Je suis trop vieux à présent. Et puis, ça ne m'intéresse pas.

— T'aimes mieux niaiser avec tes cocos à ton journal à potins?

— Ça, c'est *en attendant*, répliqua Charles, devenu soudain très rouge.

L'irruption du petit Gérard, une banane écrabouillée dans la main, interrompit la discussion.

Blonblon, lui, s'y prenait d'une autre façon. Depuis son congédiement de *Clair*, Charles, découragé, avait de nouveau abandonné son roman. Blonblon l'incitait à s'y remettre. « Ça va te remonter le tonus, Charlot. Les belles choses *renforcent l'âme*. Imagine quand c'est toi-même qui les crées! Et puis, aussitôt publié, ton roman va jeter tout le monde par terre, ça, j'en suis sûr. Tu n'auras plus alors qu'à choisir parmi les offres d'emploi, et voilà! »

Charles trouvait ce discours naïf – et outrageusement flatteur. Mais lorsque Lodoïska, d'une voix éteinte par l'émotion, le lui tint à son tour, il fut ébranlé et se demanda, voyant la ferveur de son ancienne amie, si l'amour qu'elle avait eu pour lui ne venait pas de se rallumer. Le manuscrit n'en demeura pas moins enfoui dans une garde-robe, d'où il ne ressortit jamais.

◆

Tout en vaquant à son courrier du cœur, il continuait d'aller de jobines en jobines, cherchant un emploi qui lui redonnerait son ancienne notoriété, mais ne récoltant que refus ou vagues promesses. On aurait dit que quelqu'un avait fait le vide autour de lui. Il essaya de savoir par l'entremise de Jennie si ses déboires venaient bel et bien des machinations de Flingon (ce qui lui paraissait difficilement croyable), mais leur liaison avait créé un froid entre elle et ses parents, qui avaient même songé à lui couper sa pension et refusaient toujours de rencontrer Charles, ce dont il se battait l'œil; Jennie n'apprit rien, à part le fait que, deux semaines plus tôt, lors d'une fête de famille, lorsqu'on avait mentionné le nom de Charles devant le ministre, ce dernier avait mordu tellement fort dans un canapé qu'il s'était presque sectionné le bout de la langue et qu'on avait dû lui faire avaler une gorgée de cognac.

Un soir où Charles se trouvait seul chez lui, allongé dans son bain, le téléphone à portée de la main et pensant à son vieux Bof, il eut l'idée de prendre des nouvelles d'Amélie, qui avait toujours montré beaucoup d'affection pour son chien, malgré sa crainte morbide des allergies; il n'avait pas vu l'ex-femme du notaire depuis près d'un an. La conversation qui s'ensuivit dura plus d'une heure et coûta à Charles beaucoup d'eau chaude; elle lui valut également un autre de ces emplois dont il aurait pu se passer.

Amélie, grande amatrice de produits naturels s'il en fut, s'approvisionnait à une boutique de l'avenue Bernard, où elle laissait une bonne partie de ses revenus. Alain Béland, le propriétaire, l'adorait et désirait resserrer encore davantage les liens qui l'unissaient à sa fidèle cliente. De temps à autre, il lui donnait des échantillons, lui faisait de petites remises, lui prêtait des brochures et des livres sur la naturothérapie et il ne manquait pas de s'extasier, à chacune de ses visites, sur sa bonne mine et le pétillement juvénile de son regard, qu'elle devait, bien entendu, aux nombreux et excellents produits de la boutique.

Un jour, il lui confia qu'il cherchait à devenir l'importateur exclusif d'un jus de fruits tahitien dont on venait de découvrir les extraordinaires propriétés rajeunissantes : le nectar de tao-namomi (*Clorindia citrifolium*), un fruit qui rappelait à la fois la pomme et le citron tout en possédant une certaine parenté avec la betterave. Le litre de nectar de taonamomi se vendait 90 $ et on en recommandait une consommation d'un décilitre par jour. La jeunesse et la santé ont-elles un prix ?

La mise en marché de ce produit miraculeux, que le bouti-quier croyait promis à un succès phénoménal, demandait cependant une préparation minutieuse. Il fallait rédiger une brochure d'environ vingt pages sur le taonamomi et les recherches ardues qui avaient permis de découvrir ses propriétés bienfaisantes. Alain Béland avait contacté un docteur en biochimie d'origine suédoise qui s'était intéressé à la question et l'homme lui avait fait parvenir un volumineux dossier, assez hétéroclite, qu'il fallait vulgariser. Connaissait-elle quelqu'un capable de s'acquitter de cette tâche ? « Oui », avait aussitôt répondu Amélie, et elle s'était lancée dans un vibrant éloge de Charles, que le bou-tiquier connaissait de nom. « Mais, avait-elle aussitôt ajouté, il ne travaillera pas pour des pinottes. » « J'ai l'habitude de bien payer ceux qui travaillent pour moi », avait répondu l'autre avec un petit air suffisant.

— Est-ce que ça t'intéresse, Charles ?

— Tout ce qui peut me sauver de la famine m'intéresse.

— Ça va mal à ce point ? s'était-elle inquiétée. Veux-tu que je te prête de l'argent, Charles ? J'en ai un peu.

— Mais non, chère Amélie, je plaisantais.

Et, pour la rassurer, il lança quelques autres plaisanteries.

Le lendemain matin, à neuf heures tapant, il se présentait à la boutique Æterna. Alain Béland, le regard terne, les yeux bouffis, sirotait une tisane de trèfle biologique, assis derrière son comptoir. Les lendemains de cuite restent des lendemains de cuite, même pour les naturopathes. Les deux hommes se mirent rapidement d'accord et Charles se lança dans le travail. Il ragea pendant huit jours; le sujet était difficile et ses connaissances en biochimie, bien minces. Mais enfin, il parvint à rédiger un texte clair et présentable, qu'il croyait honnête, et alla le porter à Béland. Celui-ci le rappela le lendemain matin, promettant de lui verser le montant convenu, mais à deux conditions:

1. Charles devait permettre l'utilisation de son nom pour la publicité;
2. un passage du texte, un peu faible, devait être modifié.

Il s'agissait d'une courte attestation du biochimiste suédois qui se lisait comme suit:

> De tous les produits naturels que j'ai étudiés et sur lesquels j'ai écrit, le nectar de Taonamomi tahitien[MD] m'apparaît comme le plus intéressant. J'ai l'intention de poursuivre mes études et mes publications sur le Taonamomi tahitien[MD], car la santé des gens a toujours été pour moi d'une importance primordiale.

— Ça manque de punch, fit Béland. Notre biochimiste est trop prudent.

— Oui, mais c'est ce qu'il pense, répondit Charles.

— Il devrait penser autrement.

— Parlez-en à lui, pas à moi!

— Si on change un peu le texte, qui le saura?

— Moi. Vous.

— Et alors?

— Alors on commettrait une supercherie.

— C'est un bien grand mot!

— Et une bien vilaine chose.

— Vous ne semblez pas très bien connaître les exigences du commerce.

— Vous appelez ça du commerce, vous?

— Et vous?

La voix s'était faite menaçante.

— Monsieur Béland, dans trente secondes, nous allons avoir une engueulade. Il y en a, en ce moment, au moins un milliard sur la planète. Pourquoi en rajouter?

— Je suis tout à fait de votre avis. J'ai toujours été pour la paix, moi. Voilà pourquoi je veux m'entendre avec vous.

— Alors, qu'est-ce que vous me proposez?

Béland lui lut alors les quelques phrases qu'il venait de rédiger en remplacement de la citation; elles horrifièrent Charles: le boutiquier poussait le biochimiste dans la zone fangeuse des demi-vérités et des fallacieuses imprécisions. Puis Charles se dit que le savant n'en saurait sans doute jamais rien et qu'il menait un combat inutile qui ne ferait que le priver de son cachet. Mais il pensa ensuite à tous ces pauvres gens qui, encouragés par la citation mensongère, dépenseraient leur argent durement gagné dans l'espoir de guérir ou même de retrouver une seconde jeunesse – et à leur déception probable devant les résultats obtenus. Non, il n'était pas encore arrivé à ce point de lassitude et d'avachissement moral qui fait accepter l'exploitation de ses semblables.

— Vous utiliserez la citation que vous voulez, monsieur Béland, mais je retire mon nom.

— Si vous le retirez, je ne pourrai pas vous verser la rémunération convenue.

— Alors, fourrez-vous-la dans le cul, monsieur Béland. Vous avez sûrement des suppositoires *naturels* pour vous faciliter l'opération.

Et il raccrocha. Pendant dix minutes, frémissant de rage, la nuque tendue et douloureuse, il arpenta la cuisine, cigarette au bec, en marmonnant des imprécations. Huit jours de travail volatilisés dans une discussion stupide! Il sentait comme des coups de baguette sur ses tempes, des bouffées de chaleur lui cuisaient les oreilles, ses yeux étaient devenus secs et brûlants, le mal de bloc allait s'installer.

— Ça ne se passera pas comme ça! hurla-t-il tout à coup.

Il sauta dans un taxi et se fit conduire à la boutique. En l'apercevant, Alain Béland serra les mâchoires et son regard devint de béton. Mais cela ne dura qu'un instant. Ce type-là, se dit-il, était capable de frapper. Trois dames, très élégantes, arrêtées dans une allée, les observaient. L'une d'elles, reconnaissant Charles, lui avait adressé un léger signe de tête. «Nous sommes dans Outremont», pensa Béland. Il fallait éviter à tout prix qu'une bataille souille la réputation de sa boutique!

Un doigt sur les lèvres pour l'inciter au calme, le boutiquier prit Charles à part et lui offrit aussitôt la moitié du montant prévu, puis, devant son indignation, il proposa les trois quarts. Charles exigea des billets de banque, les fourra dans sa poche et sortit. Un sentiment de victoire le remplissait tandis qu'il filait sur le trottoir. Et tout à coup cela devint fade et spongieux, puis s'évanouit. Il n'y avait plus que du vide et une immense tristesse. Sa vie tournait en gibelotte. Que se passait-il? Était-il devenu le spécialiste des culs-de-sac? Au cours de sa jeune carrière, il avait rencontré bien des ratés, les avait plaints, s'en était parfois moqué. Allait-il rejoindre leur troupe?

20

Dix minutes plus tard, il était affalé dans un café, essayant de se repompiner le moral à coups d'espressos, tout en observant la rue, détrempée par un orage durant la nuit et qu'une méchante bise n'arrivait pas à sécher. Les piétons passaient, le regard planté droit devant eux, l'air indifférent, vaguement maussade. Amélie demeurait à deux pas. Il pensa aller la voir, se dit qu'il le devait, mais le courage lui manqua. Il lui enverrait un mot pour la remercier. Après tout, grâce à elle, il venait de gagner sept cent cinquante dollars. Puis il songea tout à coup à la peine que ressentiraient Fernand et Lucie s'ils le voyaient dans cet état. Où trouverait-il donc la force de s'en sortir? Plus rien ne lui réussissait. Quelque chose en lui s'était brisé. Ou alors quelqu'un cherchait à le perdre. Mais qui? Flingon? Niaiseries que tout cela. On n'était pas sous le IIIe Reich. Ce n'était qu'un mauvais vent qui passait. Il fallait rentrer la tête dans les épaules et attendre qu'il s'épuise.

Charles connaissait pourtant quelqu'un qui aurait pu le remettre en selle en un tournemain. Il refusait d'aller le trouver. Par fierté, mais aussi par crainte. On disait Péladeau rancunier. Il ne pardonnait pas la trahison. Peut-être l'homme d'affaires considérait-il son départ pour *Clair* comme une sorte de trahison? Il avait sûrement appris son congédiement de l'hebdo et pourtant il ne lui avait pas fait signe. La seule façon de connaître ses sentiments était de lui parler. Mais son ancien patron pouvait se montrer brutal. Charles se rappelait une de ses colères. Il entendait de nouveau les cris, les grossièretés, les coups de poing sur le bureau. Au bout de quelques minutes, la victime était passée devant lui avec un visage de noyé. « Mais, se dit Charles, Péladeau a toujours eu de l'affection pour moi. » Peut-être un jour, si la malchance ne le lâchait pas, se risquerait-il à frapper de nouveau à sa porte.

Les espressos avaient accompli leur œuvre : sa tristesse fondait, il se sentait un peu plus d'attaque. Afin de se remettre tout à fait d'aplomb, il décida d'aller voir Blonblon à sa boutique. La simple présence de son ami exerçait sur lui une action bienfaisante. Cela avait commencé à la petite école et durait toujours. Sa calme et souriante empathie, ses propos sensés et jusqu'à sa candeur, dont Charles se moquait gentiment parfois, lui faisaient penser à ces longues pluies tièdes qui réveillent les champs et les forêts au printemps. Une heure de conversation avec lui valait une nuit de bon sommeil. À une autre époque, Blonblon aurait imposé les mains aux malades et aux malheureux, entouré de disciples criant au miracle. Que ne le voyait-il pas plus souvent! Mais les choses avaient changé et une femme se trouvait entre eux à présent.

Charles sortit et se dirigea vers la station de métro Laurier. La marche lui ferait du bien. Puis il changea d'idée et, plutôt que de prendre la direction sud pour se rendre à l'avenue du Mont-Royal, où se trouvait la boutique de son ami, il prit le sens opposé et s'arrêta à la station Jean-Talon, l'immense station aux entrailles orange et bleues, où il aimait parfois flâner pour le plaisir des yeux. C'était Steve, bien des années auparavant, qui la lui avait fait découvrir. « Moi, des fois, quand je file tout croche, lui avait-il confié un soir où ils avaient pris quelques bières, je vais là-bas. Tu vas me trouver slomo, mais je pourrais y passer des heures. Oui, je te dis! C'est tellement beau! On dirait qu'on est dans un film de mystère... Et en même temps je me sens comme chez moi – ou comme dans le ventre de ma mère, si tu veux... Il paraît que j'y étais bien. »

Et il l'avait amené sur-le-champ à la station, où ils s'étaient longuement promenés, Charles ayant été conquis à son tour par « le château orange et bleu », comme l'appelait son ami; ils avaient fini par éveiller la méfiance d'un employé du métro, qui les avait interpellés. La réaction de Steve les avait obligés à se déguiser en courant d'air.

Charles était revenu seul à la station quelques semaines plus tard, et l'impression qu'il en avait eue avait été encore plus forte. Il y retournait de temps à autre, dans des moments de vague à l'âme ou lorsque ses trajets l'amenaient à y passer; on aurait pu le voir alors en train de rêvasser, affalé sur un banc ou circulant d'un niveau à l'autre, avec un léger sourire, dans les corridors remplis d'une chaude pénombre.

Ce matin-là, il avait un immense besoin de la station Jean-Talon. Au bout de dix minutes, il s'y trouvait. L'heure d'affluence passée, elle avait retrouvé son atmosphère paisible, qui rappelait vaguement celle d'une église. Charles déambula dans les corridors, tout content de retrouver aussi facilement sa douce extase; des génies invisibles voletaient autour de lui, s'affairant à réparer ses forces. Génies bleus, génies orange, qui faisaient le bien sans demander de retour. Mais cela ne dura qu'un moment. Il sentit bientôt le besoin de se reposer. Après le coup de fouet de la caféine venait la *petite débâcle*, que les médecins appellent hypoglycémie. C'était parfois agréable. Il s'accroupit contre un mur devant un escalier mécanique et ferma les yeux. Le ronronnement de l'escalier l'engourdissait. Une coquille transparente s'était formée autour de lui, où régnait une douce simplicité. Les emmerdements, devenus lointains, existaient à peine. Soudain, un appel étrange, venu de l'intérieur, le fit sursauter. Il ouvrit les yeux. Céline passait devant lui, se dirigeant vers l'escalier mécanique. Il bondit sur ses pieds.

— Céline!

Elle se retourna, eut un mouvement de surprise, puis sourit.

— Qu'est-ce que tu fais ici? demanda-t-elle.

Il s'avança, tout intimidé:

— Je me reposais.

— Drôle d'endroit!

— Je l'aime bien. J'y viens parfois, comme ça, pour rien.

— Ah oui? fit-elle, de plus en plus intriguée.

Ils causèrent quelques minutes. Elle faisait maintenant partie du comité de direction de son syndicat et s'en allait voir un collègue pour discuter d'une affaire qu'elle décrivit brièvement à Charles, mais dont il ne comprit rien. Comme elle était belle! Son visage, devenu pulpeux, avait perdu enfin cette maigreur qui le rendait un peu sévère. Il eut envie de l'inviter à prendre un café, mais n'osa pas. Du reste, elle semblait pressée. Mais elle ne cessait de lui sourire et cela ne paraissait pas être simple politesse. Ils parlèrent de Lucie et de Fernand, puis de son frère, qui devenait de plus en plus sérieux, prenait du poids et travaillait seize heures par jour. Il finirait plus riche qu'eux tous! Elle prit de ses nouvelles mais ne donna guère des siennes. Il mentit avec beaucoup de conviction et exhiba même le rouleau de billets de banque que lui avait remis le boutiquier, puis regretta son geste, vulgaire et prétentieux. Elle regarda sa montre :

— Excuse-moi, on m'attend, fit-elle en le quittant. Appelle-moi un de ces jours, si tu veux.

— Je peux? demanda-t-il naïvement.

Elle s'arrêta et posa sur lui un regard froidement ironique :

— Tout le monde peut m'appeler, voyons.

Et, haussant les épaules, elle s'éloigna à pas rapides.

La gloire qu'apportent les médias possède un grave inconvénient : tant que vous paraissez au petit écran, parlez à la radio ou écrivez dans un journal, tout le monde vous connaît, plusieurs vous envient et l'on vous considère comme une sorte de dieu; mais disparaissez pendant quelque temps et les gens devront faire un effort pour se rappeler votre nom. La gloire qu'apportent les médias est immense et instantanée, mais fragile; si on ne la nourrit pas chaque jour, elle craque et s'amenuise; il n'en reste bientôt plus que des miettes. C'est un privilège de carnassier, qu'on doit défendre avec ses dents. Gare à la vedette aux réflexes un peu mous. Ses concurrents risquent de la dévorer si goulûment qu'on aura peine à en retrouver un lambeau !

Charles faisait la triste expérience de ces réalités et souffrait de nostalgie, cette maladie pourtant réservée aux vieilles personnes. Il en vint à se demander s'il ne devrait pas suivre les conseils de Steve et retourner aux études pour se préparer à une nouvelle carrière. Après tout, mieux valait être un obscur dentiste au revenu confortable qu'un *has been* poursuivi par les factures.

Depuis quelque temps, par goût et conviction, et aussi pour ne pas perdre la main, Charles collaborait à *L'Aut' Journal*, le mensuel souverainiste issu de la gauche, qui, avec ses petits moyens, essayait vaillamment de hâter la venue du Grand Soir. Au journal, on critiquait de plus en plus ouvertement la prudente inertie du Parti québécois et de son émanation, le gouvernement Bouchard. Plutôt que de pourfendre le parti et son chef, et de voir ses hurlements se perdre dans ceux de la meute, Charles s'était tourné vers Ottawa et venait de publier, coup sur coup, deux articles rigolos sur Flingon. C'était d'ailleurs ce qu'on attendait de lui. Dans l'esprit de ses collègues, le ministre et le journaliste formaient une sorte de couple infernal. Flingon était devenu pour Charles sa marque de commerce. Cela n'était pas sans l'agacer. Mais, grâce au ministre, il retrouvait un peu de son ancien succès, dans un cercle de lecteurs, il est vrai, assez limité.

Travailler à *L'Aut' Journal*, c'était presque se consacrer à une œuvre de bienfaisance. La rétribution était principalement constituée de compliments et de la satisfaction de travailler pour une grande cause. Et Charles, malgré le plaisir qu'il avait à retourner à ses anciens combats, se faisait de plus en plus de mauvais sang à propos de ses finances.

Il avait dû s'en ouvrir à Jennie et lui avait exposé un état détaillé de sa situation, qui l'avait plongée dans la stupeur. Vivre au-dessus de ses moyens, lui avait-il dit gravement, c'était se condamner tôt ou tard à n'en plus avoir aucun. Elle lui avait répondu sèchement que n'importe quelle petite sotte savait cela. D'un commun accord, ils avaient alors décidé d'appliquer les tristes mesures des gens à petite vie. Au lieu de souper trois ou quatre fois par semaine au restaurant, ils firent désormais leur popote à la maison. Les cassettes vidéo à deux dollars par jour remplacèrent les billets de cinéma. Les bouteilles de vin de plus de huit dollars restèrent sur les tablettes de la Société des alcools et l'achat d'une auto, ardemment réclamé par Jennie, devint un vague espoir, comme le retour du Messie. Les petites gâteries venaient de plus en plus souvent de Parfait Michaud, de Fernand et de Lucie, qu'on s'était remis à fréquenter avec plus d'assiduité en essayant de se convaincre que la nécessité n'y était pour rien.

Charles s'était plié d'assez bon cœur à cette nouvelle vie, qu'il avait longtemps connue, mais il voyait bien que c'était difficile pour Jennie, et le jour viendrait peut-être, se disait-il parfois, où elle s'en lasserait et se lasserait de lui aussi.

Il cherchait avec rage des façons d'augmenter ses revenus. C'en était devenu une obsession. Un après-midi de juin, il se trouvait dans un autobus filant sur l'avenue Papineau lorsqu'une conversation entre deux femmes attira son attention.

À vrai dire, c'était l'apparence de l'une d'elles, la plus volubile, qui l'avait d'abord intrigué. Il s'agissait d'une petite vieille au visage brunâtre et décharné, perdue dans une robe de coton blanche et turquoise à motifs géométriques. Elle portait des lunettes à monture d'argent, un peu tordues, des souliers plats d'un blanc immaculé et des mi-bas blancs qui laissaient voir ses jambes massives et bosselées, veinées de bleu et de mauve. Des cheveux blancs, raides et très fournis, assez courts, lui faisaient comme une sorte de chapeau d'étoupe. Elle parlait avec une expression à la fois volontaire et hagarde, la bouche arquée vers le bas, changeant constamment de sujet et, tout en parlant, tournait la tête à droite et à gauche, l'œil fureteur, cherchant quelque chose ou quelqu'un qui, semblait-il, ne voulait pas apparaître. Deux ou trois fois, son regard s'était arrêté sur Charles, et il avait cru qu'elle allait s'adresser à lui.

Ses propos remplirent soudain le jeune homme d'une intense curiosité.

— Oui, ma chère, c'est arrivé comme ça vers dix heures ce matin. Il s'est planté devant ma fille et lui a dit : « *Le Journal médical* vient de me crisser à la porte. (*Crisser!* Beau langage pour un journaliste!) Ils trouvent que je fais vieux jeu. Tu parles! J'étais le plus jeune de la boîte! Alors, on arrête les paiements sur le frigidaire et on le retourne au magasin. À moins que ta mère ne s'occupe des paiements. Mais ça me surprendrait en jériboire! Si elle veut pas, t'iras chez Ameublement Elvis t'acheter un frigidaire usagé, mais faut pas que ça dépasse cent piastres. Sinon, je t'avertis, tu vas payer la différence. »

Charles descendit à l'arrêt suivant et se précipita vers une boîte téléphonique. Les bureaux du *Journal médical* se trouvaient rue Marie-Anne, près de De Lorimier. Un taxi passait. Il le héla et, quatre minutes plus tard, il sonnait à la porte d'un immeuble de brique à un étage, d'apparence fort modeste, serré entre deux autres immeubles aussi modestes, et qui faisait penser à un ancien logement d'ouvriers.

Un gros homme à cheveux roux entrebâilla la porte et se penchant vers Charles, malgré qu'ils fussent de la même taille, lui demanda d'une voix basse et très lente :

— Qu'est-ce que vous voulez?

— J'ai entendu dire que vous cherchiez un journaliste. J'en suis un.

L'homme l'observa longuement, d'un air concentré, et avança d'un pas, toujours penché :

— Comment avez-vous appris cela?

— Par hasard.

Puis il ajouta :

— Dans un autobus.

La réponse sembla satisfaire le gros homme; il hocha la tête et continua d'observer Charles, qui commençait à trouver son interlocuteur un peu bizarre.

— Est-ce que vous souffrez de sclérose en plaques? demanda-t-il enfin.

— Moi? Non. Pourquoi?

— Est-ce qu'un ou des membres de votre famille souffrent de sclérose en plaques?

— Non plus.

— Est-ce que vous avez déjà passé un examen pour vous assurer que vous ne souffrez pas...

— Ça va, l'interrompit Charles. J'en ai assez. Cherchez-vous quelqu'un d'autre.

Et il lui tourna le dos.

— Mais qui dit que je vous aurais engagé ? lança l'homme sur un ton moqueur.

C'en était trop. Une puissance mauvaise s'acharnait sur lui. Ne pourrait-il donc jamais dénicher un emploi qui lui permettrait de vivre de sa plume honorablement ? Était-il condamné aux emplois minables ou mal payés ? La Chance n'aurait-elle passé qu'une fois dans sa vie ?

Il marchait à grands pas, changeant de rue à tout moment, sans savoir où il allait, et se retrouva bientôt devant la taverne Laperrière, coin Mont-Royal et De Lorimier. Il décida d'aller y prendre une bière. Cela le calmerait, lui éclaircirait un peu l'esprit.

En mettant le pied dans l'établissement, il aperçut deux hommes ivres attablés devant lui, hilares, le visage très rouge. Le plus grand, la joue marquée d'une curieuse balafre en forme de V, avait le bras tendu vers son compagnon qui riait aux éclats :

— Que c'est qu'on doit dire ? *Ton* trou de cul ? Le trou de *ton* cul ? Ton trou *du* cul ? Hein ? Qu'est-ce que t'en penses ?

Charles, écœuré, tourna le dos une seconde fois et décida de se rendre à la boutique de Blonblon, située à quelques rues.

Blonblon était seul et sut trouver les mots qu'il fallait.

— Mais non, mais non, mon pauvre Charles, sois patient, tu vas finir par trouver ce que tu cherches, tu as tellement de talent ! Tout le monde passe par des séries noires, voyons... Pense à la mienne... Est-ce qu'on pouvait descendre plus bas, à moins de mourir ? Eh bien, regarde-moi, à présent... Je suis heureux, mes affaires vont bien, il ne me manque plus que des enfants pour avoir tout ce que je désire, mais ça viendra peut-être bientôt, on ne sait jamais...

Charles se vida le cœur pendant une vingtaine de minutes, interrompu de temps à autre par l'arrivée d'un client. Blonblon l'écoutait, le regard intense, approuvant d'un hochement de tête, grimaçant, laissant échapper un rire, se désolant. À midi, ils quittèrent la boutique et Blonblon invita son ami à La Binerie. Charles trouva la tourtière meilleure que jamais et le pouding-chômeur lui rappela celui que préparait autrefois Alice – à moins que ce ne fût celui de Lucie. L'estomac bien lesté, ils retournèrent à La Vieille Armoire et Charles, pour se changer les idées, décida de décaper une commode. Quand il quitta Blonblon vers la fin de l'après-midi, son sourire était revenu.

Il avait un pressant besoin à présent de voir Jennie. À cette heure, elle était sans doute revenue chez elle. Il décida de s'y rendre sur-le-champ, sans lui téléphoner, pour lui faire une surprise.

Elle l'accueillit avec un air un peu bizarre, mélange de joie et d'appréhension. Il lui demanda si tout allait bien, s'il ne la dérangeait pas dans son travail.

— Oui, oui... Non, non... répondit-elle avec un rire nerveux.

— J'ai le goût de faire l'amour, déclara Charles, et il se mit à la caresser.

Elle se dégagea bientôt de son étreinte. Il la regardait, étonné, déçu.

— Charles, lui dit-elle en prenant sa main, j'ai une nouvelle à t'apprendre. J'espère qu'elle va te faire plaisir. Je ne suis même pas sûre qu'elle me fait plaisir à moi.

Il continuait de la regarder, franchement inquiet cette fois.

— Je suis enceinte, Charles.

◈

Le mois de juillet 1996 fut marqué par une canicule à enlever le goût de manger, par un déluge dévastateur au Saguenay et par un épisode dramatique dans la vie de Fernand Fafard, épisode dans lequel l'ananas joua un rôle inusité. Charles voulut profiter du déluge pour relancer sa carrière, mais se retrouva, pourrait-on dire, le bec à l'eau. En revanche, la canicule, par l'intermédaire d'un chien, se montra pour lui d'un grand secours.

Le 19 juillet, des pluies torrentielles s'abattirent sur la région du Saguenay. La mauvaise gestion des barrages privés et publics transforma cet événement banal en désastre. À 2 h 45 cette nuit-là, on dut évacuer un premier groupe de cent cinquante personnes à La Baie. Quarante-huit heures plus tard, le cataclysme avait fait dix morts, détruit cinq cents maisons, emporté des ponts, arraché des tronçons de routes et forcé l'évacuation de quinze mille huit cents personnes, dont le quart allaient se retrouver dans la rue. Des dizaines de municipalités se voyaient privées d'électricité, de téléphone et d'eau potable.

Un formidable élan de solidarité répondit à ce malheur. Les secours affluèrent de toutes les régions du Québec et du Canada, et même des États-Unis. Le premier ministre Bouchard interrompit ses vacances pour se rendre sur les lieux et promit, utilisant une image de circonstance, de « remettre la région à flot ». L'armée arriva au pas de course, vivant exemple des avantages que comportait l'appartenance canadienne, même pour une région qui avait voté massivement Oui au référendum. Dans les mois qui suivirent, le premier ministre du Canada, surnommé Flabotte, y reviendrait un nombre incalculable de fois. Un chroniqueur du *Ottawa Sun*, moins subtil, déclarerait que le déluge était peut-être « un message de Dieu aux séparatistes ».

Ce 19 juillet, Charles, comme tout le monde, avait suivi les événements à la télévision, puis s'était plongé le lendemain matin dans la lecture des journaux. L'ampleur de la catastrophe l'avait commotionné. Il voulut jouer un rôle, si modeste fût-il, dans ce drame géant. Mais comment? Ah! s'il avait pu obtenir une affectation de reporter! Cela lui aurait permis de se rendre utile aux autres – tout en le mettant lui-même en vedette. Il se promenait dans sa cuisine, cigarette à la main, avalant café sur café, et soudain sa décision fut prise et il sauta sur le téléphone. L'instant d'après, il parlait à la secrétaire de Pierre Péladeau. L'homme d'affaires, lui apprit-elle, se trouvait encore à cette heure à sa résidence de Sainte-Adèle, où il recevait des amis. À force de charme et d'insistance, Charles parvint à lui arracher le numéro de téléphone de Péladeau et quelques minutes plus tard, les mains poisseuses, le cœur dans la gorge, il parlait enfin à son ancien patron.

— Tiens! salut, mon Charles, s'exclama ce dernier, nullement ennuyé, semblait-il, par son appel. Ça fait une mèche que je n'ai pas eu de tes nouvelles, mon garçon! Qui t'a donné mon numéro?

— Votre secrétaire, monsieur Péladeau.

— Eh bien, si elle a accepté, c'est que t'avais une bonne raison de me parler. Qu'est-ce que je peux faire pour toi?

— Je vous téléphone au sujet de la catastrophe du Saguenay.

— J'écoute.

— J'aimerais beaucoup, monsieur Péladeau, aller en reportage là-bas. Je pense que je pourrais sortir un très bon papier. Est-ce que vous pourriez m'affecter? Je sais évidemment que...

Il s'arrêta, sachant que rien de ce qu'il ajouterait ne pouvait lui être utile et que cela pouvait au contraire le desservir, Pierre Péladeau détestant verbiage et pertes de temps. Le silence s'était fait au bout du fil. Charles entendit une voix crier au loin: «C'est prêt, monsieur Péladeau!» Le financier s'éclaircit longuement la gorge, puis:

— C'est que j'ai déjà trois journalistes là-bas, tu comprends... et trois photographes. Et puis, tu ne travailles plus pour moi, mon Charles... C'est très embêtant. Désolé. Je voudrais bien, mais je ne peux pas. Bonne chance.

Et il raccrocha.

21

À quelque temps de là, un midi, Charles avançait lentement dans la rue Notre-Dame, au cœur du Vieux-Montréal, après être allé offrir ses services à une revue de décoration qui cherchait un reporter pour du « général ». Depuis une semaine sévissait cette chaleur humide qui, depuis quelques années, transformait les étés montréalais en châtiment, comme si les rigueurs de l'hiver n'avaient pas fait expier suffisamment de péchés. Le souffle court, les vêtements trempés de sueur, ses idées devenues de confuses vapeurs, cherchant le moindre coin d'ombre afin de se soustraire un instant au soleil féroce qui lui cuisait l'occiput, il se traînait plus qu'il ne marchait, comme s'il avait eu à mouvoir dix corps et vingt jambes, en proie à un dégoût total pour l'existence qui lui donnait envie de se laisser glisser le long d'un mur jusqu'au trottoir et d'attendre que la canicule l'intègre peu à peu au béton.

Il se dirigeait vers le métro Place d'Armes afin de se rendre chez lui pour dormir une heure ou deux avant de se lancer dans la rédaction de son courrier du cœur, qu'il tenait toujours. Pour raccourcir son trajet, il traversait le stationnement qui fait une horrible trouée entre les rues Notre-Dame et Saint-Jacques, non loin des bureaux de *La Presse*, avançant pas à pas entre les carcasses d'auto brûlantes, lorsqu'un faible gémissement lui parvint. Il s'arrêta, regarda à ses pieds, puis dans l'auto qui se trouvait à sa gauche et enfin dans celle de droite.

Un cri lui échappa. Affalé sur la banquette arrière, la gueule béante, l'œil renversé, un petit bouledogue noir allait rendre l'âme dans sa fournaise. Charles, horrifié, regarda autour de lui, cherchant de l'aide, et ne vit personne. Il fallait faire vite ; il était peut-être même trop tard.

— Mon Dieu, mon Dieu, marmonna-t-il, c'est épouvantable...

Il secoua les quatre portières, l'une après l'autre ; elles étaient verrouillées. La glace de l'une d'elles laissait voir un interstice ; il réussit à y introduire deux doigts et tenta de l'abaisser. Peine perdue. Alors, avisant tout à coup un gros fragment de béton au fond du terrain, il courut le prendre et s'attaqua à une glace arrière, qui vola bientôt en éclats. Il se précipita dans l'auto et venait de s'emparer du chien lorsqu'une main le saisit par sa chemise et le tira violemment en arrière.

— Que c'est que tu fais là, mon bonhomme ? hurla un gros policier rubicond, la casquette de travers.

— Je sauve un chien, monsieur ! Il était en train de mourir de chaleur dans l'auto.

Le policier tenait maintenant Charles par un bras.

— C'est à toi, l'auto ?

— Non. Laissez-moi. Il faut que je m'occupe de cette bête, sinon elle va crever.

Le policier abaissa son regard et fixa le chien inerte, qui haletait faiblement, couché sur le dos dans les bras de son sauveteur. Puis, visiblement embarrassé, il le ramena sur Charles ; une grosse goutte de sueur tomba du bout de son nez rond et se perdit dans la poussière de l'asphalte.

— C'est bien beau, tout ça, déclara-t-il sans conviction, mais t'as quand même pas le droit d'endommager le bien d'autrui, mon ami.

S'arrachant soudain à son étreinte, Charles se mit à courir entre les autos, le chien toujours dans les bras, poursuivi par le policier, que son embonpoint ralentissait considérablement.

— Vous m'arrêterez plus tard, lança-t-il d'une voix haletante, il faut d'abord que je m'occupe du chien !

En l'apercevant, un piéton s'arrêta net, voulut lui bloquer le passage et récolta un coup de genou sur une cuisse qui lui arracha un cri.

— Au voleur ! fit-il d'une voix mourante, plié en deux, massant sa jambe endolorie, tandis que Charles faisait irruption dans le restaurant La Vieille France, qui jouxtait le stationnement; l'établissement était bondé de clients. La quinquagénaire très fardée qui officiait à la caisse enveloppa Charles d'un regard éberlué.

— Vite, madame! un bol d'eau et un bout de chiffon! Ce chien est en train de mourir de déshydratation. Pouvez-vous me tirer une chaise, là, dans ce coin, pour que je m'occupe de lui?

La caissière s'avança, la mine apitoyée, tandis que plusieurs têtes se tournaient vers eux dans la salle devenue silencieuse:

— C'est votre chien?

— Non. Oui. Peu importe. Vite, de l'eau! S'il vous plaît! Vous voyez bien que je ne suis pas un malfaiteur, lança-t-il au policier qui venait d'apparaître dans la porte, tout en nage. Est-ce que les malfaiteurs vont se cacher dans les restaurants, dites-moi?

Le bouledogue, qui revenait un peu à lui, poussa un faible jappement et tenta de se dégager des bras de Charles, mais les forces lui manquaient. Un grand homme en costume trois-pièces, les cheveux noirs lissés vers l'arrière, une épingle d'or à la cravate, s'approcha, les sourcils froncés, avec un air d'autorité:

— Qu'est-ce qui se passe, Louise? demanda-t-il à la caissière.

Elle leva les bras en signe d'ignorance. Charles et le policier voulurent simultanément lui fournir des explications; cela ne fit qu'augmenter la confusion. Une serveuse en coiffe, jeune et toute menue, apparut soudain avec un bol d'eau et une guenille devant Charles. Celui-ci, laissant là son plaidoyer et tenant le bouledogue d'une main, saisit la guenille et la plongea dans le bol; puis, s'assoyant sur la chaise qu'on venait de poser derrière lui dans un coin, il pressa légèrement le chiffon au-dessus de la gueule du chien et laissa tomber quelques gouttes.

L'homme en habit trois-pièces, manifestement le propriétaire et Français de surcroît, toisa le policier avec un sourire sarcastique, le bras tendu vers Charles:

— Si vous me permettez d'avoir une opinion, monsieur l'agent, ce jeune homme ne ressemble pas beaucoup à un cambrioleur. Les cambrioleurs ne soignent pas les chiens. Ils cambriolent.

— Ça m'est égal. Je dois suivre les règlements. Il a brisé une vitre d'auto. C'est une effraction, ça, monsieur. Je suis obligé de l'amener au poste. Qu'est-ce qui me prouve qu'il ne joue pas la comédie ? Hein ?

Et il s'avança vers Charles, l'air menaçant. Ce dernier leva les yeux vers lui et prit soudain la mesure du pétrin dans lequel il s'était fourré.

C'est alors que se produisit un renversement de situation.

On venait de décrire à un client attablé au fond de la salle la scène qui se déroulait à l'entrée. Il se dressa debout, livide, en lançant un « Mon Dieu ! » éclatant comme un coup de trompette et traversa le restaurant au pas de course.

— César ! lança-t-il en apercevant le bouledogue. Seigneur ! Où est-ce que j'avais la tête ?

C'était un homme trapu, au milieu de la trentaine et qui, malgré un front dégarni, de grosses lunettes et des joues un peu trop pleines, avait conservé une allure d'étudiant fort en thème ou de jeune pasteur fraîchement consacré. Charles reconnut aussitôt le député péquiste Normand Francœur, qui représentait depuis sept ans la circonscription de Saint-Henri.

Le député se précipita sur son chien, que Charles désaltérait toujours, l'arracha de ses bras et se mit à l'embrasser avec une fougue qui provoqua des sourires chez les hommes et fit lever des soupirs attendris chez les femmes.

— Comment vas-tu, mon p'tit pitou ? Pauv' 'tite poupoute qui était en train de cuire dans l'auto... Là, là, ça va mieux, non ?

La vue de son maître avait ragaillardi le bouledogue, qui agita faiblement sa queue minuscule.

— Papa t'avait oublié, continua l'homme, papa est un sans-cœur qui ne mérite pas un beau chienchien comme toi... Oui, c'est ça, lèche la main de ton papa, lèche-la tant que tu veux...

Il s'arrêta tout à coup, abaissa son regard vers Charles, toujours assis et qui contemplait la scène, ravi.

— Excusez-moi, monsieur, je suis le propriétaire.

Puis, s'adressant au policier, il répéta :

— Je suis le propriétaire de ce chien.

Revenant ensuite à Charles :

— C'est donc vous qui...

— Oui, c'est moi... Mais j'ai dû briser une glace de votre auto. Je n'avais pas le choix. Sinon, il crevait.

— Je l'ai surpris pendant qu'il essayait de s'introduire dans votre auto, répéta le policier pour la forme. Alors, vous comprenez, la loi m'obligeait...

— Ce n'est rien, ça, ce n'est rien du tout. Vous avez fait votre devoir. Je vous en remercie.

Puis s'approchant de Charles, il voulut lui serrer la main, mais le chien dans ses bras l'embarrassait et il ne parvint qu'à lui frôler le bout des doigts :

— Ah! monsieur, vous ne savez pas ce que je vous dois... Ce chien, c'est ma vie, c'est mon... Merci de tout mon cœur... Je...

Il s'arrêta soudain, fixant Charles avec stupéfaction :

— Mais... Mais... je vous connais, vous... N'êtes-vous pas...

— Charles Thibodeau, oui, compléta le jeune homme avec un contentement indicible. Et vous, si je ne me trompe, vous êtes Normand Francœur, le député de Saint-Henri?

L'homme, caressant toujours son bouledogue, acquiesça d'un signe de tête, flatté autant que son interlocuteur d'avoir été reconnu, puis s'avançant vers le policier, qui se cherchait visiblement une sortie de scène :

— Tout va bien, monsieur l'agent, fit-il avec un grand sourire. Je tiens à vous féliciter pour votre vigilance. Vous n'êtes pas sans savoir que monsieur Thibodeau est journaliste – et excellent, à part ça; il vient de me rendre un service dont je lui serai redevable toute ma vie, n'est-ce pas, César?

— Bien, grogna le policier. Bonne journée à tout le monde.

Et il sortit.

L'homme en costume trois-pièces, ne se voyant plus de rôle à jouer, était parti à la cuisine, la caissière était retournée à sa caisse et un brouhaha familier remplissait de nouveau la salle.

César fit quelques pas hésitants devant son maître, puis se dirigea vers le bol que Charles avait déposé sur le plancher et se mit à laper.

— Merci encore une fois, monsieur Thibodeau, merci du fond du cœur. Est-ce que vous avez une carte?

— Je les ai oubliées chez moi, mentit Charles. Mais, si vous le désirez, je peux vous laisser mes coordonnées sur un bout de papier.

Et il fouilla dans sa poche.

— Tenez, inscrivez-les sur cette carte-ci, lui proposa le député. Je vous en donne deux. Conservez l'autre. Si jamais je peux vous être utile en quoi que ce soit, n'hésitez pas à m'appeler. Et je n'utilise pas ici une formule de politesse, croyez-moi.

Si cette journée avait été marquante pour Charles (et beaucoup plus qu'il ne s'en rendit compte sur le coup), elle ne l'avait pas moins été pour Fernand Fafard. Quand Charles et Jennie se présentèrent chez lui ce soir-là, il avait une histoire assez curieuse à leur raconter.

Un arôme sucré embaumait la maison. En entrant dans la cuisine, ils virent un immense chaudron où mijotait de la confiture.

— Tu fais de la confiture par une chaleur pareille? s'étonna Charles.

— De la confiture d'ananas, précisa Lucie.

— D'ananas? Plutôt rare, ça. Je ne me rappelle pas que tu en aies jamais fait.

— C'est la première fois, en effet. Et je vous en réserve quelques pots.

Au milieu de la table trônait un grand compotier de cristal rempli d'une salade d'ananas et de framboises et, près de la dépense, Jennie aperçut une boîte de carton qui contenait une bonne douzaine d'ananas.

— Que se passe-t-il? demanda Charles. Est-ce que vous venez d'entrer dans une secte d'ananophiles?

— Fernand te racontera, répondit Lucie avec un sourire énigmatique.

— Où est-il?

— Il se lève. Son après-midi l'a un peu fatigué.

Il y eut un léger grincement de porte, puis un bruit de pas familier, et le quincaillier apparut avec un bras en écharpe et une mine triomphante. Il venait, annonça-t-il, d'accomplir un exploit. Son courage et sa vigueur étonnante, compte tenu de ses soixante-huit ans, allaient bientôt être immortalisés dans le journal du quartier.

— Et avec photo, ajouta Lucie en caressant le crâne de son mari, qui semblait alors briller d'un éclat particulier.

◈

Vers le milieu de l'après-midi, il s'était rendu à la Fruiterie Dumoulin acheter des citrons, car sa femme avait décidé, en prévision de la visite de Charles et de Jennie, de confectionner sa fameuse tarte garnie de meringue. La fruiterie venait d'être rachetée par un couple de Vietnamiens dans la quarantaine, souriants, affairés et courtois, qui ramaient comme des galériens pour pénétrer les mystères de la langue française.

La chaleur écrasante faisait régner dans la boutique – comme dans tout Montréal – une sorte de torpeur qui donnait aux pauvres citadins l'impression de vivre dans l'irréel. Debout devant l'étalage des citrons, Fernand manipulait lentement les fruits, la main molle, l'œil ensommeillé, essayant de ne pas penser au trajet du retour qui serait aussi pénible que l'aller. À côté des citrons, on avait disposé des rangées de gros ananas ; avec leurs touffes de feuilles en panache, ils faisaient vaguement penser à des guerriers barbares.

Fernand se trouvait à deux pas de la caisse et, derrière celle-ci, un sourire stoïque aux lèvres, se tenait madame Nguyen en train de remettre la monnaie à une vieille dame qui se plaignait de la chaleur. Elle n'était pas la première et ne serait pas la dernière, mais madame Nguyen écoutait ses récriminations avec la même compassion attentive que si la canicule venait de débuter.

Soudain, la porte claqua et un homme fit irruption dans la boutique. Il était difficile de déterminer son âge, car il s'était enfilé un bas de nylon sur la tête. Il tenait à la main un revolver. Sa main tremblait.

— Haut les mains ! Que personne ne bouge ! cria-t-il d'une voix enrouée et sans doute contrefaite.

La fameuse phrase, lancée si souvent dans les films, sonnait d'une façon théâtrale, comme si l'individu jouait dans un sketch.

Il se dirigea droit vers la caisse et se planta devant madame Nguyen, qui, statufiée, le fixait avec un étrange petit sourire crispé :

— *Envoye ! vide ton cash, la Chinoèse*, et plus vite que ça ! Que c'est que t'attends ? s'impatienta-t-il en voyant qu'elle ne bougeait pas.

La vieille cliente que madame Nguyen écoutait s'était reculée de trois pas, et, appuyée contre un étalage de pommes rouge vif et très luisantes, l'œil chaviré, elle se laissait glisser doucement vers le plancher. Monsieur Nguyen, debout dans la porte de l'entrepôt, observait la scène, statufié lui aussi, et paraissait plus chétif que jamais.

Fernand Fafard, toujours en face de ses citrons, se trouvait à droite du voleur, dont il n'était séparé que par environ un mètre ; la tête légèrement tournée, il l'observait du coin de l'œil. Madame Nguyen venait d'ouvrir son tiroir-caisse et déposait lentement sur le comptoir de petites liasses de billets de banque que l'homme au revolver, par gestes spasmodiques, glissait dans un sac de toile gris.

Soudain, Fernand, après un choix minutieux, saisit par sa touffe de feuilles un ananas particulièrement corpulent et, pivotant sur lui-même, l'écrasa avec une telle force sur la tête du voleur que le fruit se fendit en deux; l'homme s'écroula sur le plancher. Étendu sur le dos, il fixait le plafond d'un œil réprobateur, comme si le coup était parti de là; mais il n'aurait su faire la différence entre un plafond et une locomotive.

En attendant l'arrivée de la police, monsieur Nguyen servit un café très fort au quincaillier qui, à présent, se sentait le mollet un peu mou et ne parlait plus qu'à voix basse. Cela ne dura que trois minutes. Bientôt, il fut en mesure de faire un compte rendu des plus colorés aux forces de l'ordre, sous l'œil émerveillé des Vietnamiens qui, les mains jointes et sans presque rien comprendre de ce qu'il disait, l'approuvaient par de nombreux hochements de tête.

On avait ranimé la vieille dame, que son gendre était venu chercher; le bandit était parti en civière, l'esprit toujours dans un autre monde, et Victor, le fils des fruitiers, de retour d'une course, avait nettoyé le plancher, puis demandé à Fernand de lui raconter l'affaire dans ses moindres détails, l'interrompant à tout moment par des questions; il écrivait dans un journal étudiant et venait de trouver là de la succulente matière pour un reportage qu'il ferait paraître en septembre.

Tout en terminant son café, Fernand eut le malheur de dire que l'ananas était son fruit favori. Monsieur Nguyen lui offrit alors tous les ananas de son magasin (il y en avait soixante-dix-huit) et, avec force gesticulations, déclara qu'il se trancherait les poignets (ou quelque autre partie du corps) si son bienfaiteur ne les emportait pas avec lui illico.

— Mais c'est trop, c'est trop, c'est beaucoup trop! ne cessait de protester Fernand. Que voulez-vous que je fasse de tous ces ananas?

— Confiture, très très bon, lui répondit madame Nguyen avec un sourire impératif.

— Prenez-les donc, monsieur Fafard, intervint Victor, ça va leur faire tellement plaisir... Vous en donnerez à vos amis.

Et Fernand, monté dans la camionnette de la fruiterie, revint à la maison avec sa montagne d'ananas et deux citrons.

— Mais pourquoi ce bras en écharpe? demanda Jennie. Vous avez glissé sur de la purée d'ananas ou quoi?

— J'ai l'impression qu'en assommant mon voleur, je me suis déboîté l'épaule. Sur le coup, je n'ai rien senti. Ç'a commencé à me faire mal seulement à mon retour à la maison.

— Il a beau jouer au jeune homme, le taquina Lucie, c'est un vieux, à présent!

Elle ne croyait pas si bien dire. Son entorse, mal soignée, tournerait en bursite, puis en capsulite et il perdrait en partie l'usage de son bras. Fini les déménagements de voisins, les efforts violents et les longs travaux manuels. L'âge, qu'il avait nargué si longtemps, venait sournoisement de le rattraper.

La remarque un peu cruelle mais réaliste de Lucie sur le vieillissement de son mari aurait pu s'accompagner d'une autre, qu'elle n'avait osé faire, car celle-ci concernait Charles et Jennie et aurait causé un profond malaise. Le couple qu'ils formaient lui donnait l'impression d'avoir vieilli lui aussi, et en bien peu de temps. Ce n'était pas le vieillissement auquel tout le monde aspire et qui apporte la maturité et une compréhension plus profonde entre deux êtres, mais le mauvais, celui causé par l'usure et l'éloignement graduel. Cela paraissait à peine, mais son œil averti l'avait détecté : plus de ces caresses spontanées et comme inconscientes que les amoureux se font devant les autres pour manifester leur passion, plus de tendres regards de connivence échangés à tout propos mais, au contraire, une sorte d'absence à l'autre, une gaieté de commande, l'air de se trouver ensemble davantage par habitude que par amour et, parfois, un léger signe d'agacement, vite réprimé, devant une remarque ou une réaction de l'autre.

Et, effectivement, Charles et Jennie, avant de se rendre chez les Fafard, avaient eu une querelle, et même deux. La première avait porté sur le sauvetage du chien durant l'avant-midi et ne tirait guère à conséquence. Jennie avait trouvé la conduite de Charles ridicule. Elle n'aurait sûrement pas risqué une arrestation pour sauver un bouledogue sur le point de rendre l'âme et qui l'avait d'ailleurs peut-être rendue au moment où ils se parlaient. Son attitude avait horrifié Charles; il n'arrivait toujours pas à concevoir qu'on ne partage pas son adoration pour les chiens; il avait critiqué sa maîtresse pour l'insensibilité qu'elle manifestait à l'égard de la souffrance et le peu de respect qu'elle semblait éprouver pour la vie.

— Un chien, une souris – un faucheux, même – sont exactement comme nous autres, ma fille : ils n'ont qu'une vie à vivre. Et cette vie est aussi importante pour eux que la nôtre l'est pour nous. Il faut savoir se mettre à leur place. Sinon, on ne comprend rien à l'univers.

Jennie s'était contentée de ricaner. Il avait haussé les épaules et arrêté là sa démonstration philosophique. Après tout, on ne pouvait raisonnablement demander à quelqu'un d'être d'accord avec soi *sur tout*, n'est-ce pas? Jennie n'aimait pas les chiens? Il continuerait de les aimer sans elle. Et il avait clos la discussion en lui donnant une petite tape sur une fesse, suivie d'un baiser.

La deuxième querelle avait suivi presque aussitôt et n'était pas sans relation avec la première. En demandant à Jennie de l'accompagner ce soir-là chez Fernand et Lucie, Charles aurait souhaité leur annoncer la grossesse de son amie. Elle avait refusé tout net.

— Pourquoi? s'était-il étonné, mécontent.

— Parce que je ne me sens pas prête.

— Tôt ou tard, il faudra bien que tu l'annonces, Jennie... à moins que... à moins que tu ne veuilles pas garder ton enfant... Tu veux te faire avorter?

Elle avait détourné les yeux :

— Je n'ai pas dit ça. Je veux m'habituer à l'idée, c'est tout. Quand j'y serai habituée, on pourra en parler.

— Tu es enceinte depuis deux mois et ton idée, comme tu dis, n'est pas encore faite?

— Tu ne comprends rien à ce genre de choses. Comme tous les hommes. Devant ce genre de choses, vous êtes tous stupides.

— D'accord, admettons que je le sois. Admettons que tous les hommes le soient. J'aimerais bien alors que tu expliques au stupide qui est devant toi pourquoi la charmante jeune femme qui se trouve devant moi voulait à tout prix un enfant il y a à peine cinq mois.

— Je ne sais pas, Charles... je ne sais pas.

Et les larmes lui vinrent aux yeux.

— Je ne réalisais peut-être pas les conséquences... tous les changements que cela apporterait à ma vie...

— À *notre* vie...

— À notre vie? Parlons-en! On ne vit même pas ensemble! Tu as un appartement, j'ai le mien, et on se rend des visites, plus ou moins souvent... Beau couple!... Et puis, il me reste encore deux ans d'études, Charles, le réalises-tu?... sans compter les examens du Barreau... Et je ne te parle pas de la réaction de mes parents...

— Évidemment, si tu étais majeure, lança Charles avec une froide ironie, cela changerait tout.

— Ne plaisante pas, Charles, ce n'est pas le moment, vraiment pas le moment!

Et elle se jeta dans ses bras en pleurant.

Il essaya de la consoler par des caresses et des mots tendres, mais la conviction lui manquait. Une sourde inquiétude s'était mise à le ronger. Le problème ne résidait peut-être pas dans l'enfant, mais dans le père. Il n'était peut-être plus le père qu'elle aurait souhaité pour son enfant. Mais cette question, il n'eut pas le courage de la lui poser.

— Charles, lui disait-elle, je le veux, ce petit bébé, je te le jure… Est-ce que tu me crois?… Mais ce soir il me fait peur, il me fait tellement peur, si tu savais!

— Tu parles comme une fille-mère… Tu parles comme si je n'étais pas là.

— Non, ce n'est pas ça, je t'assure… Il faut que tu me croies, Charles… Je ne comprends pas ma réaction… C'est peut-être une peur de femme qui va avoir son premier enfant… Est-ce que je sais, moi?

— Alors là, fit Charles, découragé, je crains fort de ne jamais pouvoir t'aider avec mon *vécu*, comme disent les psys… Tiens, pourquoi n'irais-tu pas parler de tout ça avec ta tante Gisèle? Vous êtes tellement amies… Elle a trois enfants. Pour les avoir, il a bien fallu qu'elle en fasse d'abord un premier… Peut-être qu'elle saura trouver les mots qui… enfin, je ne sais pas, moi…

Jennie s'était calmée. Elle s'essuya les yeux avec le bout de ses doigts, prit une grande inspiration, sourit faiblement :

— Tu as raison, fit-elle en l'embrassant. Tu as toujours raison, même si tu es stupide comme un homme. J'irai la voir demain.

Cette dernière phrase avait scellé leur réconciliation. Mais elle n'avait évidemment rien réglé, et Lucie s'en était bien aperçue.

22

Le mois d'août arriva. Malgré la maigreur de leurs finances, Charles et Jennie décidèrent d'aller passer dix jours au bord de la mer à Ogunquit, dans le Maine. Sous le soleil et le vent du large, leurs soucis s'évaporèrent; une bulle se forma, ils y entrèrent et eurent l'impression de se retrouver au début de leurs amours.

En leur absence, Blonblon devint un homme riche, ou presque, et le ministre Flingon, invité par une association patriotique du West Island, prononça un discours fameux dont ses partisans dirent qu'il assoyait sur des bases indestructibles la doctrine de l'unité canadienne.

Jennie prit l'habitude de téléphoner tous les deux jours à ses parents. C'était une façon, disait-elle, de les préparer à la Grande Nouvelle. Ils avaient loué une chambre dans un motel tout à fait convenable à un demi-kilomètre de la mer et passaient une bonne partie de leurs journées à la plage, se baignant ou lisant sous un parasol. La grossesse de Jennie n'était pas encore visible et, à la grande fierté de Charles, chacune de ses apparitions en maillot de bain causait une petite sensation chez les baigneurs. Certains lui adressaient des sourires équivoques; en l'absence de Charles, un gringalet à cigare et montre en or lui fit même des avances explicites auxquelles Jennie répondit par un éclat de rire. Charles pavoisait. Le fils du bon à rien n'était quand même pas si mal, après tout, pour dégoter des belles femmes. Il se demanda si sa mère aurait aimé Jennie. Cette dernière l'aurait sûrement beaucoup intimidée.

Leur chambre comportait une cuisinette; par souci d'économie, ils y préparaient presque tous leurs repas. Ils faisaient l'amour comme au début de leur relation, c'est-à-dire à tout moment du jour et de la nuit. Cela finit par agacer un couple de vieux Américains venus soigner leur arthrite au soleil; ils s'en plaignirent au patron, qui leur conseilla d'imiter leurs voisins; ainsi, le bruit annulerait le bruit.

Steve leur avait très gentiment prêté son automobile, une Ford 1982 dont les pièces ne tenaient ensemble que par habitude. Charles craignait de la voir trépasser. Mais, comme si elle se savait indispensable, la Ford ronchonnait, crachotait, se tordait parfois dans de violentes convulsions, mais durait.

Le cinquième jour, Charles et Jennie décidèrent d'aller visiter les alentours. N'eût été la présence de la mer et l'étonnement que suscitaient parfois chez eux le comportement des Américains et leurs habitudes vestimentaires, la région leur aurait paru bien banale. Ils se trouvaient dans le royaume du *clam chowder* et Charles, qui en raffolait, s'arrêta quatre fois ce jour-là pour en manger. La quatrième dégustation eut lieu au début de la soirée au Billy's Chowder House à Wells Beach. C'était une immense salle aux allures de cantine où flottait une prenante odeur de friture. Leur table se trouvait près des cuisines et par la porte, qui ne cessait de battre, on apercevait, parmi des volutes de vapeur et de fumée et le va-et-vient du personnel, des comptoirs en inox chargés de vaisselle et d'aliments et une rangée d'éviers devant lesquels s'affairaient des plongeurs dans une ambiance qui tenait de l'usine et de la salle d'urgence. L'un des plongeurs, petit, malingre et comme séché, se tourna tout à coup vers la salle, tandis que la porte restait ouverte pour laisser passer un chariot; Charles crut reconnaître son père, qui le fixait.

Il était fort improbable que ce fût lui. Mais, au grand étonnement de Jennie, Charles demanda aussitôt qu'on les change de table, prétextant que le bruit de la cuisine l'incommodait, termina sa chaudrée en trois coups de cuillère, paya et sortit. Assise à ses côtés dans l'auto qui filait vers Ogunquit, Jennie l'observait, pensif et morose, les mains crispées sur le volant.

— Qu'est-ce qui s'est passé, Charles?

Il hésita un moment, puis :

— Comment te dire? Euh... Mon enfance vient de me sauter en pleine face... Je te raconterai ça un de ces jours.

Son expression ne donnait pas envie d'insister.

Ils revinrent à Montréal le 14 août, vers le milieu de l'après-midi. Un message de Blonblon attendait Charles depuis la veille. Au

259

répondeur, la voix de son ami, d'ordinaire si calme, était hachée, pressante. « Charles, demandait-il, j'ai besoin de renseignements sur Rachmaninov. Tu arrives demain, je crois ? Laisse tout et viens me trouver à la boutique. Ça urge ! »

Charles ne connaissait pas à Blonblon d'intérêt particulier pour la musique classique, et encore moins pour Rachmaninov. Il prit sa douche, avala un sandwich et se rendit à La Vieille Armoire.

— Ah ! t'es chouette ! s'écria Blonblon en l'apercevant. J'avais tellement hâte de te voir ! As-tu passé de bonnes vacances ? Viens que je te montre quelque chose.

— Tu arrives juste à temps, déclara Fernand, assis dans un fauteuil berçant qu'il faisait grincer avec une régularité obsédante. J'étais à la veille de l'attacher. Il est allé au moins trente fois dans la rue voir si tu t'en venais.

Les deux amis se rendirent dans le petit atelier à l'arrière de la boutique ; il y régnait comme d'habitude un ordre et une propreté impeccables. Blonblon s'empara d'une boîte de carton posée sur un établi et l'apporta à Charles. Elle contenait une paire de mitaines rembourrées, poussiéreuses et déchirées à quelques endroits ; de chacune des mitaines s'échappait un fil électrique à revêtement de tissu moiré, terminé par une fiche.

— J'ai trouvé ça avant-hier en fouinant chez un brocanteur, rue Notre-Dame. Pour être juste, se reprit-il, c'est Lodoïska qui a fait la découverte.

Il déposa la boîte sur un meuble, prit un gant et l'entrouvrit délicatement sous les yeux de Charles :

— Qu'est-ce que tu vois ?

— Des caractères... en cyrillique, je crois. L'alphabet des Russes. Qu'est-ce que ça dit ?

— Ça dit : « Serguei Vassilievitch Rachmaninov ».

— Ah bon. C'est un compositeur, qui était aussi un très grand pianiste. Il est mort aux États-Unis, je crois. Je ne savais pas que Lodoïska pouvait lire le russe.

— Elle ne le lit pas vraiment, mais elle peut déchiffrer les caractères. Et puis elle savait qu'il était musicien. Moi aussi, mais vaguement. J'ai regardé dans le *Robert 2* et on parle de lui. C'est donc un bonhomme important, non ?

— Oui, bien sûr. Mais je ne comprends pas ce qu'il pouvait foutre avec ces mitaines électriques.

— Moi non plus. Voilà pourquoi je t'ai appelé. Tu es plus fort que moi en musique. Alors, je me disais...

Charles l'arrêta d'un geste :

— C'est Parfait Michaud qu'il faut voir. Il connaît *tout* en musique classique.

L'instant d'après, Charles l'avait au bout du fil. Le notaire, ravi de son appel – Charles ne lui avait pas fait signe depuis quelque temps –, l'invita aussitôt à souper avec Jennie. Anouchka préparait un lapin à la moutarde, qu'elle faisait de façon superbe. Puis, du même élan, il invita Blonblon et son amie. Ils causèrent ensuite de Rachmaninov. Le compositeur, apprit Charles, était venu plusieurs fois à Montréal. Non, le notaire ne l'avait jamais entendu en personne, étant bien trop jeune à l'époque. Ces mitaines chauffantes l'excitèrent au plus haut point. Il avait lu quelque part que le pianiste s'en servait, particulièrement durant la saison froide, pour assouplir ses mains avant un récital. À l'époque, cela devait faire très *high-tech*. Il demanda que Blonblon les apporte en venant chez lui ce soir-là.

Blonblon, de plus en plus enthousiasmé par la perspective d'une bonne affaire (il avait payé les mitaines cinq dollars), passa le reste de l'après-midi à les remettre en état, laissant la boutique aux soins de Fernand. Charles était parti à ses affaires. Son courrier du cœur l'attendait. Quand il revit son ami quelques heures plus tard chez le notaire, il s'émerveilla de son habileté. Les mitaines avaient l'air neuves.

Entre-temps, Parfait Michaud avait effectué quelques recherches sur le compositeur entre deux entrevues avec des clients ; il en présenta les résultats durant le souper, qui fut copieux, délectable et très gai. Ces recherches confirmèrent que Sergueï Vassilievitch Rachmaninov utilisait bien des mitaines chauffantes; entre 1919 et 1939, il était venu quinze fois à Montréal, donnant des récitals au Princess, au Her Majesty's (depuis longtemps démoli), à L'Impérial et au théâtre Saint-Denis, où il avait joué en première mondiale ses *Variations sur un thème de Corelli*.

Après avoir longuement examiné les mitaines, le notaire s'était retourné vers Blonblon et, avec beaucoup de gravité:

— Mon cher, si on peut arriver à les faire authentifier, tu as entre les mains une petite fortune.

Tout le monde s'exclama. Blonblon souriait, très pâle, debout au milieu du salon, où l'on était allé prendre le digestif. Charles, un tantinet envieux, lui serra la main; les femmes l'embrassèrent.

— À quoi ressemblait-il, ce Rac... kham le Rouge? demanda Anouchka.

Parfait Michaud quitta le salon et revint avec un livre sur la musique romantique dans lequel figurait une photo du célèbre compositeur.

Les cheveux gris coupés très court, le visage glabre, la mâchoire un peu chevaline, le regard comme un puits sans fond, le pauvre Sergueï Vassilievitch semblait avoir la soixantaine bien morose.

— Mon Dieu! on dirait qu'il va se suicider! s'écria Anouchka, qui avait un peu bu. Ou qu'il n'a pas baisé depuis dix ans!

— On connaît bien peu de choses sur sa vie sexuelle, fit le notaire, car l'époque se voulait plutôt discrète sur le sujet. Effectivement, ce n'était pas un homme très rigolo. Je crois qu'il n'existe aucune photo où on le voit sourire. La tristesse le suivait comme les factures suivent un pauvre... Mais il a composé de la bien belle musique, je vous assure. Voulez-vous écouter un bout de son deuxième concerto pour piano?

Blonblon tint à l'entendre au complet et en termina l'audition seul au salon. Il s'était pris pour l'homme d'un curieux attachement dont le caractère mercantile n'excluait pas une certaine tendresse.

Cet attachement fut poussé à son comble trois semaines plus tard lorsqu'une expertise à New York confirma l'authenticité des mitaines, qu'il vendit 40 000 $US.

Un mois plus tard, Lodoïska tombait enceinte à son tour et, dans le cercle des amis du jeune couple, tout le monde pensa que les mitaines de Rachmaninov y avaient été pour quelque chose.

Amassant tout son courage, Jennie s'était rendue à Westmount annoncer à ses parents qu'elle était enceinte. Ils habitaient, rue Truedough, une immense maison, réplique quasi parfaite de la dernière résidence de l'acteur Humphrey Bogart à Los Angeles.

Elle arriva vers la fin de l'après-midi, juste après le départ de la femme de ménage. Sa mère, souffrant d'une migraine, se reposait au salon. Le silence revenu lui faisait du bien. Une heure de calme encore et elle serait peut-être de nouveau sur pied...

Elle accueillit sa fille avec ce mélange de tendresse et de retenue qui la caractérisait depuis que Jennie avait commis la folie de prendre Charles comme amant.

C'était une femme assez grande, à l'œil vif et intelligent, avec d'importants restes de beauté et un grand air de distinction acquis au terme de patients efforts.

Ses traits un peu tirés inquiétèrent Jennie. Sa mère ne se trouvait sans doute pas dans les meilleures dispositions pour recevoir ce coup de massue. Mais existe-t-il de bonnes dispositions, se dit-elle aussitôt, pour recevoir un coup de massue?

— Prendrais-tu une limonade, ma chérie? Il fait tellement chaud!

— Je veux bien. Où est papa?

— Dans la salle de séjour, en train de visionner une cassette. Il veut te voir.

— Ah oui? À quel sujet?

— Il te le dira lui-même. Ce n'est pas une mauvaise nouvelle, ajouta-t-elle aussitôt en prenant les mains de Jennie. Mais il m'en voudrait de gâcher la surprise.

— Une surprise?

Madame Savard haussa les épaules :

— En tout cas, pour lui, c'en est une. Tu connais ton père. Il a toujours été un grand imaginatif. Pour ne pas dire, parfois, un exalté.

Elle servit la limonade dans la cuisine. Les deux femmes attablées causèrent de choses et d'autres, ayant peu à se dire, au fond, car l'absence de vie commune avait considérablement diminué leurs sujets de conversation et le malaise qui existait entre elles depuis plusieurs mois enlevait beaucoup de spontanéité à leurs échanges. Madame Savard buvait sa limonade à petites gorgées et plissait l'œil de temps à autre sous l'effet de la douleur. Soudain, elle grimaça et, se levant :

— Je crois que je vais être obligée d'aller m'étendre encore un peu, Jennie, ma migraine a vraiment l'air de vouloir s'accrocher. Excuse-moi, chérie.

— Je t'en prie, maman, fit Jennie, soulagée, car elle se sentait de moins en moins le courage d'aborder un sujet qui – elle en était sûre à présent – allait provoquer une retentissante querelle.

Au moment de quitter la cuisine, madame Savard se retourna tout à coup et enveloppa sa fille d'un regard pénétrant :

— Ta figure s'arrondit, Jennie. Tu devrais surveiller un peu plus ton alimentation.

— Tu trouves? fit l'autre en se levant prestement pour aller porter le pichet de limonade au réfrigérateur.

Le dos tourné, elle fit mine d'y chercher quelque chose afin de cacher la rougeur qui avait envahi son visage.

Sa mère partie, elle but un grand verre d'eau, jeta un coup d'œil par la fenêtre dans le jardin, qui continuait de ressembler à une photo de manuel d'horticulture, puis descendit au sous-sol rejoindre son père dans la salle de séjour.

Des éclats de voix lui parvinrent à travers la porte fermée. Quelqu'un prononçait un discours très emporté. Elle crut reconnaître son oncle, Anatole Flingon.

— Salut, papa, fit-elle joyeusement en entrant dans la pièce.

Un quinquagénaire aux cheveux en brosse, assis dans un fauteuil en face d'une télévision, se retourna brusquement, puis, actionnant d'un coup de pouce la télécommande qu'il tenait à la main, éteignit l'appareil.

— Ah! c'est toi. Je ne t'attendais pas si tôt. Comment vas-tu, ma belle?

Et il se leva pour aller l'embrasser, mais ne le fit que du bout des lèvres, en effleurant à peine sa joue.

C'était un grand homme corpulent aux traits réguliers et un peu fades, d'allure énergique, avec une chevelure noire très fournie, qu'il teignait depuis quelques années. Des ennuis de santé l'obligeaient maintenant à ralentir la cadence de son travail. Il était l'un des avocats les plus cotés du cabinet He, Me & Blackie et passait pour un excellent plaideur. Depuis que son beau-frère était devenu ministre, l'estime qu'il éprouvait pour lui avait tourné en adulation et il tenait pour acquis que ce dernier deviendrait un jour premier ministre du Canada.

Gérard Savard avait encore moins de choses *personnelles* à dire à Jennie que sa femme et masqua ce vide sous une gaieté pétulante et forcée, en prenant soin de ne poser à sa fille aucune question sur sa vie, qui était devenue pour lui une source de perpétuel mécontentement.

Mais un sujet lui tenait à cœur, de caractère *public*, celui-là. En apprenant la venue de Jennie, il s'était soigneusement préparé à l'aborder avec elle, car il espérait, à force de persuasion, opérer un rapprochement entre eux et peut-être même finir un jour par la convaincre de quitter le cul-de-sac où elle s'était engagée avec ce résidu de journaliste à la manque. Son métier, après tout, n'était-il pas d'abord et avant tout de convaincre? Il avait acquis dans cet art une maîtrise qui lui avait permis de gagner beaucoup d'argent et d'avoir pour voisins des gens honorables et même prestigieux.

Du reste, à bien y penser, sa tâche n'était pas si difficile; elle se résumait à présenter habilement le travail déjà effectué par un esprit supérieur : son beau-frère.

— Jennie, lui dit-il tout à coup de sa voix sonore et vibrante, peut-être plus agréable à entendre au tribunal que dans une maison, je voudrais profiter de ta visite pour te faire visionner quelque chose d'extraordinaire. Et fie-toi à moi : je m'y connais. Tu seras peut-être agacée dans les premiers moments, mais patience! au bout de deux ou trois minutes, tu seras subjuguée et je parierais même que cela te portera un jour à certaines réflexions.

— Mon Dieu que tu es solennel! De quoi s'agit-il?

— D'un discours de ton oncle Anatole.

— Merci, papa, je les connais tous.

— Pas celui-ci, Jennie, pas celui-ci! Il l'a prononcé la semaine dernière. Tu n'étais pas au courant? C'est ce que je pensais. Tout le monde en parle encore. Il a fait la une de tous les journaux!

— Mais enfin, papa, tu sais bien que j'ai peine à supporter mon oncle pendant plus d'une demi-heure. Tu ne vas quand même pas en plus me le faire endurer sur cassette!

— Bon. Alors n'en parlons plus.

Et il alla se rasseoir.

Ce recul, en fait, n'était que stratégique. Gérard Savard voulait ainsi faire monter la culpabilité chez Jennie, créant de la sorte une vulnérabilité qu'il pourrait exploiter.

Jennie alla s'asseoir devant lui sur un canapé. La tournure de la conversation l'embêtait au plus haut point.

— On peut parler d'autres choses... Comment va ta pression, papa?

— Tu ne sais pas ce que tu manques, se contenta de répondre l'avocat avec un soupir.

Le silence se fit. Sa manœuvre semblait avoir échoué. Il se mit à bouder; il constatait, atterré, le ridicule de son comportement. Le contraire absolu de ce qu'il fallait faire! Il s'y enfonçait chaque seconde un peu plus. Est-ce qu'on boude devant un juge sceptique? On redouble au contraire de charme, de vivacité et d'éloquence, et on arrive ainsi parfois à le convaincre.

— Mais enfin, Jennie, je n'arrive pas à croire que tu vas passer à côté d'un moment politique aussi important! Oublie son petit air pincé et sa manie de peser les chiures de mouches, et prends la peine de l'écouter, je t'en supplie. Il est dans une forme superbe! Il dit des choses essentielles! Si je me suis procuré cet enregistrement, c'est avant tout pour le plaisir de le réécouter, bien sûr, mais c'est aussi un peu pour toi, car je voulais t'en faire profiter.

— D'accord, papa, fit Jennie sur un ton résigné. Je te promets de l'écouter jusqu'au bout.

◆

Le discours en question était une allocution que le ministre Flingon avait prononcée à Beaconsfield devant un rassemblement de partisans libéraux, en bonne partie anglophones, qui lui avaient réservé un accueil délirant. La pénurie de nouvelles durant l'été et le devoir qu'ils se faisaient d'appuyer la cause de l'unité canadienne avaient incité certains médias à donner une importance un peu exagérée à cette assemblée partisane.

L'événement avait eu lieu dans un parc. C'était un dimanche. Le ministre s'était adressé à la foule du haut des marches d'un kiosque à musique. Deux gardes du corps, mâchant discrètement de la gomme, se trouvaient dans le kiosque, l'œil fureteur, et deux autres circulaient dans la foule, un cellulaire à la main.

Obéissant aux conseils de sa responsable des relations publiques, soucieuse qu'il « se rapproche davantage du quotidien des gens », le ministre, de goût très classique sur le plan vestimentaire, avait troqué son costume trois-pièces pour une tenue estivale décontractée : jean, sandales, chemise sport à col ouvert. Cela lui donnait l'air un peu égaré d'un homme à sa première partie de débauche. La présence de caméras de télé l'avait incité à s'adresser à la foule dans les deux langues officielles.

Après l'introduction habituelle où il exprimait sa joie indicible de se trouver là où il se trouvait et quelques plaisanteries éculées sur l'excès de chaleur qui régnait, il était entré dans le vif du sujet.

« Mes chers amis, je voudrais à présent réfléchir avec vous quelques instants sur un fait très intéressant. Plus qu'intéressant : fondamental. Il s'agit de notre situation de Québécois dans le Canada. C'est une situation unique, extraordinaire, que tout le monde devrait nous envier – et que plusieurs nous envient, d'ailleurs. Et pourquoi nous envient-ils ?

« Laissez-moi vous l'expliquer.

« Un homme marié à deux femmes se fait accuser de bigamie et peut se retrouver en prison. Un ami dont on s'aperçoit qu'il a deux paroles se fait traiter de menteur et cesse d'être un ami. Une femme à deux têtes est considérée comme un monstre et le mieux qui puisse lui arriver est de se retrouver comme attraction dans un cirque. (*Murmure amusé*) Personne ne souhaite avoir la grippe en double, recevoir deux factures de téléphone plutôt qu'une pour le même mois ou se déplacer dans deux taxis en même temps – cela pourrait causer des étirements désagréables ! (*Rires légers*) Eh bien, nous, les Québécoises et les Québécois, nous possédons deux pays – le Québec et le Canada – et, loin d'être un crime ou une calamité, c'est pour nous une chance inouïe. Deux gouvernements complémentaires veillent à notre sort, et si l'un se montre défaillant sur certains points, l'autre ne manque pas de le rappeler aussitôt à l'ordre. J'en sais quelque chose! (*Rires*) C'est le privilège, mes chers amis, de la *double appartenance*, de l'accès à deux cultures plutôt qu'à une seule. Nous vivons la démocratie en double, mes chers amis! Est-ce qu'il existe une telle chose qu'un excès de démocratie? (*Des voix : «Non! Non!»*) Vous avez raison! La démocratie, comme la vertu et les exemptions d'impôts, personne ne se plaint d'en avoir trop! (*Rires, discrets applaudissements*) Et ces deux démocraties, par leur interaction, créent un *équilibre*, oui, un équilibre qui profite à chacun d'entre nous, comme l'a démontré d'une façon beaucoup plus brillante que je ne saurais le faire ce grand penseur, ce grand politicien, je veux parler de l'ex-premier ministre du Canada, Pierre Elliott Trudeau. (*Silence admiratif*)

« Les séparatistes, mes chers amis, qui aiment se faire appeler souverainistes pour mieux berner les gens (*ricanements*), les séparatistes essayent de nous convaincre depuis plusieurs années – et sans succès jusqu'ici, heureusement – que cette chance inouïe que nous avons d'avoir deux pays constitue en fait notre plus grand malheur, et qu'*un seul* pays est préférable à *deux*. Alors, moi, je leur demande : Est-ce que dans une petite ville *un seul* policier est préférable à deux? Est-ce qu'un hôpital soigne mieux ses patients avec *un seul* médecin plutôt qu'avec deux? Est-ce qu'*une seule* serrure protège autant que deux?

« Les séparatistes, au fond, essayent de convaincre les Québécois qu'ils sont bigames et mériteraient la prison. Ils essayent de leur faire croire que tout ce qui est double est par essence mauvais. Je leur ferai remarquer que la nature nous a pourvus de plusieurs organes en double et, sans les passer tous en revue – ce qui risquerait de m'amener à traiter de choses trop intimes (*rires*) –, je me contenterai de leur répondre que, si je venais à perdre un œil, je serais bien content de pouvoir continuer à admirer les jolies femmes avec l'autre! »

Il poursuivit ainsi pendant une quinzaine de minutes, de plus en plus emporté, de plus en plus sarcastique, le visage en sueur et un peu boursouflé, la voix stridente, le geste saccadé, tandis que la foule ronronnait, béate; à tout moment s'élevaient des cris; une voix éraillée hurlait une phrase pour compléter les propos de l'orateur. Des cannettes vides, des papiers chiffonnés en boule se mirent à voler en l'air. Puis la fin arriva. Le ministre, hors d'haleine, se lança dans un long panégyrique du Canada, rempli d'images poétiques un peu surannées, de lieux communs solennels, de considérations sentimentales et ampoulées. Dans la première rangée, on voyait un gros homme aux manches de chemise roulées, son chapeau repoussé vers l'arrière de la tête, qui pleurait.

Puis le ministre leva les bras pour saluer ses auditeurs. Des applaudissements éclatèrent et tournèrent presque aussitôt en une sorte de rugissement. La foule se mit à gonfler comme une casserole de lait qui déborde. Un nuage de mains tendues entourait à présent Flingon; toutes voulaient le toucher, le serrer, s'en emparer. « *Please! Please! Just one minute!* » lança une voix suraiguë. Une vieille dame au visage cadavérique réussit à se hisser jusqu'à lui et l'embrassa. Elle fut suivie de deux jeunes femmes, fort jolies, qui firent de même. À la vieille dame comme aux deux jeunes, Flingon adressait des sourires crispés, cherchant à se retirer, ravi et un peu effrayé par la réaction qu'il venait de provoquer. Il ressemblait à un pyromane encerclé tout à coup par le feu qu'il vient d'allumer et qui cherche une issue, affolé. Le souffle court, il se rejeta en arrière, le ventre tordu tout à coup de gargouillis qui laissaient présager le pire, puis il traversa rapidement le kiosque, encadré de ses gardes du corps, et dévala un escalier. Sa limousine l'attendait au pied des marches, protégée par des barrières métalliques. Il s'y engouffra, fit un dernier salut de la main à la foule et disparut.

L'écran était devenu noir, le silence régnait dans la salle de séjour.

— Et alors? fit l'avocat. Comment tu le trouves?

Malgré qu'il en fût au troisième visionnement, son extase ne faiblissait pas et lui donnait des airs de petit garçon émerveillé. Jennie en fut attendrie.

— C'est amusant, concéda-t-elle. Je veux dire : surtout la première partie.

Il la regardait, étonné, déçu.

— Voyons, Jennie, c'est beaucoup plus qu'*amusant*, dit-il enfin. Il y a là-dedans un condensé de toute une... Mais je préfère te laisser réfléchir à ces choses par toi-même, se ravisa-t-il. Fais-moi plaisir : j'ai une cassette pour toi, emporte-la et promets-moi de la regarder à tête reposée.

Elle eut un hochement de tête insouciant.

— Non, non, non ! Je veux une vraie promesse !

Elle se leva, s'approcha de lui et prit son visage entre ses mains, comme si elle allait l'embrasser, tandis qu'il se raidissait, surpris par ce geste inhabituel.

— Papa, papa... pauvre petit papa... Plus je vieillis, plus je trouve que la politique ressemble à la religion : on a la grâce ou on ne l'a pas. Tu essaies de me convertir, mais il me faudrait la grâce, vois-tu...

— Pas du tout, pas du tout, bougonna-t-il en se dégageant. La politique est avant tout une affaire de raisonnements et de réalités. Mais ceux qui refusent de raisonner... Bon. Je vois que je n'arriverai à rien aujourd'hui, pas plus que les autres jours, d'ailleurs. Mais emporte la cassette, s'il te plaît.

Sa voix s'était faite presque humble.

— Bien sûr. Je n'oublierai pas.

Elle souriait, de plus en plus attendrie. Comment un avocat si brillant, rompu à toutes les finasseries du métier, habitué depuis si longtemps à toutes les bassesses humaines, pouvait-il éprouver une passion aussi candide ? Elle vint à deux doigts de lui annoncer qu'elle était enceinte. Mais c'était l'autre homme qui risquait de surgir, l'autoritaire, le calculateur, le parvenu obsédé par les qu'en-dira-t-on.

Une heure plus tard, elle repartait, la cassette sous le bras, mécontente d'elle-même et un peu plus éloignée encore de ses parents.

23

Chère Dalia,

J'ai 38 ans, je suis commis dans un bureau de poste et j'aime beaucoup mon travail. Une de mes grandes passions dans la vie, ce sont les chats. J'en possédais quatre. Le plus jeune avait dix-sept mois et le plus vieux dix-sept ans. Voici mon problème. Il y a huit mois, mon amie Gertrude (je vous prierais de ne pas la nommer) a emménagé chez moi, à notre grand bonheur mutuel. Mais (car il y a un mais) elle n'aime pas les chats : ils lui font peur et même... ils la dégoûtent ! Elle a donc fini par me convaincre de n'en garder qu'un seul. J'ai choisi de garder le plus vieux, Rutebeuf (je vous prierais de ne pas le nommer). C'est un chat très tendre et très sensible. Est-ce à cause de l'arrivée de mon amie ? Depuis quelque temps, il s'est transformé en pot de colle ; il me suit sur les talons dès que j'arrive à la maison et pousse des miaulements à fendre le cœur tant que je ne l'ai pas pris dans mes bras. Jusque-là, ça peut aller. Mais voilà : en plus, il a pris la fâcheuse habitude de me lécher le bout du nez à tout propos, et même durant la nuit ; cela me réveille, bien sûr. Pire encore : une verrue est apparue sur le bout de mon nez ; cela dégoûte mon amie, avec les conséquences que vous pouvez imaginer en ce qui a trait à la sexualité. La semaine dernière, Gertrude m'a ordonné de me débarrasser de l'animal. J'ai refusé. Alors elle a exigé qu'à tout le moins je l'enferme dans la cave pour la nuit. Je l'ai enfermé. Mais, au bout de trois jours (il fallait s'y attendre), Rutebeuf a fait comme un genre de dépression : il mangeait à peine, il ne bougeait plus, il ne réagissait plus aux caresses, il s'en allait tout droit vers la mort, quoi ! Alors, j'ai dû plier : fini la cave. De nouveau, il a fait dodo dans notre chambre à coucher – et (comme il fallait s'y attendre) il a bientôt repris de la forme. Mais Gertrude, elle, en a pas mal perdu, et d'autant plus que mon chat a recommencé à me lécher le nez. Je ne sais vraiment plus quoi faire. Pouvez-vous m'aider ?

Justin

Charles soupira, se rejeta en arrière dans son fauteuil et alluma une cigarette. Il fallait d'abord réduire cette lettre interminable à neuf lignes au maximum, tout en lui conservant son caractère ridicule. Puis trouver une réponse sensée à ce qui ne méritait que des moqueries.

Il lui restait une demi-heure pour achever son texte. Tout devait être envoyé au journal avant quatorze heures.

Que gagner sa vie pouvait être stupide et avilissant parfois! Mais il avait besoin de ces deux cents dollars, sous peine d'avoir à se présenter à l'œuvre de la soupe!

Il avait presque terminé lorsque le téléphone sonna.

— J'espère que ce n'est pas le journal, grommela-t-il.

Ce n'était pas le journal. C'était le ministre Flingon! Nul autre que lui! Charles en avait le souffle coupé, il bafouillait. Le ministre lui demandait d'avoir l'extrême obligeance de se présenter à seize heures à son bureau de circonscription dans le nord de la ville pour discuter d'une chose de la plus haute importance. Le ton était courtois mais sec.

Après une courte hésitation, Charles accepta. Il devinait le but de l'entretien, savait que ce dernier serait infructueux, mais la curiosité de rencontrer cet homme détestable qui avait pris la peine de lui téléphoner en personne l'emportait sur tout, sans compter (chose moins avouable) le plaisir de vanité que cela lui procurait.

Jennie, une semaine plus tôt, avait finalement annoncé à ses parents qu'elle était enceinte. Son père avait levé les bras et rugi, puis avait sombré dans un silence de pierre; ses collègues s'inquiétaient pour sa santé. Depuis cinq jours, madame Savard n'avalait plus que du bouillon de poulet et quelques pruneaux; sa sœur Adeline s'était installée à la maison pour veiller sur elle.

On se serait cru cinquante ans plus tôt dans une de ces histoires de filles-mères déshonorées qui entraînaient avec elle toute leur famille dans la turpitude. Il n'y manquait que le curé et le susurrement de ses conseils. C'était pathétique et ridicule.

Charles s'était esclaffé au récit que lui avait fait Jennie du drame familial. Mais il voyait bien que l'histoire l'affectait elle aussi. On n'est pas impunément la fille de ses parents.

Il mit la dernière main à son texte, l'envoya au journal, puis se rendit à la cuisine laver de la vaisselle. Il était si préoccupé qu'il cassa une assiette. Cela le fit rire, d'un rire mauvais et sarcastique. Qu'une ordure pareille puisse le mettre dans un tel état en disait long sur sa propre faiblesse. Décidément, les Québécois n'avaient plus la fibre héroïque ! Qu'à cela ne tienne ! Il essayerait, à sa modeste façon, de raffermir le tonus national.

Il quitta son appartement vers quinze heures, mécontent de son état d'esprit. Il se serait voulu plus d'attaque. Mais sa nervosité continuait d'augmenter. Elle risquait de lui faire commettre des impairs.

En entrant dans le métro, il passa près d'une jeune femme qui tenait par la main un blondinet.

— Tu sais, maman, fit le petit garçon, c'est triste d'être une souris.

— Oui, mon chéri, ça doit être bien triste.

D'entendre cette courte conversation le réjouit inexplicablement. Il se sentit tout à coup investi d'une mission. Il aurait été bien incapable de la définir. Mais il savait qu'il devait se porter à la défense de tous ceux qui s'apitoient sur le sort des souris comme de ceux qui les écoutent d'une oreille bienveillante.

Le bureau de circonscription du ministre était situé dans un quartier populaire entouré de manufactures, d'usines et d'entrepôts ; une bonne partie de la population était constituée d'immigrants. Les grands immeubles d'habitation aux façades moches, les rues trop larges aux arbres rares et chétifs, la vétusté des automobiles stationnées le long des trottoirs, les débris de toutes sortes qui traînaient sur le sol ou roulaient au vent, tout cela parlait de pauvreté, d'ignorance et de petites journées incertaines. Dans le ronflement de la circulation, on entendait de temps à autre des cris d'enfants aux voix aiguës en train de s'amuser; ces cris faisaient comme des points lumineux dans la laideur morose du quartier.

Flingon s'était installé dans une rue bruyante près d'un mini-centre commercial qui semblait à l'agonie; il occupait le rez-de-chaussée d'un petit immeuble d'apparence quelconque; qu'il en fût autrement aurait d'ailleurs été plutôt maladroit de la part d'un politicien qui se disait près du peuple. Un immense unifolié suspendu au-dessus de l'entrée principale battait au vent avec de petits claquements rageurs, comme s'il reflétait le caractère de l'illustre occupant des lieux.

Charles était en avance d'un quart d'heure. Il décida d'aller tuer le temps dans une beignerie juste en face. Attablé au comptoir en U, il buvait à petites gorgées son café brûlant et acide, *Le Journal de Montréal* étalé sous les yeux, parcourant un article qu'il oubliait à mesure qu'il le lisait. Sa nervosité avait repris de plus belle. Mais une sourde rage lui faisait maintenant équilibre.

En face de lui, un vieil homme à face ronde, avec des lèvres roses et lippues qu'on imaginait encore tétant le biberon, causait avec la serveuse, une quadragénaire costaude à la chevelure frisée avec une voix de fumeuse âpre et masculine.

— Je te dis, ma belle, fit l'homme, la vie est pleine de surprises! Imagine-toi donc: l'autre jour, je filais sur l'autoroute des Cantons-de-l'Est et j'ai aperçu des autruches au milieu d'un champ. Des autruches!

— Il n'y a rien d'extraordinaire là-dedans, Denis. Ça fait une dizaine d'années qu'on élève des autruches au Québec. Pour la viande.

— Ah oui? Je ne savais pas. C'est bien pour dire... Mais quand même! Y penses-tu? Des autruches! Des autruches en plein champ! L'Afrique est loin!

Charles paya et sortit, écœuré par tant de stupidité. Sa montre indiquait seize heures moins sept. Il traversa la rue et se présenta au bureau. Au fond d'une salle d'attente à moquette grise bon marché, une jeune et très jolie secrétaire, assise derrière un bureau, était en train de vérifier une liste. À l'arrivée de Charles, elle leva la tête et sourit :

— Monsieur Thibodeau ?

Les cheveux relevés de la jeune femme découvraient une nuque gracile à la peau doucement luisante. Elle le regardait avec des yeux profonds et remplis d'une bienveillance naïve, comme si elle avait voulu faire le bonheur de la terre entière.

Charles inclina la tête, charmé, surpris. Comment un politicien aussi exécrable avait-il réussi à mettre la main sur une telle merveille ?

— Monsieur le ministre est en conversation téléphonique. Il sera à vous dans quelques minutes. Assoyez-vous, je vous prie.

Et elle lui désigna une rangée de fauteuils tubulaires. Il s'assit, allongea les jambes, promena son regard dans la pièce, où il était seul avec la secrétaire. Accrochées au mur en face de lui, trois photos encadrées : Sa Majesté Élisabeth II, avec son subtil sourire monarchique, le premier ministre du Canada (considérablement moins vulgaire qu'au naturel) et enfin le ministre Flingon, à qui un magicien avait réussi à donner une expression aimable. La porte de son bureau, capitonnée, se trouvait à gauche. À droite, dans un petit renfoncement, on apercevait une autre porte, garnie d'une affichette :

TOILETTES
WASHROOM

L'affichette bilingue indiquait que l'occupant des lieux se considérait en territoire fédéral, où devait s'appliquer la Loi sur les langues officielles, contre-pied canadien à la Charte québécoise de la langue française. Il y avait également, accroché au mur, non loin de la secrétaire, un extincteur chimique d'un rouge très vif qui, chose étrange, semblait accentuer la beauté de la jeune femme.

Soudain, le ministre Flingon fut devant Charles, la main tendue, correct et froid dans son costume gris à la coupe impeccable :

— Monsieur Thibodeau? Merci d'être venu. Veuillez me suivre.

Et, lui tournant le dos, la tête haute, les épaules raides, il entra dans son bureau, dont il referma la porte derrière Charles. Il lui indiqua un fauteuil, puis s'assit à son tour devant le visiteur qui le dévisageait avec un petit sourire, la paume de ses mains moites posée sur ses cuisses. La jeunesse des traits minces et austères du politicien quinquagénaire continuait de frapper Charles. Flingon soutenait calmement son regard ; il poussa un léger soupir, se cala dans son fauteuil, puis :

— Comme nous sommes tous les deux pressés, monsieur Thibodeau, je n'irai pas par quatre chemins. Vous avez sûrement deviné la raison de notre rencontre. Elle est d'ordre privé ou, plus précisément, familial. Je vous prie à l'avance de m'excuser si mes paroles vous paraissent désagréables, mais je me vois obligé d'être franc et précis. Je désire fortement que Jennie n'ait pas cet enfant.

Il y eut un silence.

— Vous devriez vous adresser à elle plutôt qu'à moi, répondit Charles, puisque c'est elle qui le porte.

— Sans votre collaboration, je crains fort de ne pouvoir la convaincre.

— Ah bon.

— Et cette collaboration, je suis prêt à la récompenser.

— Vous êtes un homme bien généreux, remarqua Charles, persifleur.

— Je le suis, en effet.

— Quand vous y trouvez votre intérêt.

— Dans le cas présent, il s'agit plutôt de celui de ma nièce, de ma sœur et de mon beau-frère. Mais, d'abord et avant tout, de celui de ma nièce. Une maternité dans sa situation, croyez-moi, serait désastreuse pour ses études.

— Ne pensez-vous pas qu'elle est assez grande pour juger de ces choses-là par elle-même ?

— Il semble bien que, pour l'instant, les conséquences de sa grossesse lui échappent. Vous allez peut-être trouver que je ne me mêle pas de mes affaires...

— J'allais le dire.

— ... mais le devoir du sage est de protéger l'imprudent. Remarquez que je n'ai pas d'autre mérite que celui d'avoir vécu plus longtemps qu'elle – et que vous.

Charles le regardait avec un sourire ébahi, renversé par tant de fatuité.

Flingon fronça les sourcils.

— Moi, reprit Charles sur un ton gai et désinvolte, je pense que vous cherchez plutôt à protéger l'honneur de la famille.

— Voilà une idée assez bizarre. Autrefois, cela aurait pu être le cas. Pas aujourd'hui, avec la liberté de nos mœurs !

— On ne veut pas être apparenté à un séparatiste.

— Vous allez chercher de ces raisons, mon pauvre ami... Mais, puisque vous voulez à tout prix parler de vous-même, je me vois forcé, oui, de vous donner partiellement raison ; toutefois, nos réticences portent sur d'autres points, fort différents de ce que vous croyez : l'instabilité de vos revenus, par exemple, et celle aussi – pardonnez encore une fois ma franchise – de votre personnalité...

— Qu'est-ce que vous savez de ma personnalité ? siffla Charles, devenu écarlate. Et si on parlait de la vôtre ?

Sa voix tremblait un peu. Les deux hommes se regardèrent de nouveau en silence.

— Quant à mes revenus, poursuivit Charles avec un ricanement, vous avez un sacré culot d'en parler... Bien difficile de gagner sa vie quand on est bloqué partout !

— On vous bloque ?

— « On vous bloque ? » répéta Charles en contrefaisant la voix de son interlocuteur. Tu parles si on me bloque ! Et le bloc, il se trouve ici, juste devant moi !

Le ministre Flingon agita une main dédaigneuse :

— Pure paranoïa. Typique des gens de votre... orientation politique.

Charles, furieux, se trémoussait dans son fauteuil, cherchant une réplique qui ne venait pas. Soudain, il rejeta la tête un peu en arrière, ferma à demi les yeux et prit une grande inspiration. Il n'était pas dit que cette ordure lui ferait perdre ses moyens. N'était-ce pas lui-même qui tenait le bon bout du bâton ? À la calme insolence il répondrait par la calme insolence.

De son côté, le ministre avait également décidé de changer de ton. Et c'est d'une voix presque aimable qu'il demanda à Charles :

— Est-ce que je peux vous offrir un café ?

Charles fit signe que non. Flingon eut un léger sourire, saisit le combiné de son téléphone, appuya sur une touche et prononça quelques mots à voix basse d'un ton un peu mièvre. Au bout d'un moment, la jolie secrétaire apparut dans le bureau, un plateau à la main, et déposa devant son patron une tasse de café, un sucrier, un pot à lait, une cuillère et une serviette de papier, les disposant selon un arrangement qui semblait avoir été convenu depuis longtemps.

— Merci, Hélène, fit-il avec une mièvrerie encore plus marquée.

Et, sous l'œil ironique de Charles qui observait le brusque changement d'attitude de son interlocuteur, il prit deux petites gorgées, eut l'air satisfait, puis déposa sa tasse :

— Allons, monsieur Thibodeau, nous n'allons pas nous quereller comme des enfants, tout de même... Nous sommes plus matures que cela, non ? Je vous demande votre appui pour une affaire importante qui entraînera une décision pénible mais nécessaire, nécessaire, croyez-moi, pour la principale intéressée, nécessaire également à la paix de toute une famille. Et, si vous me l'accordez, cet appui, je suis prêt de mon côté à vous fournir des preuves concrètes de ma reconnaissance... Tenez, je vous réitère l'offre de mon chef de cabinet, monsieur Beaucage : ce poste d'attaché culturel se trouve par bonheur encore disponible. Qu'en dites-vous ?

Charles l'écoutait, impassible, le regard de glace. Et c'est dans un débit lent et mesuré, un peu affecté, qu'il répondit :

— Monsieur le ministre, je ne suis pas à vendre. Et puis, je le veux, cet enfant. Je suis son père.

Soulevant les mains, Flingon les croisa sous son menton et y appuya la tête, impassible, attendant que Charles poursuive.

— Vous avez déjà été un fœtus, vous aussi, si je ne me trompe. Personne ne vous a expulsé avant terme du ventre de votre mère, à ce que je sache. Si vous vivez, *vous*, pourquoi ne vivrait-il pas, *lui* ?

— Vous savez fort bien que la question n'est pas là.

— Au contraire, elle est là, et nulle part ailleurs. Vous voulez acheter la mort de notre enfant parce que mes idées politiques vous déplaisent et déplaisent à des membres de votre famille. Eh oui ! c'est ça, n'essayez pas de le nier... Vous refusez tout lien avec moi, même le plus ténu, et si pour cela il faut un avortement, eh bien, allons-y, avortons ! Moi, je trouve ça très laid, monsieur le ministre... Est-ce que vous n'avez pas un peu honte ?

— Vous parlez comme un jeune con.

— Et vous, comme un vieux con... ou, plutôt, comme un *puissant* con. Vieux, c'est pour un peu plus tard.

— Je pourrais, si je le voulais, vous briser en petits morceaux.

Charles se mit à rire. Il était ravi de ne plus sentir aucune peur. Au contraire, une sorte de jubilation féroce montait en lui.

— Vous êtes un serpent, lança-t-il d'un air inspiré. Un serpent, c'est une queue qui mord, et vous ne savez que mordre.

Ma foi, j'aurais le goût de vous écrabouiller, juste pour le plaisir.

Et il se mit à rire, enchanté de son audace.

— Ça ne me surprend pas, répondit calmement le ministre. Tous les fanatiques ont ce genre de goûts.

— Fanatique? Ha, ha, ha. Elle est bien bonne! Quand on sait que le mot vient d'un homme qui a déclaré durant la dernière campagne référendaire que si le Oui l'emportait, il faudrait peut-être affamer les Québécois pour les faire revenir à la raison...

— Je n'ai jamais prononcé ces paroles. Par contre, plusieurs me les ont mises dans la bouche.

— Il y a des témoins.

Flingon eut un geste d'agacement:

— Peu crédibles. De toute façon, monsieur Thibodeau, je ne vous ai pas fait venir ici pour parler politique mais pour tenter de résoudre un problème familial grave et délicat. Si vous ne voulez pas m'aider, tant pis. Je m'arrangerai seul.

— Ce sera mieux ainsi.

— Vous en êtes sûr?

— Tout à fait. C'est que nous ne voyons pas la vie de la même façon.

— Vous m'en direz tant!

Et Flingon partit d'un rire si moqueur et si méprisant que Charles en ressentit comme un coup de poing dans l'estomac. Très pâle, il regardait le ministre, qui s'était calmé presque aussitôt et lui souriait, à présent, de ce sourire railleur que certains adressent parfois à un simple d'esprit. Alors il eut envie de lui sauter à la gorge pour lui faire expier les humiliations qu'il avait infligées à tous les simples d'esprit de son espèce. Mais ç'aurait été stupide, du mauvais théâtre qui l'aurait envoyé en prison, pour la plus grande joie de son ennemi.

— Vous riez? murmura-t-il d'une voix tremblante de rage. Eh bien, riez, tandis que vous le pouvez... Mais les gens finiront par comprendre quelle sorte d'hommes vous êtes, vous et votre clique... Si vous aviez été ministre en 1940, quand les Allemands ont envahi la France, vous auriez fait partie du gouvernement Pétain. Depuis dix ans, vous pétainisez le Québec à tour de bras!

— Un collabo, quoi.

— C'est ça.

— Tandis que vous, bien sûr, vous vous seriez couvert de gloire dans la Résistance... Je l'ai entendue souvent, celle-là... L'insulte habituelle quand on est à court de mots... Eh bien, monsieur Thibodeau, fit-il en se levant, je crois que nous n'avons plus rien à nous dire. Comme tout le monde, vous apprendrez à vivre avec les conséquences de vos actes. Je vous salue.

Charles s'en allait sur le trottoir, un immense trou dans le ventre. Il venait de ruiner son avenir. En ce moment même, il en était sûr, le ministre s'occupait de faire sauter les derniers ponts qui subsistaient autour de lui afin de l'isoler à jamais, si possible, dans l'obscurité et la misère. Pourtant, il avait le sentiment d'avoir bien agi. Tout autre comportement l'aurait déshonoré à ses propres yeux. Surmontant sa peur, il avait bravé plus fort que lui, non parce qu'il se croyait capable de vaincre, mais parce qu'il avait raison et l'autre, tort. Courage tremblant des petits devant les puissants. De ceux qui, insouciants de leur taille comme de celle de l'adversaire, osent clamer la vérité, et le font parfois rudement. Gens d'exception ou drôles d'illuminés qui, la gorge nouée par la peur, se démarquent de la lâcheté générale, que les faibles appellent prudence. Il n'avait pas été prudent, oh ça, non! Et il le payerait chèrement – du moins aussi longtemps que son ennemi serait influent, c'est-à-dire pendant des années.

Mais peut-être exagérait-il son malheur? On n'était quand même pas en Russie, en Chine ou à Cuba, là où les réseaux de pouvoir sont comme des fils d'acier qui peuvent trancher la gorge. N'importe. Il s'était sans doute attiré d'énormes ennuis et le retour des jours meilleurs risquait de le trouver amer et vieilli.

Il avait cru qu'il sortirait de sa rencontre avec le ministre rempli de joie et de fierté. Il frôlait le désespoir! Cela le vexait horriblement. Les grands affrontements, ce n'était décidément pas pour lui. Il n'avait pas l'étoffe d'un héros. Comme la plupart des gens, il était né pour un petit destin, les compromis, la prudence, la résignation. Il avait souhaité une vie flamboyante. Il devait se contenter de la grisaille.

Puis ses pensées se tournèrent vers Jennie. Flingon lui avait sûrement parlé, sans réussir à la convaincre. Comment réagirait-elle au récit qu'il lui ferait de leur entretien – et surtout à la perspective de ce qui l'attendait? Vivre avec un paria devient vite lassant. Surtout que les parias ont la fâcheuse tendance à tourner en ratés.

Il s'arrêta soudain au milieu du trottoir; une femme derrière lui qui traînait une poussette à provisions faillit le percuter et le dépassa en lui jetant un regard furieux. Un coup d'angoisse venait de le défoncer; il en avait le souffle coupé, les jambes barrées. Il tourna la tête à droite et à gauche, cherchant du secours, une âme compatissante, mais il était seul, bien seul dans cette rue bourdonnante, seul sur cette maudite planète, et si un passant, d'aventure, s'était arrêté pour écouter le récit de ses malheurs, il aurait sans doute blâmé sa témérité. Il réussit enfin à faire quelques pas et alla s'appuyer contre un poteau; les yeux fermés, il attendait que son malaise se dissipe. Les piétons ralentissaient à sa vue et lui jetaient des regards intrigués, parfois moqueurs.

— T'es trop vieux pour prendre d'la drogue, bonhomme, murmura une voix qui s'éloigna bien vite.

Au bout d'un moment, il se sentit un peu mieux et reprit sa marche. « Est-ce que je viendrais de faire une *crise de lâcheté*? » se demanda-t-il tout à coup, inquiet. Il avait un pressant besoin de parler à quelqu'un. Mais, auparavant, il devait se recomposer un visage, car il avait sûrement l'air pitoyable!

Il prit le métro, s'affala sur un siège, appuya sa tête contre la vitre et réussit à somnoler. Quand il ouvrit les yeux, la rame venait de s'arrêter à la station Jean-Talon. Il bondit sur ses pieds et quitta le wagon.

Au bout de quelques minutes, il dut constater que la magie de la station orange et bleue opérait bien faiblement ce jour-là. Et soudain – sans doute par association d'idées – il pensa à Céline et à l'invitation qu'elle lui avait faite dans ces lieux mêmes. Il n'y avait pas encore répondu. L'instant d'après, il était au téléphone, ne ressentant ni gêne ni embarras tant son désir de la voir était pressant. Une voix d'enfant lui répondit qu'elle était absente et ne serait pas de retour avant le début de la soirée. Alors il sortit de la station, erra un moment dans le quartier, puis entra dans un bar.

La salle, à demi pleine, était sombre et enfumée; suspendue dans un coin, une télé diffusait à tue-tête un match de lutte dans l'indifférence générale. Une serveuse aux seins énormes, libéralement mis en valeur pour le plaisir de la clientèle, s'avança vers lui avec un grand sourire:

— Bonjour, vous, qu'est-ce que je vous sers? C'est le *happy hour*... Deux consommations pour le prix d'une, ajouta-t-elle devant son air hébété.

— Deux Maudite, alors.

Il but la première presque d'un trait, puis entama l'autre et jeta un coup d'œil autour de lui.

À sa gauche, penché au-dessus d'une rangée de verres remplis de bière en fût, un vieux solitaire, le crâne luisant et marqué de taches rouges, ses cheveux gris attachés par un élastique en une longue queue de cheval, pathétique effort pour se donner un air de jeunesse, regardait dans le vague, les yeux pleins d'un calme désespoir.

Charles vida sa deuxième bouteille. Le ventre lui ballonnait à présent et une lourde torpeur commençait à l'envahir. Il fit signe à la serveuse et commanda deux autres bières. Boire : c'était là le remède favori de son père pour retrouver l'équilibre et la bonne humeur ou tout simplement pour oublier les merdes de la vie. Il attaqua la troisième bouteille et reporta son regard sur le vieux buveur.

Soudain, un tressaillement le secoua et il se dressa debout avec une grimace effrayée. Saisissant la quatrième bouteille, il la tendit à son voisin :

— La voulez-vous ? Je m'en vais.

— C'est pas de refus, fit l'autre avec le sourire. J'vas lui trouver de la place, tu vas voir !

Charles sortit et marcha quelque temps dans la rue. Malgré tout le liquide ingurgité, il avait faim.

Céline demeurait dans le Plateau, rue de Lanaudière. Il décida d'aller prendre une bouchée près de chez elle, avenue du Mont-Royal, et se retrouva bientôt à L'Avenue du Plateau devant un énorme carré de lasagne. L'alcool et son estomac chargé de nourriture lui donnaient maintenant sommeil et sa visite à Céline commença à lui paraître moins urgente. Mais il avait laissé son nom à l'enfant (qui cela pouvait-il bien être ?), disant qu'il rappellerait, et trouva inconvenant de ne pas le faire.

Cette fois, Céline était chez elle.

— Ça tombe bien, répondit-elle, j'ai une soirée libre. Amène-toi.

Le ton était vif et cordial mais quelque peu impersonnel.

Il se rendit à pied. Le vent était tombé et, malgré qu'on fût au milieu de septembre, l'air était tiède comme en plein été. Il aurait dû téléphoner depuis longtemps à Jennie pour lui raconter son entretien avec le ministre, mais quelque chose l'en empêchait, la peur de l'inquiéter sans doute.

En passant devant un dépanneur, il s'arrêta pour acheter de la gomme à mâcher afin de masquer son haleine, qui sentait peut-être encore l'alcool, et cette précaution le fit sourire : qu'avait-il à cacher ?

Céline habitait le premier étage d'un assez bel immeuble à façade de pierre, auquel on accédait par un de ces escaliers extérieurs dits *à la française*.

— Dieu ! que t'as l'air fatigué ! s'écria-t-elle en lui ouvrant la porte. Qu'est-ce qui se passe ?

— Rien du tout.

Mais sa voix exprimait une telle lassitude qu'elle éclata de rire.

— Allons, entre, on dirait que tu vas tomber.

À présent, il regrettait sa visite, car il voyait bien qu'il ne pourrait pas se montrer sous son meilleur jour. Pourtant, c'étaient le besoin de raconter ses problèmes qui l'amenait et l'espoir, sinon de trouver une solution, du moins de se faire confirmer qu'il avait bien agi.

L'appartement était spacieux, avec de belles boiseries de chêne, des planchers de merisier reluisants et des fenêtres à vitraux, dans le goût victorien du début du siècle, et beaucoup plus joli que son appartement à lui. Une encoignure dans la salle à manger, qui avait dû servir de vaisselier, contenait des livres, placés pêle-mêle. Enfant, il aurait été ébloui et intimidé par tant de luxe. D'ailleurs, même aujourd'hui, cela en imposait au fils du menuisier. Il apprit avec une sorte de soulagement que Céline vivait seule depuis six mois et n'osa pas demander avec qui elle avait partagé les lieux. En tout cas, cela le prémunissait contre l'apparition d'un mâle triomphant qui aurait assisté lui aussi au récit de ses mésaventures.

Elle l'amena dans la cuisine ; c'était une grande pièce avec de hautes armoires à corniche et un évier de fonte émaillée profond comme un tombeau ; un peu de vaisselle sale traînait sur le comptoir à côté de quelques disques compacts posés devant un lecteur portatif.

— Tu veux une bière? du vin?

— Non merci, répondit-il en s'assoyant à la table.

— Un café, alors? On dirait que tu vas me dormir au nez, pauvre toi!

— Un café, oui, je veux bien, merci.

Pendant qu'elle s'affairait devant la cuisinière, il examina une grande photo punaisée au mur. On y voyait Céline, radieuse, en tenue sport, en compagnie d'un homme portant des verres fumés, devant un mur de pierre au-dessus duquel se dressaient des arbres tordus aux feuilles d'un gris poussiéreux.

— C'est récent, la photo? demanda-t-il avec une légère appréhension.

— Il y a un an et demi, quand je suis allé en Grèce avec Louis. Nous y avons passé trois semaines.

— C'est bien, la Grèce? fit-il pour dire quelque chose.

— Merveilleux. Et alors, comment ça va? Tu m'as l'air soucieux.

Ce n'est qu'à ce moment qu'il se rendit compte avec embarras que Céline n'était peut-être pas l'auditrice idéale pour entendre le récit des tracas qu'entraînait la grossesse de Jennie. Il n'aurait tout simplement pas dû se trouver là. Le désarroi dans lequel l'avait plongé sa rencontre avec le ministre avait obscurci son jugement.

— Pour être franc, ça ne va pas très bien. Mais je ne suis pas sûr d'avoir le goût de t'en parler.

— Et pourquoi? demanda-t-elle en souriant.

Elle déposa sur la table les tasses de café et s'assit en face de lui.

— Comme ça.

Ils burent quelques gorgées en silence.

— Pourtant, reprit Céline, je suis sûre que, si tu es venu chez moi ce soir, c'est justement pour m'en parler.

— Oui, mais j'ai changé d'idée.

Il sentit la rougeur envahir son visage, ce qui le rendait ridicule, et cela le fit rougir encore davantage.

— Alors faisons une chose, si tu veux : je vais essayer de deviner. Si je tombe pile, tu promets de me le dire.

Il réfléchit une seconde, puis accepta d'un signe de tête.

Elle l'enveloppa d'un regard pénétrant mais plein d'amitié. Il se trémoussait sur sa chaise, toujours aussi rouge :

— Ma foi, lança-t-il au bout d'un moment, t'es en train de me faire une psychanalyse visuelle !

Elle éclata de rire :

— Tu es charmant. Tu es comme un petit garçon.

Puis, redevenant sérieuse :

— C'est au sujet de ton amie. Vous avez un problème.

Il fit signe que oui.

— Vous... allez vous quitter.

Il fit signe que non.

Elle hésita un moment, réfléchit, puis :

— Elle est enceinte.

— Bravo. Mon visage doit être comme un livre, dis donc !

— Elle est enceinte, poursuivit Céline, de plus en plus grave, et cela cause des problèmes.

— Pas entre nous, précisa Charles.

Et il lui débita d'une traite toute son histoire, puis lui décrivit ses appréhensions. Elle l'écoutait sans dire un mot, le regard soucieux et sévère, avec une sorte de raideur dans sa posture, comme si elle luttait contre une douleur secrète, et, avec effarement, il se dit tout à coup qu'après toutes ces années elle l'aimait encore et qu'il n'aurait jamais dû céder à sa curiosité ; elle-même devait regretter son indiscrétion à présent.

Il avait terminé et attendait sa réaction. Elle haussa les épaules avec une petite moue sarcastique et porta la tasse à ses lèvres, l'œil baissé, comme pour s'isoler. Charles l'observait, navré. Est-ce qu'on peut attendre des consolations de quelqu'un qu'on a fait souffrir ? Décidément, c'était une mauvaise journée! Une des pires de toute sa vie! Quel idiot il faisait!

Elle avait déposé sa tasse et le fixait, luttant manifestement contre une violente émotion et sans doute occupée à choisir ses mots.

— Je ne pensais pas qu'on pouvait être aussi dégueulasse, dit-elle d'une voix curieusement assourdie. Pour qui se prend-il, ce petit ministre? Et les parents ne valent guère mieux... Tu as eu raison de tenir tête à cette ordure. Évidemment, il va essayer de te le faire payer très cher. Mais je crois que tu exagères son influence. On n'est plus au temps des lettres de cachet, tout de même... Et puis, Flingon est tellement détesté au Québec! Ça limite sûrement son pouvoir, même chez ceux qui pensent comme lui...

Elle ne le consolait pas, elle raisonnait. Comme un professeur en train de faire une démonstration d'algèbre devant sa classe. Charles commença à chercher un prétexte pour s'en aller. Debout près de Céline sur cette route ruisselante de soleil, l'homme aux verres fumés semblait le narguer.

— Et qu'est-ce qu'elle pense de tout ça, ton... amie? demanda alors Céline.

— Jennie? Je ne lui en ai pas encore parlé.

Elle le regardait, ébahie.

— Non. Je ne l'ai pas vue aujourd'hui, elle était prise ailleurs. Son oncle a dû la rencontrer ce matin, je suppose... mais... dans ce cas, elle m'aurait sûrement téléphoné... Enfin, je ne sais pas.

À y repenser, le silence de Jennie, en effet, lui paraissait étrange. Mais plus encore: le fait qu'il ait mis tout ce temps à s'en étonner.

— Dis donc, vous ne semblez pas former un couple très uni, observa Céline d'un ton légèrement sarcastique.

Il eut une moue agacée:

— On fait ce qu'on peut.

Et, se levant:

— Il faut que je m'en aille. Excuse-moi de t'avoir ennuyée avec mes histoires.

Il s'attendait à des protestations polies de sa part. Elle se contenta de secouer la tête avec un sourire navré.

Ils se rendirent à la porte en silence. Il bouillait de rage. Mais au moment où il allait sortir, se jurant bien que cette visite était la dernière, elle lui saisit tout à coup le bras ; il se retourna et vit ses yeux luisants de larmes :

— Tu as bien fait, Charles, de lui tenir tête, je te le répète... Tu ne changes pas... Il n'y en a pas beaucoup comme toi... Reviens quand tu voudras... Ça me fera toujours plaisir.

Il marchait dans la rue, sidéré, répétant à voix basse ses dernières paroles, comme pour en pénétrer tous les sens possibles ; mais elles ne faisaient qu'ajouter à sa confusion. Il aperçut alors une cabine téléphonique et se mit à courir, honteux de ne pas avoir parlé plus tôt à Jennie et de plus en plus inquiet qu'elle-même ne l'ait pas encore fait.

24

Il s'était réveillé maussade, avec un vague mal de tête et un profond désir de se trouver seul, car après l'affreuse querelle qu'ils avaient eue la veille, la présence de Jennie, qui dormait à ses côtés, continuait de le faire souffrir ; la journée qui s'annonçait – dont il ne pouvait savoir qu'elle se terminerait dans la jubilation et les éclats de rire – lui apparaissait comme un tunnel sombre et sans fin où il avançait dans le désespoir.

Il se leva, s'habilla sans bruit et décida d'aller déjeuner avec Bernard Délicieux.

Depuis deux mois, inquiété par un taux de cholestérol qui menaçait de causer des pannes un peu partout dans sa carcasse, le vieux routier des ragots avait cessé de fumer et opéré un changement révolutionnaire dans son alimentation. Adieu, cognacs, frites et tournedos, sauces à la crème, fromages et gâteaux! On le retrouvait chaque matin à sept heures, rue Sainte-Catherine, dans un restaurant qui servait des déjeuners santé, où il se nourrissait de fruits frais, de céréales naturelles, de yogourt sans gras et de crêpes à la farine de blé entier arrosées de sirop d'érable biologique, le tout accompagné, bien sûr, de nombreuses tasses de café, qu'il prenait à présent noir et sans sucre. Déjà, affirmait-il, les effets bénéfiques de son changement de régime commençaient à se faire sentir: il avait perdu trois centimètres de tour de taille, respirait mieux, dormait comme un bébé, et sa vivacité intellectuelle avait même augmenté, ce qui en faisait, et de loin, la plus redoutable commère journalistique de Montréal.

Il vieillissait, ce pauvre Délicieux, et ce qui lui restait de cheveux était devenu tout blanc. Voilà longtemps qu'il aspirait à la retraite, mais son caractère dépensier le forçait chaque jour à repousser d'un jour le moment béni du repos et de la contemplation. Il conservait toutefois le même entrain, la même féroce curiosité; les petites découvertes graveleuses l'enthousiasmaient encore autant et sa perfide habileté pour en faire part au public dans les limites de la légalité suscitait toujours l'admiration des collègues. Et si, parfois, il outrepassait légèrement ces limites, la victime savait que les protestations ne feraient qu'aggraver son sort, car il était depuis longtemps passé maître dans l'art de ridiculiser les actions minables et les vices honteux, y mettant une fausse naïveté qui amusait beaucoup les lecteurs.

Il était capable aussi de bontés inattendues, d'indignations sincères, et sa serviabilité était célèbre. Aussi, quand on le rencontrait, ne savait-on jamais à quoi s'attendre, à part quelques amis, envers lesquels il manifestait une fidélité indéfectible.

Charles le retrouva donc au restaurant dans la section non-fumeurs (Délicieux était devenu l'ennemi implacable du tabac) en train d'avaler un bol de céréales garni de yogourt nature, de fraises géantes, de raisins secs et d'amandes émincées. Il était seul et fit signe à son ami de le rejoindre.

— De bonne heure sur le piton, mon Charles! Qu'est-ce qui se passe?

— Rien. Je ne m'endormais plus.

Délicieux lui jeta un regard malicieux:

— Hum... À ton âge, et avec toute la journée devant soi, quand on quitte le lit si tôt que ça, c'est qu'on n'a plus envie de s'y amuser. Te serais-tu chicané avec Jennie?

— Oui.

— Rien de grave, j'espère?

— J'espère.

— Allons, allons, ne fais pas cette tête-là... Tiens, je t'invite à déjeuner. Tout va s'arranger, tu vas voir, fie-toi à *mononcle*: les chicanes d'amoureux, ça ne fait que renforcer l'amour.

Une jeune et jolie serveuse blonde s'approcha; ses dents très blanches cerclées de métal lui faisaient comme un sourire de robot. Charles, sur les conseils du journaliste, commanda des crêpes aux bleuets, un lait fouetté aux bananes et du café.

— C'est qu'elle songe à se faire avorter, Bernard. Et moi, le sale mâle phallocentrique, donc stupide, égoïste et cruel, je m'y oppose.

Délicieux le regardait, l'air peiné, en oubliant la fraise rougeoyante posée dans sa cuillère à quelques centimètres de ses lèvres.

— Et pourquoi voudrait-elle se faire avorter?

— Ce n'est pas clair. Elle affirme que ses études lui prennent beaucoup plus de temps et d'énergie que prévu et l'empêcheront de s'occuper de l'enfant comme elle le devrait – et moi donc, qu'est-ce que je suis? un sac de clous? –, mais j'ai l'impression, malgré tous ses démentis, que ses parents continuent de faire pression sur elle – et, bien sûr, Flingon le Magnifique! Et plus le temps passe, plus la pression monte, vois-tu, et un avortement devient chaque jour plus risqué. Ah! je te dis, y a des fois où j'aimerais mieux être une pierre ou un bout de bois!

— Charles, est-ce que tu la baises bien? demanda tranquillement Délicieux.

L'autre eut un sourire étonné:

— Oui, je crois... Pourquoi cette question? Tu prépares un article sur moi?

Le vieux journaliste dressa en l'air un index doctoral:

— Une femme bien baisée développe un attachement *animal* pour celui qui la baise. Et c'est sur cet attachement qu'il faut que tu t'appuies.

— Qui t'a appris ça? fit Charles en éclatant de rire. Ta vieille maman?

— Mon très cher, répondit l'autre, nullement offusqué, mes sources d'information sont infinies.

Charles, devenu songeur, avalait les dernières bouchées de sa crêpe.

— Je dois t'avouer, cependant, poursuivit-il, que la baise, depuis quelque temps, l'intéresse beaucoup moins. Il paraît que la grossesse, dans certains cas, peut rendre une femme... euh... amorphe, en quelque sorte. Une question d'hormones, je crois.

— Elle ne sera pas grosse toute sa vie, ta Jennie. Son enthousiasme va revenir, tu verras, mon Charlot. Je ne m'inquiéterais pas trop pour ça. Mais je m'inquiéterais peut-être pour autre chose.

— Ah oui? Et pour quoi?

— Pour Flingon.

Et il se mit à lui parler du ministre, qu'on disait implacable et à demi fou, portant à ses ennemis une haine obsessive qui l'avait mis à l'occasion dans des situations délicates, d'où l'avait tiré chaque fois ce cher Flabotte, qui lui vouait un culte. Il y avait ce chroniqueur politique qui s'était suicidé trois ans plus tôt; la version officielle attribuait sa mort à une dépression nerveuse liée à un abus d'alcool et de cocaïne; mais, dans le milieu, on savait que les persécutions secrètes du ministre y avaient été pour quelque chose. Cet homme était du poison vif, il n'y avait pas d'autres mots! Et sa vie austère, déplora Délicieux, le rendait aussi invulnérable qu'inintéressant.

Il se pencha au-dessus de la table et prit la main de Charles, geste inusité qui soulignait la gravité de ce qu'il allait dire :

— T'es encore jeune, toi, mon garçon... Ça ne t'a jamais tenté de ficher le camp du Québec pour quelque temps, histoire de laisser les choses se tasser un peu? Tu pourrais aller travailler en France, en Belgique, ou même en Afrique... J'ai des contacts partout, moi. Je pourrais t'aider.

— Et Jennie? Et notre enfant?

Le journaliste leva les mains dans un geste d'impuissance :

— Ah ça... je n'y avais pas pensé.

Aussi, ce fut dans un état de profond abattement que Charles revint chez lui une heure plus tard. Il avait l'impression que la terre craquait sous ses pieds, qu'une fissure allait l'avaler.

Jennie travaillait à l'ordinateur dans l'espèce de bureau qu'il s'était aménagé dans un coin du salon.

— Quelqu'un vient de téléphoner pour toi, annonça-t-elle d'une voix neutre sans tourner la tête. J'ai laissé le message sur la table de la cuisine.

Il s'agissait d'un certain Francœur, qui désirait lui parler avant midi, si possible. Charles fixait le bout de papier avec une moue hargneuse. Qui cela pouvait-il bien être? Le journal, malgré ses ordres, lui refilait parfois des hurluberlus (généralement des femmes) en mal d'un tête-à-tête avec leur illustre courriériste; il arrivait même à ces zigotos de lui offrir de l'argent pour le privilège d'une rencontre. Charles, invariablement, les envoyait promener. Il fut à deux doigts de chiffonner le papier et de le jeter à la poubelle. Mais une obscure prémonition le retint.

— Bonjour, monsieur Thibodeau, fit une voix qui lui parut familière. Merci d'avoir rappelé si vite. Vous souvenez-vous de moi ? Vous avez sauvé mon chien il y a deux mois.

— Ah ! monsieur Francœur ! Mais oui, bien sûr ! Comment allez-vous, monsieur ?... Et comment va César ?

— Nous allons bien tous les deux, je vous remercie, répondit le député en riant. Monsieur Thibodeau, je serais ravi de pouvoir manger avec vous à midi. Est-ce possible ?

Et comment ! Charles, qui flairait une bonne affaire, aurait annulé des funérailles pour se libérer. À midi moins le quart, il se présentait à L'Express, qu'il ne fréquentait plus guère, faute de fric. Normand Francœur était déjà arrivé.

Le député péquiste Francœur ne faisait décidément pas dans le flamboyant. Charles fut frappé par sa mine ordinaire, presque falote. Bien qu'il ne fût que dans la mi-trentaine, il se voûtait déjà et son air prudent, réservé, précautionneux, son sourire timide et des yeux de myope grossis par d'épaisses lunettes achevaient de le vieillir. Avec cela, une tenue de notaire et une chevelure blondasse séparée à gauche par une raie. Mais il avait la réputation d'être intelligent, tenace et travailleur. Il s'intéressait particulièrement au dossier linguistique, peu prisé sous le gouvernement Bouchard, et passait pour un grand amateur de femmes, auprès desquelles, disait-on, il remportait beaucoup de succès ; cela le faisait parfois comparer à René Lévesque, à qui il ressemblait vaguement. Mais, contrairement à ce dernier, il avait horreur de la cigarette ; Charles s'en rendrait compte bien vite.

— Est-ce que l'endroit vous va ? demanda-t-il à son invité avec une prévenance inquiète.

— Oh oui, j'y viens souvent, répondit Charles dans un demi-mensonge.

— Pas moi, car je le trouve un peu bruyant, à vrai dire, mais j'avais le goût ce midi d'un steak tartare, et on le fait très bien ici. Prendriez-vous du vin ?

Charles sentit qu'il devait répondre non et s'en félicita aussitôt, car son interlocuteur lui confia qu'il n'en buvait jamais le midi : cela nuisait à sa concentration.

Le garçon s'approcha ; pendant que le député donnait sa commande, une jeune femme entra dans le restaurant ; il s'interrompit, la suivit des yeux une seconde, puis, revenant au garçon, se mit à le fixer, tout interdit, ne sachant plus où il en était.

— Et alors, dit-il à Charles quand le serveur fut parti, à quoi vous occupez-vous par les temps qui courent ? Non, je vous prie, pas de cigarette, si ça ne vous dérange pas trop. J'ai les muqueuses très sensibles. Merci, vous êtes gentil. Excusez-moi. Je reprends ma question. Bien occupé ces temps-ci ?

— Oh ! je fais du journalisme, comme d'habitude, répondit Charles en bafouillant un peu. Je suis pigiste depuis quelque temps. Ça me donne plus de liberté. Il faut dire que j'ai eu parfois des patrons pas mal exigeants !

Et il se mit à lui décrire sa carrière par le menu, s'attardant sur le poste qu'il avait occupé auprès de Pierre Péladeau et sur son travail de chroniqueur à *Clair*.

L'autre, un léger sourire aux lèvres, l'écoutait en hochant doucement la tête, lui demandant de temps à autre une précision. Charles étalait son curriculum vitae, déployant des efforts inouïs pour paraître brillant et de bonne compagnie.

— Savez-vous pourquoi je vous pose toutes ces questions ? demanda tout à coup le député.

— Pas vraiment, répondit l'autre, tremblant d'espoir.

— Mon secrétaire de comté vient de partir pour l'Afrique comme coopérant. Je cherche un remplaçant. J'ai pensé à vous, car votre conduite de l'autre jour m'a beaucoup plu. Vous m'apparaissez comme quelqu'un de débrouillard et de déterminé – et, bien sûr, je vous estime depuis longtemps comme journaliste. Est-ce que l'emploi vous intéresserait ? Évidemment, je ne demande pas une réponse immédiate, mais je ne vous cacherai pas que je suis un peu pressé.

Charles revint chez lui deux heures plus tard, des étoiles plein les yeux. Un calme profond régnait dans l'appartement. Il s'arrêta devant la porte, déçu, se croyant seul alors qu'il voulait annoncer une bonne nouvelle. Puis un léger soupir lui parvint de la chambre à coucher. Jennie faisait la sieste.

Prenant son élan, il fit irruption dans la pièce, se jeta dans le lit et se mit à couvrir son amie de caresses :

— Jennie ! J'ai un emploi ! Secrétaire de comté ! Pour le député Francœur dans le comté de Saint-Henri ! À 42 000 $ par année ! Es-tu contente ?

Et il l'étouffait de baisers.

Elle finit par se dégager en riant. Appuyée sur les coudes, l'œil encore ensommeillé, elle se mit à le bombarder de questions.

— Tu vois, fit-elle quand il eut fini de lui raconter son entretien avec le député, je t'avais prédit que tu t'en sortirais.

— Ce n'est pas ce que tu me disais hier !

Elle montra son ventre, légèrement renflé :

— C'est à cause de lui, Charles. Il m'a toute chamboulée.

— Je vais te payer une gardienne, Jennie ! En plus de ton droit, tu pourras étudier le grec classique ou les hiéroglyphes, si tu veux !

Ce soir-là, ils soupèrent au Piémontais. Charles renouait enfin avec son ancienne vie et triomphait. Il commanda la bouteille de bordeaux des grands jours et Jennie, malgré son état, accepta d'en prendre un verre.

◈

Charles n'avait pas la moindre idée de ce qui l'attendait, et sans doute cela valut-il mieux, car, malgré son besoin pressant et sa hâte de travailler, il aurait peut-être reculé devant la mission qu'on lui proposait.

Car il s'agissait bien d'une mission, et dans le sens le plus héroïque. La journée d'un secrétaire de circonscription commençait à huit heures le matin pour se terminer vers onze heures le soir, et cela généralement sept jours par semaine. C'était un travail à ras de sol, où la politique se montrait sous son jour le plus cru, qui était souvent celui des nécessités brutales de la vie.

Le député Francœur représentait la circonscription de Saint-Henri, située dans le sud-ouest de l'île de Montréal ; les millionnaires n'y abondent pas, préférant Westmount, tout à côté, où l'air est plus sain et la vie plus élégante. La session parlementaire se déroulant généralement les mardi, mercredi et jeudi, le député voyait ses électeurs les lundi et vendredi, sans compter, bien entendu, les nombreuses activités qui requéraient sa présence durant la fin de semaine. En toute occasion, il était assisté de son secrétaire.

Ce dernier devait être polyvalent, diplomate et débrouillard, n'avoir aucune susceptibilité et posséder la bonne humeur d'une tête heureuse ; il devait faire face aux circonstances les plus bizarres ou les plus dramatiques avec un calme de granit, et la fatigue devait rester pour lui un phénomène inconnu ou, du moins, inavoué. Le secrétaire servait de tampon entre le député et ses électeurs (souvent insatisfaits, comme de raison) et devait arrondir les aspérités de son métier.

À peine avait-il annoncé la bonne nouvelle à Jennie que Charles s'installait au téléphone afin de la répandre parmi ses amis et connaissances. Leurs réactions furent diverses et parfois surprenantes. Parfait Michaud, Anouchka et Lucie le félicitèrent chaudement, l'assurant qu'il ferait merveille dans ses nouvelles fonctions, mais Fernand se montra presque froid, lui laissant entendre qu'il n'aimait pas beaucoup le voir se joindre à un gouvernement qui avait mis le projet de souveraineté sur la glace et « pissait dans sa culotte » dès qu'on parlait du dossier linguistique.

— Mais je suis quand même content, ajouta-t-il, que tu te sois enfin tiré des griffes de Flingon. Que la fièvre aphteuse l'emporte! Qu'il s'étouffe avec son drapeau!!

Blonblon se montra très ému et... lui fit envoyer des fleurs! Délicieux débordait de joie et le couvrit de compliments hypertrophiques; Charles crut deviner qu'une partie de son allégresse venait de la certitude qu'il avait de pouvoir désormais compter sur une source d'information précieuse dans un monde où l'on n'avait pas facilement ses entrées.

La réaction de Steve fut étonnante. Il arrivait de son travail et la fatigue se sentait dans sa voix; pendant quelques secondes, ses félicitations se mêlèrent au bout du fil à des exclamations joyeuses d'enfants en train de se pourchasser dans une pièce, puis on entendit la voix de Monique, une porte claqua et le silence se fit.

— Bon, dit-il, on va pouvoir se parler en paix. J'ai une question à te poser, et même deux.

— J'écoute.

— Ma cochonne de patte me fait de plus en plus mal. Est-ce que tu ne pourrais pas m'aider à obtenir une petite compensation de la commission des accidents du travail?

— Décidément, toi, tu ne perds pas de temps! D'abord, tu ne vis même pas dans le comté de Francœur!

— Un vrai *chum* ne regarde pas ce genre de détail.

— Et puis, ton accident remonte à presque dix ans, Steve, et ce n'était même pas un accident de travail!

— Qui le saurait, à part toi et moi? On pourrait inventer une histoire, non?... Non? O.K., oublie ça, je m'arrangerai autrement.

— Et ta deuxième question?

— On doit bien faire le ménage, de temps à autre, je suppose, dans le bureau de ton député? Si jamais tu pouvais m'obtenir ce petit contrat, je te ferais brûler un lampion, mon gars.

— Bon, je vais voir ce que je peux faire, soupira Charles, mais n'y compte pas trop, tout de même... Tabarnouche, Steve, t'es toute une sangsue, dis donc! Qu'est-ce que ça serait si j'étais ministre?!

— Eh bien, j'arrêterais de travailler, répondit l'autre.

Et il éclata de rire.

25

Le bureau du député Francœur était situé au 4214 de la rue Saint-Jacques, près de la place Saint-Henri, à deux pas du métro; le député occupait le rez-de-chaussée d'un modeste immeuble de deux étages, à façade de pierre grise, coincé entre un bar et un nettoyeur; on avait aménagé des appartements aux étages supérieurs. Le local était constitué d'une salle d'accueil, où travaillait la secrétaire-réceptionniste, d'une cuisinette et de deux bureaux, celui du fond occupé par Francœur et l'autre par son secrétaire, qui lui servait en quelque sorte de bouclier. Les pièces étaient séparées par un corridor qui donnait sur des toilettes et sur une sortie vers l'arrière.

L'emplacement avait été bien choisi. Il se trouvait dans un coin animé, plutôt agréable, d'accès facile, en plein cœur du Vieux-Saint-Henri. Le secteur, longtemps habité par une population ouvrière démunie, s'embourgeoisait depuis quelques années sous l'effet de la spéculation, qui chassait les gens à faibles revenus. Mais il n'y avait pas encore pénurie de misère.

Charles entra en fonction dès le lendemain de sa rencontre avec le député. Il arriva au bureau vers huit heures, l'œil cerné, car il avait mis du temps à s'endormir, un peu effarouché par l'aventure dans laquelle il se lançait. Francœur lui présenta sa secrétaire, Louise Rajotte, une femme dans la trentaine, aux traits un peu forts mais agréables, qui le dévisagea quelques secondes avec un sourire impertinent avant de lui tendre la main, comme si elle s'amusait à l'avance des difficultés qui allaient s'abattre sur le jeune homme. Charles visita les lieux, modestes et plutôt exigus, remplit quelques formalités, puis son nouveau patron, interrompu à tout moment par le téléphone, eut avec lui un long entretien pour le mettre au fait de ses nouvelles fonctions.

— Je pourrais vous parler pendant des heures, conclut-il, mais, au fond, votre métier s'apprend sur le tas. Louise saura vous aider mieux que moi. Elle est ma secrétaire depuis six ans. C'est une excellente personne, qui a toujours habité le quartier. Elle connaît tout.

Comme il avait du temps devant lui, Francœur lui proposa alors une petite visite de sa circonscription en auto. Ils filèrent dans les rues de Saint-Henri, puis se rendirent à Côte-Saint-Paul et ensuite à Ville-Émard. Charles tournait la tête à gauche et à droite, les yeux écarquillés, tout en s'efforçant d'absorber les flots de commentaires que lui déversait le député. Des immeubles, délabrés, moins délabrés, assez coquets. Des commerces aux devantures sales, correctes, rutilantes. Des passants, beaucoup de passants, la plupart modestement vêtus. Une jolie femme qui monte un escalier, un sac d'épicerie entre les bras. Des adolescents qui courent sur le trottoir au lieu d'être en classe. Des débris sur ce trottoir, poussés par le vent. Une poubelle renversée, dont les déchets gênent la marche des piétons. Un joli parc. Des rangées de voitures d'occasion devant un garage aux vitrines mal lavées. Une immense église de pierre, dont on se demande qui a bien pu la payer. Toujours des passants. Un gros homme rubicond s'approche de leur auto, arrêtée à un feu rouge, et se met à parler au député avec de grands gestes pour lui exposer un problème qui paraît bien compliqué; le député l'écoute un moment en hochant la tête, puis s'excuse et lui enjoint de venir le voir le lundi suivant.

Ils retournèrent au bureau. Charles avait la tête remplie d'un tel fouillis d'informations qu'il en avait oublié le nom de la secrétaire et même celui de la circonscription.

— Je dois me rendre à Québec, lui annonça Francœur. La session reprend demain. On se voit samedi ? Il faut aller à une tombola, je crois. Louise vous donnera les détails.

— Ah oui, Louise, c'est vrai, murmura Charles en lui serrant la main. Bon voyage.

Il entra dans son bureau, s'assit, joignit les mains et se demanda ce qu'il faisait là. On lui aurait demandé de piloter un Concorde qu'il ne se serait pas senti plus dépassé.

Louise apparut dans la porte :

— Madame Boisclair vient d'arriver. Elle voudrait vous rencontrer au sujet de sa pension de vieillesse.

— Oui, bien sûr, répondit-il machinalement. Faites-la venir.

L'instant d'après, une vieille dame bossue, coiffée d'un fichu noir, entra dans la pièce en boitillant. Elle lui fit un petit salut de la tête tout en l'examinant d'un œil vif et inquisiteur.

— Monsieur Brissette est parti ? s'étonna-t-elle.

— Comme je vous le disais, madame, répondit Louise, restée derrière elle, c'est monsieur Thibodeau qui le remplace à présent.

— Ah bon, ah bon, soupira la vieille, et elle s'approcha encore un peu.

Louise s'effaça de la porte, mais resta dans le corridor pour suivre discrètement la conversation, ce dont Charles lui sut infiniment gré.

— Assoyez-vous, madame, fit-il en lui désignant un fauteuil. Qu'est-ce que je peux faire pour vous ?

La dame s'assit avec force petits soupirs, plaça ses jambes, courtes et enflées, le plus commodément possible, tira sur le bord de sa robe, puis :

— Ma pension est en retard. Pour la troisième fois de suite. En retard de dix jours. J'ai des comptes à payer, moi.

Et elle attendit.

Charles réfléchit une seconde, puis son visage s'illumina :

— Mais, madame, les pensions de vieillesse, ça relève du gouvernement fédéral ! Je ne peux malheureusement pas...

Louise fit irruption dans la pièce :

— Excusez-moi, juste une petite remarque... Madame Boisclair, vous allez donner votre numéro d'assurance sociale à monsieur Thibodeau et il va s'occuper de faire les démarches nécessaires. N'est-ce pas, monsieur Thibodeau ?

— Mais bien sûr, répondit Charles, interloqué.

— Pouvez-vous téléphoner tout de suite ? demanda la vieille.

— Certainement.

Il attrapa un bottin téléphonique, mais Louise, qui avait couru à son bureau, lui fournit le numéro.

Dix minutes plus tard, après avoir débrouillé une affaire de changement d'adresse, il reconduisait jusqu'à la porte la dame reconnaissante et soulagée.

— Il ne faut jamais laisser quelqu'un partir d'ici, lui recommanda Louise en mettant dans sa voix une onctuosité maternelle, sans qu'il soit sûr qu'on a fait l'impossible pour lui, peu importe ce qu'il nous demande. Autrement, c'est un vote qu'on risque de perdre. Madame Boisclair aurait dû, en fait, aller chez le député fédéral. Mais elle a choisi de venir nous trouver. C'est une marque de confiance. Comprenez-vous ?

— Je comprends, répondit Charles avec un rire confus.

— Vous allez vite prendre le tour, vous verrez.

La porte d'entrée s'ouvrit et on entendit des frottements de pieds.

Louise s'élança dans le corridor, puis, s'arrêtant net, se retourna :

— Monsieur Thib... dis donc, est-ce que tu permettrais que je t'appelle Charles ? Je me sentirais plus à l'aise.

Dans les semaines qui suivirent, Louise lui fut d'un précieux secours ; elle vouait à Francœur une vénération sans borne et, devant le zèle et la débrouillardise que Charles se mit à déployer dans ses nouvelles fonctions, elle reporta sur lui une partie de cette vénération ; cette dernière s'accompagnait cependant d'un franc-parler et parfois même d'une âpreté qui accélérèrent notablement l'apprentissage du nouveau secrétaire, car les mots qu'elle utilisait alors s'imprimaient dans l'esprit de ce dernier avec la force d'un coup de marteau.

Charles trouvait son langage et ses manières un peu frustes et souriait devant ses robes voyantes, ses bijoux de pacotille et les romans qu'elle apportait pour meubler son heure de dîner, qu'elle prenait toujours au bureau par esprit d'économie. Elle devait son poste à des programmes d'accès à l'emploi qui ne lui avaient guère donné de culture et encore moins de vernis. Mais elle avait mieux : une santé d'esprit et une solidité de jugement qui lui avaient gagné la totale confiance du député. Charles apprécia bientôt son dévouement, sa clairvoyance et son efficacité.

Née dans le quartier, elle y avait toujours vécu et le connaissait comme le fond de son sac à main. C'est elle, bien plus que Francœur, qui initia Charles aux secrets de la petite politique. Parmi toutes les demandes qui affluaient au bureau, elle lui apprit à distinguer celles qui méritaient son attention des autres, émanant de quêteurs professionnels. À l'un, malgré qu'il ne payât pas de mine, il fallait accorder une attention particulière, car son beau-frère était journaliste à *La Voix populaire*, le puissant hebdo du quartier qui, en deux ou trois articles sournois, pouvait amocher pour toujours une réputation. Par contre, on devait se méfier de cet autre, pourtant agréable, souriant et fin causeur, car il travaillait secrètement pour les libéraux ou avait des accointances avec la petite pègre locale. Mais à celui-ci, qui jouait les importants et se fendait en jugements solennels sur tout un chacun, il ne fallait pas faire plus attention qu'à un chien qui jappe après le bout de sa queue, car son influence ne dépassait pas les limites de son veston. Cette dame bien vêtue manquait réellement d'argent. Ce jeune homme en quête d'emploi avait beau être débraillé et ruminer sa gomme à mâcher comme un bœuf sa gueulée d'herbe, c'était un bon travailleur, et fiable; il demeurait à trois portes de chez Louise, qui l'avait vu grandir, et si la malchance courait après lui depuis six mois, il n'en était pas plus bête pour autant.

Louise était divorcée et Charles crut deviner qu'elle voyait quelques hommes, mais ne put jamais en savoir davantage, car une muraille infranchissable séparait sa vie professionnelle de sa vie privée. C'était à ses propres risques qu'on la questionnait sur cette dernière.

Le député Francœur, que Charles avait d'abord trouvé un peu terne, était un homme doux et timide, mais rusé, avec un esprit pénétrant et une secrète vanité qu'il fallait soigneusement ménager. Il se passionnait pour la politique depuis l'adolescence et s'était fixé la souveraineté du Québec comme but de sa vie. Il y travaillait infatigablement, selon ses moyens et le prestige limité que lui conférait son statut de *backbencher*; il voyait dans sa mission une forme d'éducation populaire; cela demandait de la patience, de l'humilité et beaucoup d'attention aux réalités prosaïques de la vie. Il stupéfiait Charles par ses connaissances encyclopédiques en politique internationale et s'intéressait particulièrement au dossier linguistique; ce n'était pas la meilleure façon d'accéder à un poste d'importance dans l'actuel gouvernement, qui avait décidé par prudence de clore le débat, considérant sans doute la tranquillité des esprits comme un bien auquel il fallait tout sacrifier.

En compagnie de Francœur, Charles devint un assidu des parties de bingo, des matchs de soccer, de balle molle et de hockey; il apprit à lutter contre l'humidité des arénas et l'ennui que distillaient parfois certaines assemblées d'organismes communautaires. Les sociétés de bienfaisance – Saint-Vincent-de-

Paul, Chevaliers de Colomb, club Kiwanis, etc. – ainsi qu'une myriade d'autres groupes lui faisaient parvenir leurs demandes et leurs invitations. Comment ne pas y répondre ? Il dut négocier la présence du député, qui ne pouvait être partout à la fois ; souvent, il le remplaçait. Même si leur influence avait beaucoup décru, il s'efforça de faire la connaissance de tous les curés et vicaires de la circonscription, écoutant leurs observations, compatissant à leurs problèmes ; il y avait là des votes qui pouvaient en entraîner d'autres.

Les militants du parti apprirent à le connaître et vinrent le trouver pour lui prodiguer leurs conseils et suggestions ou l'engueuler sur la mollesse du gouvernement qui aimait mieux, leur semblait-il, administrer une province que de travailler à la naissance d'un pays. Parfois ces critiques concernaient Francœur lui-même et on le priait de lui transmettre le message, ce que Charles faisait en y mettant le plus de ménagements possible, car le métier de député est souvent ingrat et personne n'aime collectionner les coups de pied au cul.

Il devint un expert dans le règlement des problèmes de chèques : prestations d'assurance-emploi, d'aide sociale, pensions de vieillesse, versements de la Commission de la santé et de la sécurité du travail, et même chèques sans provision émanant de pauvres diables ou d'escrocs.

— Je ne sortirai pas d'ici tant que je n'aurai pas reçu mon chèque, lui déclara un jour un homme au visage émacié et au regard fixe.

— Mais ce n'est pas moi qui l'émets, votre chèque, monsieur. Tout ce que je peux faire, c'est de transmettre votre plainte et demander qu'on y donne suite rapidement.

— Parfait. Plus vite ils se grouilleront, plus vite je partirai d'ici. J'ai même apporté des provisions, ajouta-t-il en sortant de la poche de son manteau une demi-douzaine de tablettes de chocolat.

Il fallut tout le tact de Louise, et beaucoup de son énergie, pour mettre un terme à cette scène inusitée.

On s'adressait à Charles d'abord et avant tout pour du travail mais aussi pour presque n'importe quoi : une femme se faisait battre par son mari, une mère par son fils, la fille de l'une se droguait, celle de l'autre sortait avec un homme marié, une troisième, y mettant encore moins de forme, se prostituait dans les bars. Charles devait se transformer en travailleur social et en psychologue et trouver des solutions ou des adoucissements pour tous les maux, car les services spécialisés manquaient d'argent et de personnel. Mais il n'était quand même pas magicien ! Son humilité fit des progrès considérables.

Un après-midi, il reçut la visite d'un jeune aspirant policier ; c'était un colosse de dix-huit ans avec des mains aux doigts énormes, des cuisses en forme de baril et un regard de poupon : une sorte de tendre tueur prêt à tous les combats.

Ce dernier lui exposa son problème. Il avait terminé ses études secondaires, mais on ne lui avait pas encore délivré son diplôme. Or l'école de police exigeait ce diplôme pour l'accepter aux examens d'entrée, qui se tenaient dans quelques jours, tandis que le ministère de l'Éducation se déclarait incapable de le fournir à temps. Est-ce que Charles pouvait plaider sa cause auprès des autorités concernées ?

— Avec plaisir, fit celui-ci, à qui le problème parut enfantin. Et tout de suite, même.

Il téléphona à un responsable, se présenta, exposa la situation.

— Ça prend le diplôme, répondit ce dernier, imperturbable. Pas de diplôme, pas d'examen.

— Mais il l'a obtenu, son diplôme. Il peut même vous montrer une lettre d'attestation de son école.

— Une lettre, ça ne vaut rien. Ça prend le diplôme.

— Ouais, fit Charles, décontenancé, c'est un problème, ça...

— Vous voyez un problème, vous ?

L'homme éclata de rire et raccrocha.

Le 2 octobre 1996, Robert Bourassa, ancien premier ministre du Québec, mourut d'un mélanome. Sa mort souleva peu d'émotions, car il n'en avait guère soulevé durant sa vie. Il laissait le souvenir d'un homme rusé, mais faible, têtu cependant, et obsédé par le pouvoir, dont il n'avait trop su que faire.

Ce jour-là, une dame à la voix toute cassée et qui prononçait les « r » comme dans un roulement de tambour, téléphona et demanda à parler au député. En l'absence de ce dernier, Charles prit l'appel. La femme, très émue, s'apitoya tout d'abord sur la triste fin de son politicien favori, puis demanda s'il était possible qu'on fasse brûler deux ou trois cents lampions à l'Oratoire Saint-Joseph pour le repos de son âme, aux frais du gouvernement, bien sûr, qui, de toute façon, ne savait quoi faire de son argent. Charles, pince-sans-rire, lui répondit que la séparation de l'Église et de l'État interdisait pareille chose.

— La séparation de quoi ? bredouilla la vieille femme. Je vous parle de lampions, monsieur, de simples lampions... pour un homme qui a tant fait pour sa province...

Charles, plutôt que de l'éconduire poliment, reprit son argument et le développa. Elle n'y comprit rien, mais le mot « séparation » la mit dans un état effroyable et, après avoir bredouillé quelques mots sans suite, elle traita Charles de « séparatiste » et d'« athée », et raccrocha.

Calé dans son fauteuil, Charles riait. Après avoir été malmené si souvent au téléphone, il était ravi de s'être un peu amusé aux dépens d'une timbrée.

Quelques minutes plus tard, Louise apparaissait dans son bureau.

— Qu'est-ce que tu viens de raconter à madame Bisaillon ? Elle veut quasiment venir mettre le feu au bureau.

Charles, fort gai, lui rapporta leur conversation.

— Il ne faut jamais se moquer des gens, déclara Louise après l'avoir écouté jusqu'au bout. Surtout pas en politique ! T'as agi comme un p'tit con, Charles. Jamais monsieur Francœur ne lui aurait parlé comme ça.

— Elle ne s'est aperçue de rien, je te jure, se défendit-il. Elle ne pouvait pas se rendre compte que je me moquais d'elle.

— Elle l'a *senti*, mon cher. T'as encore bien des croûtes à manger avant de comprendre le métier.

Et, lui tournant le dos, elle quitta la pièce.

Charles, en dépit de tout, prenait goût à son nouveau travail. En comparaison, ses cinq années à *Vie d'artiste* lui paraissaient bien futiles : du temps perdu à faire perdre leur temps aux autres. Malgré les déconvenues inévitables, il avait le sentiment d'être un rouage – tout petit mais nécessaire – dans l'immense machine qui s'appelait Progrès. Ici, on réglait les *vrais* problèmes. Ici, on combattait la pauvreté, la bêtise et l'ignorance, ces boulets qui, de tout temps, ont ralenti la marche de l'humanité vers le bonheur. On ne parlait pas de souveraineté toutes les dix minutes, bien sûr, mais on construisait peu à peu la solidarité, qui était son préalable. Ah ! si on avait eu un gouvernement un peu plus courageux ! Au bout d'un an, les Québécois auraient été libres !

Il se sentait parfois comme un missionnaire. Il avait des idées à la Jaurès, à la Miron, à la Jean-Jacques Rousseau. Blonblon aurait adoré ce métier, lui, le missionnaire-né. Lorsqu'il lui racontait une de ses journées, l'autre ouvrait de grands yeux et devenait pensif. Oui, Blonblon y aurait excellé, mais, hélas, il portait en lui une fêlure qui l'obligeait à éviter les coups trop durs et à mener une vie paisible qui, du reste, semblait le rendre heureux.

À travailler ainsi soixante-dix heures par semaine, Charles avait un peu maigri, ce qui le rendait encore plus beau garçon.

Les filles lui faisaient de l'œil, mais il ne s'en occupait pas trop. Il formait avec Louise Rajotte un duo formidable (c'était du moins son opinion) et se donnait corps et âme à sa tâche. Francœur ne s'était pas trompé sur cette femme : quand on passait par-dessus les aspérités de son caractère, on ne pouvait que l'adorer et bénir le ciel qu'elle fût née à Saint-Henri. Elle avait une telle connaissance de son patelin qu'elle aurait pu en remontrer à tous les sociologues du Québec, même si la plupart de leurs mots savants lui échappaient. Charles n'avait jamais vu autant de fougue alliée à un flair aussi juste et à une mémoire aussi vaste.

Le midi, il l'invitait parfois à prendre une bouchée au Perroquet violet, le petit café-restaurant établi en face de leur bureau. Ces Vietnamiens servaient un excellent espresso, leur pâté chinois valait celui de Lucie et leur lasagne semblait venir de Palerme, à croire que toutes les cultures de la planète étaient en train de se mélanger dans un mouvement de fraternité universelle qui allait transformer notre monde en paradis. Niaiseries ! On se tuait plus que jamais. Et Louise connaissait un marchand voisin du bureau, toujours sur son trente-six, qui ne mettait jamais les pieds au Perroquet, car il « ne pouvait pas endurer la vue de ces faces de citron ».

Charles éprouvait de plus en plus d'estime également pour son patron, bien que ce dernier eût une certaine tendance à la radinerie et ne livrât pas facilement le fond de sa pensée, et encore moins ses sentiments, ce qui compliquait parfois les rapports qu'on avait avec lui ; mais, somme toute, Francœur avait un caractère facile, un esprit rapide, savait écouter (chose rare) et parlait bien en public ; ses origines modestes le rendaient sensible aux malheurs des autres – et sa compassion ne se limi-tait pas à de simples paroles.

Il vivait seul dans un assez bel appartement, rue Louis-Cyr, mais ne connaissait pas beaucoup de nuits solitaires, car les femmes se succédaient chez lui à une belle cadence. On ne l'avait jamais vu, cependant, draguer dans l'exercice de ses fonctions – ou, alors, ses approches devaient être bien subtiles !

Quand son chien César ne l'accompagnait pas, la concierge de l'immeuble veillait sur l'animal avec une attention toute maternelle, malgré qu'elle ne partageât aucunement les opinions politiques de son maître ; mais Francœur, habile tacticien en relations humaines, ne désespérait pas que l'amour de l'excellente femme pour son chien en vienne un jour à englober les idées du maître.

Charles, un soir, invita le député à souper chez lui. Jennie, d'abord un peu intimidée, se montra charmante et bientôt il fut manifeste que Francœur la trouvait de son goût. Il la félicita pour sa grossesse, que Charles lui avait annoncée quelques semaines plus tôt, et, tout naturellement, lui demanda si elle attendait un garçon ou une fille. Elle rougit un peu et répondit qu'elle l'ignorait. Il crut bon de changer de sujet.

À la fin du repas, Charles, pour s'amuser, lui fit visionner la cassette vidéo du discours de Flingon, cadeau du prosélyte avocat Savard à sa fille. Le député l'écouta jusqu'au bout, sans un mot, un petit sourire aux lèvres, en se caressant de temps à autre le menton.

— Et alors ? fit Charles, curieux de sa réaction.

— C'est un bon discours. Cette idée de la double appartenance – ou du citoyen aux deux pays, si vous voulez –, ça ne manque pas d'ingéniosité. Il faut y voir, bien sûr, une sorte de recul stratégique devant la force du mouvement souverainiste. On n'ose plus nous dire, à présent, qu'il n'y a qu'*un seul pays* – mais on continue de le penser, évidemment... Les Québécois se font offrir la possibilité d'avoir *un pays dans un autre*... Cela fait un Canada plutôt curieux... Mais on se garde bien d'ajouter, comme de raison, que, pour que ce Canada fonctionne correctement, *un des pays doit être subordonné à l'autre*. Devinez lequel ? fit-il en éclatant de rire. De l'excellente hypocrisie !

26

On s'adressait au bureau du député pour mille et une raisons, certaines étranges, d'autres franchement saugrenues. Charles ne cessait de s'en étonner. Mais, un jour, il eut une révélation qui l'émut profondément.

On était à la fin de novembre et depuis une semaine l'automne s'était montré particulièrement maussade et pluvieux. Le téléphone ne dérougissait pas, les visiteurs affluaient, Louise, aux abois, aurait souhaité avoir trois têtes, Charles courait comme un chien fou, Francœur avait son air des jours de combat.

Mais le 26 novembre le calendrier se détraqua et on se retrouva tout à coup au milieu de l'été, même si les arbres avaient perdu toutes leurs feuilles. Un ciel lumineux et sans nuages, d'un bleu tendre et bienveillant, s'arrondissait au-dessus de la ville, stupéfaite et charmée. Le soleil avait retrouvé son ardeur de juillet et, chassant le froid et l'humidité, chauffait Montréal, parcouru par des souffles tièdes qui faisaient naître des soupirs d'aise. À dix heures, plusieurs terrasses avaient retrouvé leurs tables, leurs chaises et leurs clients qui, le manteau déboutonné, feignaient de croire à l'été.

Au bureau du député Francœur, le téléphone était devenu muet et il n'y avait pas un chat dans la salle d'attente. Cela dura toute la journée.

Charles, étonné, en profita pour mettre ses dossiers en ordre et rattraper les retards dans sa correspondance. Vers trois heures, Louise vint lui porter le courrier.

Il se rejeta en arrière dans son fauteuil, étendit les jambes, étouffa un bâillement :

— Qu'est-ce qui se passe, Louise ? On dirait que la Terre a cessé de tourner.

— C'est toujours comme ça quand il fait très beau. On dirait que les gens oublient leurs problèmes. Profites-en !

Alors Charles comprit. Les gens venaient le voir pour mille et une raisons, mais ils venaient le voir surtout *pour qu'on les écoute.* Une paire d'oreilles attentives (et, si possible, compatissantes) semblait une des choses les plus rares du monde, et les plus précieuses.

◆

À s'occuper autant du bonheur des autres, Charles négligeait le sien. Il passait encore la plupart de ses nuits avec Jennie, mais la voyait bien peu le jour, avalé par son travail qui ne lui laissait presque plus de loisirs et lui prenait toute son énergie. Elle travaillait très fort, voyait des amies dans ses rares moments libres et, sans qu'on puisse dire que de l'animosité s'était installée entre eux, leurs relations s'étaient quelque peu refroidies. Elle ne se plaignait pas trop de ses absences répétées, voyant que cela ne servait à rien, et, peu à peu, prenait l'habitude de mener sa vie toute seule, se disant, en guise de consolation, que Charles finirait tôt ou tard par abandonner ce métier impossible.

Pendant ce temps, sa grossesse se poursuivait normalement ; elle en était au sixième mois. Charles l'avait convaincue de garder l'enfant ; devant son charme, sa tendresse et son pouvoir de persuasion, elle avait fini par céder.

L'esprit de contradiction y avait également été pour quelque chose ; ses parents et cet oncle qu'elle n'aimait guère l'avaient beaucoup trop incitée à se faire avorter. Un jour, dans un mouvement de colère, elle avait mis fin à ses hésitations. À présent, il était trop tard. Charles, qui gagnait un bon salaire, avait promis de l'épauler, d'alléger sa tâche de toutes les façons ; il n'avait plus qu'à tenir promesse. Elle pensait à cet enfant plutôt froidement, sans grand amour, comme on envisage une expérience nouvelle, qu'on souhaite plus ou moins vivre, et se promettait de n'en avoir qu'un, car il n'en fallait qu'un, après tout, pour être mère.

Steve n'avait pas vu Charles depuis un mois et ne décolérait pas, parlant de trahison et maudissant la politique ; une partie de son mécontentement venait peut-être de ce que son ami n'avait pu lui rendre aucun des services qu'il lui avait demandés. Blonblon, comme d'habitude, comprenait tout et n'avait que des mots d'encouragement pour Charles, qu'il trouvait héroïque ; ce qui ne l'empêchait pas de s'attrister sur la quasi-disparition de son ami, dont il aurait eu besoin parfois. Fernand et Lucie avaient fini par se résigner à n'avoir de ses nouvelles que par le téléphone, se disant qu'il fallait bien qu'il fasse sa vie et que la cause qu'il servait méritait tous les sacrifices ; quand l'ennui s'emparait d'eux, ils laissaient un message sur son répondeur. Quant à Parfait Michaud, il était tellement heureux avec Anouchka qu'on n'avait guère de ses nouvelles non plus ; Lucie avait appris par le directeur de la caisse populaire qu'il songeait à se remarier ; Fernand avait appelé le notaire pour obtenir confirmation de ce projet insensé et l'avait traité de fou, lui disant qu'il fallait être fissuré du ciboulot pour épouser une femme dont on pourrait être le grand-père. Michaud lui avait répondu que l'amour ne connaissait pas d'âge ni de barrières sociales et se fichait du qu'en-dira-t-on ; sinon, Roméo et Juliette ne se seraient jamais connus et seraient morts tout bêtement chacun de leur côté.

— Eh ben, justement, avait rétorqué Fernand, qui avait peu fréquenté Shakespeare, on les a assassinés, aussi !

Cela dit, le notaire n'avait pas oublié Charles et lui adressait des fax de temps à autre (il déployait d'énormes efforts pour être le plus *moderne* possible, afin de faire oublier son âge) ; au début de novembre, Charles avait reçu de lui un exemplaire du *Prince* de Machiavel, accompagné de la note suivante : « Si ce livre a pu servir à l'affreux Trudeau, pourquoi ne te servirait-il pas à toi aussi ? Il faut savoir utiliser les armes de ses ennemis. »

Charles n'avait pas ouvert *Le Prince*, faute de temps mais aussi par crainte d'une souillure. La politique l'obligeait déjà à tripoter assez de saletés sans qu'il ait envie en plus de s'en nourrir !

Mais il n'avait pas encore contemplé la saleté dans ce qu'elle avait de plus immonde.

◈

Le 4 décembre 1996, Charles venait de terminer une longue conversation téléphonique avec un journaliste qui avait essayé de lui tirer les vers du nez au sujet de divergences qui tiraillaient le comité de direction du comté, lorsqu'un homme apparut dans la porte, les mains dans les poches.

Il était dans la trentaine et ne payait pas de mine. Il portait une casquette framboise, qu'il n'avait pas cru bon d'enlever, une chemise pelucheuse et un jean à la limite de l'usure totale ; des touffes de cheveux châtains s'échappaient de sa casquette et s'allongeaient dans sa nuque et sur les côtés de sa tête, qui en paraissait difforme ; une moustache mal taillée tombait comme un petit rideau sale sur sa bouche. Il fixait Charles avec des yeux louches d'un bleu délavé, pleins de frémissements. La peau de son visage avait une apparence rêche et rougie, comme si elle avait été trop exposée au grand air ou que les excès d'alcool l'eussent irritée. Mais le plus inquiétant était la dissymétrie de son visage, couvert d'une barbe de cinq jours, avec sa bouche légèrement de travers, un nez régulier et assez long mais déformé par une imperceptible torsion vers la droite, comme s'il louchait lui aussi. Ses traits semblaient refléter des orientations intérieures divergentes qui lui donnaient un air fourbe. C'était peut-être un bon garçon, mais le pauvre devait se trouver dans l'obligation de le prouver à tout moment.

Charles lui fit signe de s'asseoir.

— Ouais, lança l'homme en guise de préambule, il commence à faire frette en maudit, vous trouvez pas ?

Il parlait français, mais avec un léger accent anglais.

— On est en décembre, se contenta d'observer Charles. Qu'est-ce que je peux faire pour vous, monsieur ?

— C'est rapport au frette, justement. On gèle comme des crottes chez nous, ma fournaise à l'huile est foutue et j'ai pas d'argent pour m'en acheter une autre. Pouvez-vous m'aider ?

— Êtes-vous allé à la Société Saint-Vincent-de-Paul ou à l'Armée du Salut ?

L'homme se mit à rire, d'un rire amer et hargneux.

— Y commencent à être tannés de me voir, eux autres.

Charles réfléchit un moment. Il avait la vague impression que son interlocuteur se jouait de lui.

— Écoutez, je peux essayer de vous en dénicher une pas trop cher, mais je ne peux pas vous l'acheter : il faudrait que je la paye de ma poche.

L'autre secoua la tête avec un sourire sceptique :

— Le député a du *cash* pour ça... Il a toujours du *cash*, l'hiver, pour les urgences.

Charles poussa un soupir et lui demanda son nom, son adresse et son occupation, avec une pièce d'identité. L'individu se nommait Jim Bright, demeurait depuis cinq ans à Ville-Émard, rue Jacques-Hertel ; il était marié, sans enfant et vivait depuis deux ans de prestations de l'aide sociale, étant inapte au travail à la suite d'un accident d'automobile qui avait failli lui coûter la vie. Sa femme venait de perdre son emploi.

— J'ai la colonne maganée, voyez-vous... et puis, j'ai plus d'équilibre... *I can fall on my head anytime*[1].

— Vous faites-vous soigner ? demanda Charles en essayant d'atténuer la sévérité de sa voix.

— Ouais... je vois des docteurs, par-ci par-là... *It doesn't help much*[2]...

Et il eut encore ce sourire amer et hargneux qui semblait une accusation contre le monde entier.

1. Je peux tomber n'importe quand.
2. Ça donne pas grand-chose...

Charles se leva, indiquant ainsi que l'entrevue était terminée :

— Je vais parler à notre député, monsieur Bright, et nous allons voir ce que nous pouvons faire pour vous. Je vous joins comment ?

— J'ai pas le téléphone, mais un de mes voisins l'a.

Et il lui donna un numéro.

Charles lui tendit la main, puisque la politesse l'y obligeait, et parvint même à esquisser un sourire en lui souhaitant bonne chance.

Le député Francœur arriva au bureau vers le milieu de l'avant-midi ; Charles discuta avec lui du cas de Jim Bright parmi plusieurs autres, ne lui cachant pas que l'individu lui paraissait louche, sans qu'il ait toutefois aucune preuve pour étayer ses soupçons.

— Est-ce qu'il a des enfants ? demanda le député.

— Non.

— L'idée que des enfants vivent dans un appartement non chauffé me serre la gorge... Et, de toute façon, enfant ou adulte, personne n'a à subir le froid. Essaye donc d'arranger ça le plus vite possible. Pour trente ou quarante dollars, on peut trouver des fournaises en bon état chez des marchands de meubles d'occasion. Tu les prendras dans la petite caisse. N'oublie pas de remettre la facture à Louise.

Une heure plus tard, Charles dénichait une fournaise. Il téléphona au voisin de Jim Bright pour demander à parler à ce dernier ; mais c'est une femme qui vint lui répondre. Ils convinrent de faire livrer l'appareil au début de l'après-midi. La femme raccrocha sans aucun mot de remerciement.

Charles continuait de vaquer à ses affaires avec la même diligence, mais quelque chose diminuait son entrain, comme le remords issu d'un problème mal réglé, et il réalisa finalement qu'il était tenaillé par le désir d'aller voir la fournaise de Jim Bright, car cet homme lui déplaisait si profondément qu'il souhaitait le prendre en faute. Son apparition inopinée serait facile à expliquer : l'individu n'avait pas le téléphone et Charles voulait s'assurer du bon fonctionnement de l'appareil. Gare à Jim Bright si l'appareil ne se trouvait plus chez lui !

Quinze minutes plus tard, Charles arrivait à la station de métro Monk à Ville-Émard ; deux immenses statues filiformes d'ouvriers, l'un maniant la pelle, l'autre le pic, se dressaient à l'intérieur ; en passant dessous, il eut un sourire narquois ; cet hommage à la sueur des gagne-petit se mariait bien au taux de chômage de l'endroit.

Quand il déboucha dans la rue, le ciel commençait à s'assombrir, car il approchait seize heures. Il s'engagea sur le boulevard Monk en direction du canal Lachine, non loin duquel, lui avait-on dit, se trouvait la rue Jacques-Hertel. Il marchait vite, car, avec le coucher du soleil, le froid commençait à mordre.

Plus il approchait « de l'eau » (comme lui avait dit un vieux passant), plus le boulevard devenait anémique. Les immeubles rapetissaient, se délabraient, la précarité des commerces transparaissait, les piétons se faisaient plus rares, une boutique de prêt sur gage annonçait COMPTANT en énormes lettres lumineuses tandis qu'à l'intérieur trois clients étaient en train d'y marchander leurs possessions ; il manquait une porte et son volant à un tacot abandonné non loin d'une borne-fontaine. Un peu plus loin se dressait l'énorme masse grise de l'église Notre-Dame-du-Perpétuel-Secours, à demi perdue dans la pénombre et qui donnait une impression de coquille vide.

Il arriva enfin à la rue Jacques-Hertel ; c'était une rue sans intérêt particulier, avec ses logements de brique modestes mais correctement entretenus, ses minuscules parterres ensevelis sous la neige, ses autos un peu défraîchies mais tout à fait convenables garées le long des trottoirs ; rien ne semblait annoncer une de ces « poches de pauvreté » dont parlent les sociologues. Mais, comme avait un jour remarqué avec justesse le député Francœur, « les taudis, c'est surtout à l'intérieur qu'on les trouve ».

Charles marchait de plus en plus vite, car il avait hâte de se réchauffer. Avec un froid pareil, Jim Bright avait sûrement allumé sa fournaise, ou alors...

Il s'arrêta soudain devant une grande cour rectangulaire, délimitée par les murs des bâtiments contigus, qui donnait directement sur la rue, véritable cour de garage où l'on garde les véhicules ayant besoin de réparations. Au fond, seule construction en retrait, et donc sans voisins immédiats, se dressait un immeuble d'un étage en béton aux murs décrépis, d'assez sinistre apparence dans la nuit tombante. Le rez-de-chaussée, avec son énorme porte coulissante, semblait occupé par un atelier de mécanique. À l'étage se trouvait un logement. On y accédait par un long escalier de métal peint en noir qui aboutissait à une galerie à rampe également métallique. Une porte et deux fenêtres carrées donnaient sur cette galerie. La porte était pleine, les fenêtres masquées par des draps qui pochaient.

C'était la demeure de Jim Bright.

Charles la contempla un moment et un léger frisson le traversa. Il ne pouvait y avoir que de la tristesse dans ces lieux, et peut-être pire encore. Il traversa la cour et s'engagea dans l'escalier, qui se mit à émettre un bruit grave et mélodieux, comme s'il s'était soudain transformé en instrument de musique. Tout en gravissant les marches, Charles, la tête levée, observait les fenêtres. Le drap de celle de gauche fut pris d'une brusque et courte convulsion. Puis une ampoule électrique s'alluma au-dessus de sa tête, permettant d'apercevoir les cloques et les taches de rouille de la rampe et les plaques de pourriture du plancher. Charles frappa à la porte (il n'y avait pas de sonnette). Elle semblait lourde et massive comme une porte de prison et devait retenir tous les bruits intérieurs. Un moment passa. Puis une voix étouffée et lointaine, mais que Charles reconnut aussitôt, demanda :

— *Who is it*[3] ?

3. Qui est là ?

— C'est Charles Thibodeau, monsieur Bright, le secrétaire de comté. Je voulais vous voir.

— Pourquoi?

— On gèle dehors, monsieur Bright! Laissez-moi entrer et je vais vous le dire.

Un autre moment passa, plus long que le premier, puis il y eut un cliquetis de serrure et la porte s'ouvrit lentement, laissant s'échapper, avec le murmure d'une émission de télé, une bouffée de chaleur qui sentait le mazout, la cigarette et une odeur ou plutôt un relent lourd et complexe que Charles ne se rappelait pas avoir jamais senti, du moins dans une maison.

Dans l'entrebâillement, la tête hirsute de Jim Bright le fixait sans aménité.

— Oui? se contenta-t-il de demander.

— Votre fournaise marche bien?

— *Perfect*[4].

— Est-ce que je peux la voir?

— Pourquoi?

— Mais, monsieur Bright, s'écria Charles en feignant un étonnement mêlé d'impatience, c'est monsieur Francœur qui me l'a demandé, pour ses rapports, sans doute. Est-ce que ça vous cause un problème?

— Pantoute. Mais fais vite, je suis pressé.

Il ouvrit la porte et Charles pénétra dans une sorte de cuisine-salon-chambre à coucher qui occupait les trois quarts de l'étage; ce fut du moins l'impression qu'il en eut, car le désordre, l'encombrement et la saleté des lieux ne permettaient guère de s'en faire une idée précise. Le relent s'était accentué à tel point que Charles ne put retenir une légère grimace et avala sa salive avec un air de dégoût.

Jim Bright tendit le bras:

— La v'là, ta fournaise. Satisfait?

4. Parfaitement.

Charles se retourna et aperçut l'appareil contre un mur, près d'une table chargée d'un amoncellement de boîtes de conserve et de contenants de carton; c'était bien la fournaise qu'il avait achetée, avec sa tôle chocolat marquée d'une longue égratignure en diagonale. À en juger par la chaleur suffocante de la pièce, elle semblait fonctionner au maximum.

Il la regardait, déçu.

— *Something else*[5]? demanda Bright, sarcastique.

Charles allait répondre lorsqu'il vit, assise dans un coin près d'une porte fermée et essayant, apparemment, de se faire le plus petite possible, une grosse femme vêtue d'une robe fleurie à fond noir qui l'observait d'un œil inquiet.

— Ma femme, annonça Bright se dirigeant vers la porte pour marquer que la visite était terminée. Eh ben, bonsoir et merci, là...

L'homme venait de poser la main sur la poignée et s'apprêtait à ouvrir la porte lorsqu'un hurlement retentit dans l'appartement. Un hurlement rempli d'une telle détresse que Charles figea sur place et que son corps se couvrit de sueur.

Il se retourna lentement vers la femme, qui paraissait aussi terrifiée que lui-même et avait porté les mains à ses joues; le hurlement semblait provenir de la pièce voisine, probablement une chambre.

Reportant alors son regard sur Bright:

— Qu'est-ce que c'est que ça? demanda-t-il.

— *It's nothing*[6].

— Vous appelez ça rien, vous?

— *Anyway, it's none of your business*[7].

Il ouvrit la porte et fit signe à Charles de sortir, mais ce dernier ne bougea pas.

---

5. Autre chose?
6. C'est rien.
7. De toute façon, ça ne te regarde pas.

Le hurlement s'éleva de nouveau ; c'étaient comme des cris à l'unisson, stridents, profonds, insoutenables.

La grosse femme se redressa et, tordant ses bras avec des yeux exorbités :

— *I told you not to let him in*[8] !

Charles s'élança vers la pièce d'où provenait cette plainte atroce, mais Jim Bright, bondissant vers lui, le rattrapa et le saisit à bras-le-corps.

La femme avait reculé de quelques pas, les mains devant la bouche, tremblant de tout son corps, et contemplait la scène avec effroi.

Les deux hommes se battaient dans une empoignade confuse qui les faisait haleter et trébucher avec des grognements et des bouts de jurons à demi crachés. Charles n'avait pas l'habitude des batailles, mais sa vigueur l'emportait sur celle de Bright, plutôt malingre. Il était en bonne voie de le maîtriser et se demandait comment le mettre définitivement hors de combat lorsque son adversaire le saisit à la gorge et chercha à l'étrangler. À moitié suffoqué, Charles poussait des cris rauques en essayant de se libérer de l'étreinte de son adversaire, mais Bright tenait bon et serrait de plus en plus fort.

Soudain, pris de panique, Charles eut un sursaut vers l'arrière et réussit à se libérer ; puis, dans un mouvement aveugle, il lança violemment son pied dans l'entrecuisse de son assaillant, qui poussa un cri et se plia en deux. Les hurlements provenant de la chambre résonnaient à présent sans interruption, horribles. Une seconde, Charles pensa fuir. Mais c'était avouer sa peur et il s'y refusa. Bright, d'ailleurs, toujours geignant, ne semblait plus en état de se battre. La grosse femme, elle, venait de disparaître. Alors Charles voulut ouvrir la porte ; on l'avait verrouillée. Il essaya de l'enfoncer d'un coup d'épaule ; elle émit un long craquement mais résista.

---

8. Je t'avais dit de ne pas le laisser entrer !

Pendant ce temps, Jim Bright avait repris des forces. Fou de rage, il se rua de nouveau sur Charles, mais ce dernier l'attendait et lui porta un coup dans le thorax qui le fit chanceler ; puis, dans une violente poussée, il le jeta à terre ; il y eut de nouveau un emmêlement de jambes et de bras dans lequel Charles faillit se faire crever un œil par le pouce de son assaillant ; les deux hommes luttèrent ainsi pendant plusieurs minutes, ahanant, les mains glissantes de sueur. Soudain, Bright, exténué, s'immobilisa. Charles, assis sur sa poitrine, lui retenait les mains, tandis que son adversaire poussait de longs sifflements, les yeux fermés. Les hurlements venaient de s'arrêter, remplacés par une sorte de plainte étouffée.

Charles allait exiger de Bright qu'il lui ouvre la porte ; il avait complètement oublié la présence de la grosse femme lorsqu'il la vit surgir devant lui, brandissant une poêle de fonte, bégayante de fureur :

— J'vas te montrer, toé ! J'vas te montrer !

Effrayé, il eut un mouvement de recul et Jim Bright en profita pour se redresser d'un coup de reins. Mal lui en prit ! La poêle, destinée à Charles, atterrit sur sa tête et l'assomma. « Comme dans les films comiques ! » se dit Charles. Un rire nerveux le secoua et son menton se mit à trembler.

— Comme dans les films comiques ! lança-t-il à la femme qui contemplait, effarée, son compagnon écroulé sur le plancher. Allons, donne-moi ça avant de faire d'autres bêtises.

Et il lui arracha la poêle.

Elle le regarda, hébétée, puis recula lentement jusqu'au milieu de la pièce, se laissa choir sur un canapé et courba la tête, résignée à tout.

Alors Charles, après avoir essayé encore une fois mais sans succès d'enfoncer la porte, s'attaqua à la serrure à coups de poêle, jetant de temps à autre un regard en direction de Jim Bright pour s'assurer qu'il continuait de profiter de son repos si durement gagné. Les hurlements avaient repris et lui causaient une douleur étrange ; ils atteignaient en lui quelque chose de sombre, qu'on n'avait encore jamais réveillé. Son menton tremblait de plus en plus. « Est-ce que la gueule de poisson va revenir ? » se demanda-t-il avec angoisse.

La serrure lâcha enfin, il poussa la porte, pénétra dans la pièce et recula aussitôt, repoussé par une puanteur immonde. Fouillant dans la poche de son veston, il s'empara de plusieurs mouchoirs de papier, s'en couvrit le nez et la bouche, et entra de nouveau.

On n'entendait plus un bruit. D'abord, il ne vit personne. La pièce, assez petite, ne prenait son jour que par une seule fenêtre, dont les vitres crasseuses tenaient lieu également de rideaux. Elle contenait un lit avec un matelas dépourvu de literie, une chaise de bois, le siège fendu, placée devant la fenêtre, et au fond, à gauche, un assemblage de planches grossières qui devait servir d'armoire ou de commode. Une petite chaufferette électrique rougeoyait dans l'ombre.

Une extrême saleté régnait partout. Des excréments humains mêlés à des restes de nourriture souillaient le plancher tout autour du lit parmi des lambeaux de vêtements et des morceaux de papier et de carton. L'odeur d'urine, accentuée par une touffeur ignoble, soulevait le cœur, piquait les yeux, bloquait la gorge.

Charles, le souffle coupé, s'approcha du lit et se mit à croupetons. Un remuement se fit, suivi d'une série de sifflements, et il y eut un bruit métallique ; Charles remarqua alors le bout d'une chaîne fixée à l'un des pieds du lit.

Dans la pièce voisine, la grosse femme sanglotait.

Alors, pris d'un furieux désir de savoir quels êtres pouvaient bien se terrer là-dessous, il se redressa et, tenant d'une main les mouchoirs contre son visage, de l'autre il souleva le lit aussi haut qu'il le put.

Trois paires d'yeux terrifiés le fixaient. Il crut d'abord à de petits singes, tant leur peau était brune et comme croûtée. Puis il s'aperçut que c'étaient des enfants. Quel âge avaient-ils? Comment le savoir? Le plus vieux n'atteignait probablement pas huit ans.

Il quitta la pièce. Sa main droite, à présent, en plus de comprimer les mouchoirs, tentait de contenir les tremblements de sa mâchoire. En passant près de Jim Bright, toujours étendu sur le plancher et qui gémissait faiblement, il eut envie de lui écrabouiller la face à coups de talon. Il se rendit à l'entrée sans même regarder la femme, qui sanglotait toujours, et se retrouva sur la galerie, aspirant l'air froid à longues goulées, le visage ruisselant de larmes.

Il sonna à une maison et alerta la police. On lui demanda de rester sur les lieux. Cinq minutes plus tard, deux voitures de patrouille s'arrêtaient dans la cour. Une ambulance les rejoignit bientôt. Charles garda un souvenir plutôt confus de ce qui suivit. Il parla beaucoup, et à toutes sortes de gens, son attention tournée vers les tremblements de sa mâchoire, qui, par bonheur, commençaient à s'espacer. On prenait des notes et il crut même se rappeler qu'on l'avait photographié. Il avait l'œil gauche enflé, des marques rouges et des égratignures à la gorge et une poche de son manteau pendait, à demi arrachée.

27

Quand Charles revint au bureau, tremblant de fatigue et bien décidé à demander sa soirée de congé à Normand Francœur, qu'il devait accompagner à une réception, le député était en grande conversation téléphonique et, à en juger par son air énamouré et le ton langoureux de sa voix, la personne au bout du fil ne semblait pas faire partie du monde de la politique. César, couché dans un fauteuil, leva la tête à l'arrivée de Charles et poussa un grognement, puis, l'ayant reconnu, se mit à remuer sa queue minuscule en éternuant de plaisir.

À la vue du jeune homme, le député s'interrompit brusquement et raccrocha.

— Crocodile à batterie! Qu'est-ce qui t'arrive?

Après avoir entendu le récit de son secrétaire et l'avoir longuement félicité pour son courage, il eut le malheur d'exprimer un certain étonnement devant la fougue qu'il avait déployée dans cette histoire.

Charles bondit de sa chaise, furieux:

— On voit bien que personne ne vous a jamais maltraité, vous, quand vous étiez enfant!

Et, saisissant son manteau, il quitta la pièce sous le regard consterné du député, tandis que César sautait de son fauteuil pour le suivre jusqu'à la porte.

◆

Jennie, à cause de son franc-parler, dut subir également sa colère une heure plus tard. Il faut dire que sa grossesse la rendait parfois mordante et que, depuis quelque temps, elle s'était prise d'une singulière aversion pour le métier de Charles, qui lui imposait une quasi-solitude. Après avoir traité son œil gauche avec une solution d'acide borique et posé deux sparadraps sur sa gorge, elle lui déclara tout de go qu'il fallait être cinglé pour avoir couru de pareils risques.

Il la regarda froidement, reprit son manteau et ficha de nouveau le camp, sourd à ses protestations. Une fois arrivé chez lui, il réalisa qu'il ne pouvait supporter d'être seul. Mais où aller? Il dénicha un vieux joint dans un fond de tiroir, avala deux bières, mais rien n'y fit: le souvenir de ces trois paires d'yeux terrifiés le poursuivait, il sursautait au moindre bruit et, malgré tous ses efforts, il n'arrivait pas à réprimer ses larmes. Finalement, il se jeta sur son lit et pleura un bon coup. Cela lui fit du bien.

Quand il se releva, sa décision était prise. Sans même annoncer sa visite, il se rendit chez Céline, sûr de recevoir un bon accueil. Car, pour elle, un enfant maltraité, c'était bien plus que des mots ou un vague sujet de commisération.

Elle en avait connu au moins un.

À son arrivée au bureau le lendemain matin, Charles avait un air à la fois préoccupé et satisfait. Il se trouvait seul, car Louise ne commençait qu'à neuf heures et le député déjeunait à ce moment-là avec des représentants de la communauté italienne. Il se rendit dans la cuisinette et se prépara du café. Il était fourbu de son aventure de la veille, mais rempli d'une fièvre joyeuse et inquiète. Quelle nuit il venait de vivre !

Son œil avait désenflé mais l'élançait encore, et il se promit d'aller à l'hôpital si la douleur persistait jusqu'au soir. Sa tasse à la main, il entra dans son bureau et se plongea dans la lecture du dernier numéro de *La Voix populaire*, paru depuis trois jours, mais dont il n'avait pas encore eu le temps de prendre connaissance ; il s'agissait d'une lecture essentielle pour quelqu'un qui œuvrait en politique dans le comté de Saint-Henri.

Pendant ce temps, un grand homme maigre âgé d'une quarantaine d'années, d'allure athlétique, à l'air résolu et fantasque, s'avançait dans la rue Saint-Jacques, un sac de toile grise gonflé de journaux accroché à l'épaule ; sur le flanc du sac s'étalait en grosses lettres rouges : LE JOURNAL DE MONTRÉAL. Le trottoir mal déblayé et couvert ici et là de plaques de glace rendait sa marche malaisée, mais l'homme allait quand même d'un pas rapide, comme s'il avait hâte d'atteindre un but.

Ce matin-là, il avait formé un projet qui lui tenait beaucoup à cœur. Arrivé devant le bureau du député, au lieu de laisser comme d'habitude dans la boîte aux lettres son journal préalablement roulé et entouré d'un élastique, il sonna.

Charles vint ouvrir :

— Oui ?

— Ah ! vous êtes ici... *Le Journal de Montréal*, monsieur.

— Merci, fit Charles, surpris et un peu ennuyé. Est-ce qu'on vous doit de l'argent ?

— Pas du tout, répondit l'homme en souriant.

Il fixa Charles un moment et, ne voyant chez lui aucune réaction particulière, lui demanda d'une voix frémissante d'excitation :

— Vous n'avez pas encore vu le journal ?

— Non. Pourquoi ?

— Pour ça ! lança triomphalement le camelot en déployant un exemplaire sous son nez.

Charles, ébahi, se vit en première page, le visage amoché, l'œil hagard, la bouche de travers ; figuraient également les photos en médaillon de Jim Bright et de sa compagne, bien plus hagards que lui, le tout accompagné d'une manchette en grosses lettres rouges :

BOURREAUX D'ENFANTS DÉMASQUÉS
PAR UN SECRÉTAIRE DE COMTÉ

Encore une fois, il faisait la une ! Quel citoyen ordinaire, à Montréal, pouvait se vanter d'un pareil exploit ?

— Vous ne l'aviez donc pas vu ? reprit le camelot avec un sourire extasié.

— Eh bien ! non, figurez-vous ! Je ne me rappelle même pas avoir été photographié !

L'homme lui tendit la main :

— Félicitations ! Des gens comme vous, on en manque.

— Merci.

Puis Charles ajouta, employant la formule rituelle :

— Je n'ai fait que mon devoir.

— J'ai une faveur à vous demander, monsieur. Est-ce qu'on pourrait faire une photo de vous et de moi ensemble, ici dans la rue, maintenant?

Charles se mit à rire :

— Je veux bien. Mais qui va la prendre?

— Ça, c'est pas un problème, répondit l'homme en sortant un appareil photo de son sac.

Un jeune Noir passait de l'autre côté de la rue, une tuque rouge enfoncée sur la tête.

— *Hey!* Chose! me rendrais-tu un petit service? Une piastre! Je te donne une piastre!

Quand Charles revint dans son bureau, le téléphone sonnait. C'était Normand Francœur qui l'appelait du restaurant. Il riait et le couvrit de compliments. Charles en profita pour le prier d'excuser son comportement de la veille.

— Mais non, Charles! C'est plutôt moi qui ai manqué de tact. Après ce que tu venais de vivre, j'aurais dû comprendre un peu mieux ton état. Cela dit, je suis diablement content de t'avoir comme secrétaire de comté, mon Charles... Mais j'ai l'impression que je ne pourrai pas te garder longtemps!

— Oh, monsieur Francœur, j'adore mon métier, vous savez, et tant que vous me trouverez utile, j'aurai du plaisir à travailler pour vous.

À partir de ce moment, il fut impossible à Charles de poursuivre la lecture de *La Voix populaire*. Il avait à peine raccroché que le téléphone sonnait de nouveau. Il donna, coup sur coup, deux entrevues téléphoniques à la radio. Une recherchiste, à qui il avait déjà fait de l'œil, laissa entendre qu'elle aimerait le revoir. Puis il y eut ses amis et connaissances, bien sûr, mais aussi une foule d'inconnus, la plupart habitant la circonscription, et certains fort émus, qui tenaient à le féliciter pour avoir sauvé ces trois pauvres enfants. « Sauvé ? se disait Charles. Il n'y a rien de moins sûr. »

À neuf heures moins dix, Louise Rajotte fit irruption dans le bureau, hystérique, agitant un exemplaire du journal au-dessus de sa tête. Elle lui sauta au cou et se mit à l'embrasser, comportement qui étonna Charles au plus haut point, car elle était généralement fort peu démonstrative quand il ne s'agissait pas des affaires du bureau.

— Comment as-tu fait ? Comment as-tu fait ? ne cessait-elle de répéter. Tu es un héros, mon Charles, on va sûrement te remettre une médaille de bravoure !

Il était en train de lui raconter par le menu sa visite chez Jim Bright lorsque le téléphone sonna encore une fois.

— Monsieur Péladeau désire vous parler, annonça une secrétaire d'une voix soyeuse et distinguée.

Voilà bien longtemps que Charles n'avait pas entendu la voix de l'homme d'affaires. Ses mains devinrent toutes moites. L'instant d'après, il l'avait au bout du fil.

— Eh ben ! mon Charles, fit Péladeau, jubilant, t'as refait le coup ? La une encore une fois ! Félicitations, mon gars !

— Merci, monsieur Péladeau.

— Il faudrait quasiment que je t'envoie un chèque : ces histoires d'enfants maltraités, ça fait vendre de la copie, tu n'as pas idée !

— C'était extrêmement pénible à voir, monsieur Péladeau.

Le silence régna au bout du fil quelques secondes.

— Oui, je m'en doute bien, reprit le magnat avec gravité. L'homme adore maltraiter l'homme, *homo homini lupus*... c'est un de ses passe-temps favoris... Est-ce qu'il y a quelque chose que je pourrais faire pour ces petits, tu penses ?

— Je ne sais pas, monsieur Péladeau. J'ignore même à quel hôpital ils se trouvent.

— À Sainte-Justine. C'est écrit dans l'article. Je vais voir si je peux les aider. Bonne journée. Fais-moi signe un de ces jours. On ira casser la croûte ensemble.

À onze heures, Charles reçut un appel de Parfait Michaud. Le notaire s'extasia devant son flair et son courage, ajoutant aussitôt qu'il n'en était aucunement surpris, car il avait senti dès le début de leur relation – et cela remontait à plus de vingt ans ! – que Charles avait l'étoffe d'un héros doublé d'un petit malin. Puis, changeant brusquement de ton, il ajouta qu'il y avait une deuxième raison à son appel.

— Il s'agit de ton père, Charles.

— Ah bon, fit ce dernier, brusquement sur ses gardes. Qu'est-ce qu'il lui arrive, à celui-là ?

— Rien de bon. Il est à l'hôpital, et fort mal en point. En fait, pour ne rien te cacher, les médecins le jugent perdu.

Charles essaya de ressentir du chagrin ou, du moins, une certaine compassion, mais il ne montait en lui qu'une faible impression de soulagement.

— Cirrhose ? demanda-t-il froidement.

— Cancer. Cancer du pancréas. Il m'a téléphoné hier. Je suis allé le voir dans la soirée. Pauvre homme... Oui, pauvre homme, Charles, pauvre homme malgré tout... Qui d'entre nous est sans tache, dis-moi ? Le mal est en chacun de nous, sous des formes diverses. J'en sais quelque chose !

— De grâce, Parfait, pas de sermon. Nous avons tous les deux la même opinion sur lui. Alors inutile d'en parler, O. K. ?

— Il est très faible, très amaigri – et très seul, hélas.

— Avec la vie qu'il a menée, il n'y a là rien de surprenant.

— En effet.

Le notaire toussota à quelques reprises, signe habituel chez lui d'un malaise, puis timidement, comme s'il avait peur d'être rabroué :

— J'ai cru deviner, Charles, que Wilfrid aimerait bien te voir.

Plusieurs secondes s'écoulèrent sans que Charles réagisse. « Il va me raccrocher au nez », se dit Michaud, alarmé.

— Pfiou! soupira enfin le jeune homme.

— Ça te répugne?

— Mets-toi à ma place.

— Je crois, mon garçon, sans vouloir te faire un sermon, comme tu dis, que c'est plutôt à la sienne qu'il faut essayer de se mettre, à présent. Un mourant a des droits sacrés.

Charles eut un ricanement :

— C'est du Zola ou du Maupassant que tu lis de ce temps-ci?

— Je suis en train de lire une *Histoire du notariat de la province de Québec de 1867 à 1967*, et je ne t'en conseille pas la lecture !

— Pour être franc, Parfait, je n'ai pas envie de lui rendre visite. J'aurais peur de mal me comporter.

— N'aie aucune crainte là-dessus. Il suffit de le voir pour oublier toutes ses rancunes. Laisse-toi guider par ton cœur, Charles, je ne peux t'en dire plus. Allez, porte-toi bien.

Et il raccrocha.

◆

Charles pensa à cet appel tout au long de la journée. Celui-ci s'ajoutait au poids de ses préoccupations, qui avait singulièrement augmenté depuis la veille, et les dominait toutes, car on l'obligeait à une réponse rapide : la mort, en effet, n'attend pas les lambins. Il était inutile de téléphoner à Blonblon; Charles connaissait d'avance ses conseils : pardon généreux et complet de toutes les fautes passées et présence assidue aux côtés de Wilfrid jusqu'à ses derniers moments. Il ne voulait pas non plus en parler à Jennie, car pour le conseiller judicieusement il aurait fallu qu'elle connaisse certains épisodes de son enfance dont il avait honte. Alors, à qui parler? À Steve? Il n'avait pas de jugement pour ces choses-là et lui enverrait une niaiserie par la tête. À Fernand ou à Lucie, dans ce cas. À Fernand, préférablement, car Lucie s'apitoyait sur tout. Fernand avait toujours manifesté un vigoureux mépris pour son père, qu'il aurait aimé voir en train de casser des cailloux un boulet au pied, mais en même temps il avait bon cœur.

Il lui téléphona pendant l'heure du dîner.

— Ah! Parfait te l'a dit, répondit le quincaillier.

— Tu le savais?

— Bien sûr.

— Et tu me le cachais?

— Non. J'attendais de trouver la bonne façon de te l'annoncer. Mais tu m'as aidé à la trouver.

— C'est-à-dire?

— Puisque tu me téléphones à son sujet, c'est que ça te chicote. Tu te demandes quoi faire, hein? L'envoyer promener une fois pour toutes – et il va aller se promener loin, prends ma parole! – ou...

— Ou?

— Écoute, Charlot, veux-tu le fond de ma pensée?

— Même si je ne le voulais pas...

— Wilfrid est un sans-cœur comme je n'en ai jamais rencontré, et dans le commerce, mon garçon, on en voit du monde, de toutes les sortes et de toutes les couleurs... Un deux de pique comme lui, on n'en a imprimé qu'un seul, ça c'est certain...

« Non, se dit Charles, j'en ai rencontré un autre hier, et pire. »

— ... et que le bon Dieu en soit remercié jusqu'à la fin des temps, *amen*. Maintenant, mon Charles, il faut que tu te poses une question.

— Laquelle?

— D'avoir eu un père sans-cœur, est-ce que ça donne le droit d'être un sans-cœur soi-même? Hein?

Comme chaque hiver, l'hôpital Notre-Dame était surchauffé, ainsi que la plupart des hôpitaux. Si on craignait un refroidissement chez les malades et le personnel soignant, on ne semblait aucunement craindre leur déshydratation ; un air torride et sec amplifiait dans les chambres et les corridors les odeurs multiples, complexes et parfois désagréables qui circulaient dans l'établissement.

Charles détestait les hôpitaux. Ceux-ci lui inspiraient, chaque fois qu'il y mettait les pieds, un sentiment de désolation qui lui faisait voir sa vie et celle de tous les humains comme une marche implacable vers le néant. Il arrivait souvent qu'on retrouve la santé dans un hôpital, mais on finissait toujours par y revenir pour crever – à moins que la mort compatissante ne nous terrasse d'un coup.

Il était environ dix-neuf heures quand il se présenta au cinquième étage du pavillon Deschamps dans la section des soins palliatifs. La gorge serrée par l'appréhension, en proie à une sorte de dégoût, comme s'il allait accomplir une tâche vaguement répugnante, il s'approcha d'un comptoir derrière lequel une infirmière joufflue à grosses lunettes noires, l'air grave et appliqué, s'absorbait dans la lecture d'un dossier en mordillant le bout d'un stylo, et demanda le numéro de la chambre de son père.

— Monsieur Thibodeau ? fit-elle en relevant brusquement la tête.

Elle le fixa avec un grand sourire, fut sur le point d'ajouter quelque chose, puis changea d'idée et se contenta de répondre d'une voix chantante et un peu affectée :

— C'est la 5310, monsieur, presque au bout du corridor, ici, à votre gauche.

« Elle m'a reconnu », se dit Charles, et un peu de satisfaction se glissa dans son écœurement morose.

Charles, de plus en plus anxieux, se glissa dans la chambre. Une faible lueur venant d'une veilleuse fixée à mi-hauteur du mur la remplissait d'une pénombre jaunâtre où se fondaient les lignes et les détails. Debout sur le seuil, il contempla, effaré, la forme humaine allongée dans un lit massif à montants niquelés. Ce petit corps chétif à la figure émaciée, au crâne recouvert d'une sorte de mousse grisâtre, un sac de sérum suspendu au-dessus de la tête, c'était donc son père?

Il s'approcha. Ses yeux s'étaient habitués à la pénombre à présent et rien ne leur échappait de l'état de déchéance physique dans lequel était tombé le menuisier : le regard fixe et vitreux, qu'on aurait dit gelé, la bouche plissée et comme amincie, toute grande ouverte, où les dents paraissaient énormes, la maigreur effrayante des épaules, et les clavicules qui se détachaient lugubrement sous la peau flasque.

Il se pencha au-dessus de lui :

— Papa, fit-il à voix basse, c'est moi, Charles... M'entends-tu?

Le visage du malade demeurait inerte comme un masque de papier mâché et seul le faible râle qui s'exhalait de ses lèvres blanchâtres, entourées d'une trace d'écume séchée, indiquait que la vie continuait d'habiter son corps, une vie aux abois qui luttait désespérément contre des ennemis impitoyables l'assaillant de toutes parts.

Charles le contempla encore un moment, puis, saisi tout à coup d'un sentiment d'horreur, quitta précipitamment la chambre et se dirigea presque à la course vers les ascenseurs. Mais en passant devant le poste des infirmières, une idée subite l'arrêta; la femme aux lunettes noires le fixait avec un sourire compatissant.

— C'est fini? lui demanda-t-il à voix basse.

Elle eut un haussement d'épaules :

— On ne sait jamais... Il peut revenir pour quelques heures... pour quelques jours peut-être... Son médecin vous le dirait mieux que moi.

— Je peux lui parler?

— Demain après-midi. Entre deux et quatre heures.

Charles lui laissa ses numéros de téléphone pour qu'on l'avertisse si un changement subit se produisait, la remercia et partit.

Arrivé dans la rue, il s'arrêta pour aspirer de grandes bouffées d'air froid, envahi tout à coup par un profond soulagement. Son devoir était accompli. On ne pouvait rien lui demander de plus. Que son père fût conscient ou non ne changeait pas grand-chose, au fond, car Charles n'avait, hélas, rien à lui dire – et l'autre non plus sans doute.

Le lendemain matin, dans un mouvement de galanterie, Charles venait de préparer son déjeuner à Jennie, qui paressait au lit, lorsque le téléphone sonna. C'était l'hôpital. Wilfrid Thibodeau était sorti de son coma vers six heures et demandait à le voir. Il valait mieux, ajouta l'infirmière, ne pas trop tarder, car son médecin, venu l'examiner, ne lui donnait pas la journée.

Vingt-cinq minutes plus tard, Charles arrivait en taxi à l'hôpital, effrayé par la perspective d'une rencontre à laquelle il avait cru échapper et que le sort avait décidé de lui imposer.

Wilfrid Thibodeau, assis dans son lit, l'accueillit avec un sourire que ses dents énormes et proéminentes rendirent effroyable. Mais son regard vivait, à présent, et on aurait même dit qu'il pétillait de joie, faisant presque oublier la sinistre maigreur du visage.

— Salut, murmura-t-il dans un souffle mais d'une voix assez ferme. Je suis content de te voir, Charles.

— Moi aussi, papa.

Et, en disant ces mots, il détourna un peu le regard.

— T'es *smatte* d'être venu... Je te serrerais bien la main, mais je suis quasiment plus capable de lever mon bras.

Et il fit glisser sa main sur le drap qui le recouvrait à mi-corps; Charles, comprenant son geste, avança la sienne. Le contact de ces longs doigts secs et glacés ne lui inspira pas autant de dégoût qu'il l'aurait cru. Et il s'étonna – non sans un certain soulagement – du peu d'émotion qu'il ressentait; il avait un peu l'impression de se trouver devant un étranger, ce qui, d'une certaine façon, était le cas après tout.

— Comment vas-tu? demanda-t-il.

— Pas fort. Je n'en ai plus pour longtemps, mon gars... D'après moi, je verrai pas le printemps... C'est le cancer, vois-tu... le cancer du *pancréas*...

Il avait prononcé ce dernier mot sur un ton grave et mystérieux, comme s'il s'agissait d'une sorte de mal sacré, venu d'un autre monde.

Il s'arrêta un moment pour reprendre son souffle, puis :

— La seule affaire qui me console – façon de parler –, c'est que la boisson y est pour rien... Ça, l'autre jour, mon médecin me l'a encore répété...

— Eh bien, tant mieux, répondit Charles, et il détourna de nouveau les yeux, car il sentait qu'une lueur sarcastique venait de s'y allumer.

— Ça veut pas dire que la boisson m'a pas fait de tort, reprit l'autre avec une vivacité surprenante. Elle m'a fait ben du tort... Et pas seulement à moi, vois-tu... Je suis pas assez fou pour pas m'en être aperçu...

Il sembla réfléchir un moment et ses yeux se remplirent tout à coup d'une tristesse si désespérée que les joues de Charles devinrent en feu et qu'il dut s'appuyer au bord du lit.

— J'ai pas été un bon père pour toi, Charles...

— Bah, répondit l'autre d'une voix étranglée.

Il voulut ajouter quelque chose, mais ne trouva rien à dire.

— J'ai même été un fichu de mauvais père... Je me demande pourquoi c'est toujours à la fin qu'on voit les choses comme elles sont... Maintenant, y est trop tard, j'ai bien peur...

— Mais non, papa, répondit Charles sans conviction, y est jamais trop tard...

Sa voix sonnait si faux qu'il sentit le besoin d'ajouter :

— Que veux-tu, c'est la nature humaine qui est faite comme ça...

Le malade secoua la tête :

— Non, c'est pas vrai... Arrête de me ménager... Ou alors, j'avais pas une bonne nature humaine... Ouais, c'est ça, la vraie raison... j'avais pas une bonne nature humaine... Et la bière a rien arrangé, oh ça, non !

— Arrête, papa, balbutia Charles à voix basse. Tu te tortures inutilement. Que veux-tu qu'on y fasse ?

Wilfrid Thibodeau hocha la tête et se replongea dans ses pensées. Charles étouffait, le corps en sueur, et ne songeait qu'à partir. De toute sa vie, il ne se rappelait pas avoir été aussi malheureux.

— Te rappelles-tu, demanda soudain le menuisier, le chien que t'avais ramassé dans la rue et que je t'avais permis d'amener à la maison ?

— Bof.

— Oui, Bof... Tu l'aimais beaucoup... L'as-tu gardé longtemps ?

— Oh oui, jusqu'en 1987... Il est mort une nuit de décembre, après m'avoir sauvé la vie... Mort de froid... Je l'ai beaucoup regretté.

Il s'arrêta, la gorge si serrée qu'il en avait mal jusqu'au fond des oreilles. La peine qu'il ressentait encore de la mort de son chien venait de submerger celle de voir ce vieux mourant qui était son père. Il en eut honte.

— Mort de froid ? répéta faiblement Wilfrid Thibodeau.

Il aurait voulu connaître cette histoire de sauvetage, mais une telle fatigue l'écrasait depuis un moment... Ses idées perdaient de leur clarté. Par instants, il ne savait plus trop où il se trouvait. Il se contenta de conclure :

— Ça devait être un bon chien.

Puis il eut un petit ricanement :

— N'empêche qu'un jour il m'a mangé quarante piastres, le maudit...

Le père et le fils échangèrent un sourire de connivence. Cette affaire qui les avait opposés si violemment les unissait à présent.

Le menuisier eut alors un frisson et demanda à Charles de l'aider à se recoucher et à remonter son drap et sa couverture. Puis il eut soif. Charles remplit son pichet d'eau fraîche et le fit boire. L'aiguille plantée dans son avant-bras s'était déplacée et l'élançait. Charles fit venir une infirmière qui la réinstalla avec ces attentions toutes maternelles qu'on prodigue aux enfants malades et aux mourants.

Pour la première fois de sa vie, Charles sentit comme une sorte de tendresse pour cet homme brutal qui l'avait tant fait souffrir. Mais cela ne dura qu'un moment. La vieille rancune remonta bientôt en lui, fébrile, malveillante, cherchant un moyen de s'exprimer. Son père allait mourir, mais la mort n'excusait rien, car elle était le lot de tout le monde. Et les événements du passé avaient beau s'éloigner chaque seconde un peu plus, ils existeraient à tout jamais, et leurs suites avec eux. Wilfrid l'avait fait souffrir, lui, comme il avait fait souffrir sa femme Alice tout au long de leur vie commune ! Charles se rappela la dernière maladie de sa mère ; Wilfrid en avait profité pour la tromper avec une serveuse.

Le menuisier le regardait, l'œil un peu vague, un faible sourire aux lèvres. Charles se pencha vers lui :

— Est-ce que tu penses à maman des fois ? lui demanda-t-il avec un léger accent de reproche.

— Oui, bien sûr, soupira le malade, qui ne parut pas sentir ce reproche. Ah ! ta pauvre mère... et ta pauvre 'tite sœur qui est morte si jeune... La vie est ben dure, va... Et moi qui *est* sur le point de m'en aller à mon tour... Tu vas te retrouver seul, mon Charles... Mais, pour dire vrai, ajouta-t-il dans un ricanement, avec toute l'aide que je t'ai apportée jusqu'ici, ça fera pas une grande différence...

Soudain, il se mit à fixer Charles avec un telle expression de détresse que ce dernier, comme piqué par une aiguille, se redressa dans un sursaut.

— Est-ce que... tu m'en veux toujours, mon garçon ? murmura-t-il d'une voix hésitante et craintive.

Charles fit signe que non et recula d'un pas.

— Est-ce que tu m'aimes un peu, malgré tout ? poursuivit le menuisier.

Charles eut un hochement de tête convulsif qu'on pouvait à la rigueur interpréter comme un acquiescement ; il le fixa quelques secondes d'un air égaré, puis, saisissant son manteau posé sur le pied du lit, s'enfuit de la chambre la main sur la bouche en réprimant un sanglot.

28

— Encore des problèmes de femme ? s'étonna Bernard Délicieux. Ma foi du bon Dieu, Charles, tu n'es pas doué ! Fais comme moi : change d'orientation sexuelle.

— Je t'en prie, Bernard, ce n'est pas le temps de blaguer.

Il était dix heures du soir. Ils venaient de s'attabler tous deux à la Brioche Lyonnaise, rue Saint-Denis, par un froid à faire craquer les cheminées, et, installés dans un coin à l'écart, ils essayaient de se réchauffer avec un bol de chocolat. Charles avait voulu se rendre chez Délicieux pour éviter au journaliste de sortir par un temps pareil, mais ce dernier, sans fournir de raison, lui avait donné rendez-vous au café. Y avait-il chez lui un petit ami non présentable ?

— Alors, raconte-moi tout et je te donnerai mon avis, puisque tu y tiens tant. Mais il vaut ce qu'il vaut... Le Saint-Esprit ne me rend pas souvent visite.

Charles se lança dans son histoire. Elle avait commencé la veille en début de soirée. Vers six heures, après son travail, il s'était rendu chez Jennie et avait sonné à sa porte, comme il le faisait toujours malgré qu'il possédât une clé. On n'avait pas répondu. Alors, voulant ouvrir, il s'était aperçu, après plusieurs

340

tentatives infructueuses et à sa profonde stupéfaction, que la serrure avait été changée. Pourquoi?

Ce coup de théâtre, ajouté à la scène bouleversante vécue le matin même à l'hôpital et qui le tourmentait encore, l'avait assommé et il était resté un long moment à fixer la porte d'un air stupide, les bras ballants, incapable d'une pensée.

Puis il s'était rendu dans un dépanneur acheter des cigarettes et avait eu l'idée de téléphoner. Jennie avait répondu! En quelques mots, elle lui avait annoncé leur rupture, définitive et sans possibilité d'explication. Leur bout de chemin commun se terminait ce soir-là, voilà tout. Elle ferait porter ses effets personnels le lendemain à son bureau. En ce qui concernait l'enfant, un juge déciderait après sa naissance des arrangements nécessaires. Il tempêta en vain, puis, changeant de tactique, adopta la ruse et adoucit le ton, laissant entendre qu'une pareille façon de le larguer ne témoignait pas d'un bien grand courage.

Piquée, elle avait accepté de le recevoir un quart d'heure, pas une minute de plus.

— Tu vois une autre femme, lui avait-elle annoncé de but en blanc. Une de tes anciennes maîtresses. Elle s'appelle Céline Fafard. Tu l'as vue au moins deux fois. Et tu as passé la nuit chez elle pas plus tard qu'hier. Comme je te connais, vous n'avez pas dû jouer aux cartes... Oseras-tu nier?

Il avait convenu qu'il était allé chez elle, mais avait juré qu'il ne s'était rien passé entre eux, ni à la première ni à la deuxième visite. Du reste, l'état dans lequel l'avait mis son aventure chez Jim Bright ne le prédisposait aucunement à l'amour ce soir-là!

Elle s'était contentée de hausser les épaules en ricanant.

— Comment as-tu appris ça? lui avait-il alors demandé.

— Le quart d'heure est terminé, mon chou.

Et elle lui avait montré la porte.

Atterré et furieux, il s'était alors rendu tout droit chez Céline encore une fois.

Délicieux, avec sa cuillère, cueillit délicatement un îlot de mousse onctueuse qui flottait sur son chocolat chaud, réfléchit un moment, puis :

— Je suis de ton avis. Ce n'est pas ton amie qui te faisait suivre : ça coûte trop cher, et puis elle n'avait aucune raison de se douter. C'est notre fameux Flingon. Il te fait suivre depuis la visite que tu lui as rendue à son bureau. Mais, à présent, tu peux avoir l'esprit en paix. Fini la filature, car il a atteint son but... N'empêche que c'est enrageant, mon cher : c'est nous, les contribuables, qui payons pour les obsessions de ce foutu maniaque. Imagine-toi ! Il veut protéger sa famille de la souillure séparatiste ! Je lui souhaite, à ce corniaud, de finir ses jours dans la république du Québec ! Tiens, juste pour lui nuire, je vais voter Parti québécois aux prochaines élections !

Puis, ayant observé Charles un moment, il ajouta :

— Mais tu ne m'as pas l'air du tout d'un amoureux détruit, mon cher. Tu m'as plutôt l'air d'un gars qui vient de se trouver une nouvelle blonde. Est-ce que je me trompe ?

— Totalement.

Et Charles lui raconta ses deux nuits à l'appartement de Céline, la première après son aventure chez Jim Bright, pendant laquelle son ancienne amie avait joué essentiellement le rôle d'infirmière et de psychologue, puis celle de la veille, qui avait suivi sa rupture avec Jennie et s'était déroulée tout aussi chastement, Céline, pas plus que lui-même, n'ayant la tête aux ébats amoureux.

— Ne crains pas, mon Charlot, ricana Délicieux, ça viendra, ça viendra. Car tu l'aimes... je veux dire... tu l'aimes *toujours*.

Charles eut un geste de dénégation et voulut répondre, mais le journaliste ne lui en laissa pas le temps :

— Écoute, mon petit coco, n'essaie pas de m'en faire accroire, hein ? Tu parles à un vieux spécialiste de l'amour. Depuis trente ans, je l'ai étudié sous toutes ses coutures et je l'ai même expérimenté de plusieurs façons... Pourquoi penses-tu que tu vas la trouver quand ça ne tourne pas rond ? Tu l'aimes, mon Charlot, et dans quelques semaines – peut-être un peu plus, peut-être un peu moins –, vous serez en train de manger la même soupe, parole de prophète !

Charles secoua la tête d'un air sombre :

— Les amours de jeunesse, répondit-il, on ne peut pas les ressusciter.

Délicieux poussa une sorte de gloussement moqueur et vida le fond de son bol avec de petits claquements de langue gourmands.

Wilfrid Thibodeau tomba de nouveau dans le coma durant la nuit qui suivit la visite de son fils. Malgré le pronostic de son médecin, il ne rendit l'âme que trois jours plus tard, sans avoir repris conscience. Le service funèbre rassembla une dizaine de personnes, toutes venues par égard pour Charles, aucune n'ayant une bien haute estime du défunt ; le député Francœur assista naturellement aux obsèques ; il ignorait tout des rapports de Charles avec son père. Les véritables amis de Wilfrid Thibodeau, s'il en avait jamais eu, n'avaient pas été mis au courant de sa mort ou n'avaient pas cru bon de venir.

À la sortie de l'église, Parfait Michaud invita tout le monde chez lui, où il avait fait préparer un buffet. On but et on mangea sans dire un seul mot du menuisier ; il était vraiment disparu, sauf de l'esprit de Charles, qui s'imposait de grands efforts pour cacher sa tristesse.

Blonblon avait deviné son état d'âme et, sachant que lui parler de son père ne ferait qu'aviver sa peine, s'était contenté de lui tapoter discrètement l'épaule en lui adressant ce sourire bienfaisant qui ramenait immanquablement une personne à de meilleurs sentiments sur l'humanité. Il avait fait mieux encore.

Au sortir de la cérémonie, surmontant sa timidité, il avait pris à part le député pour le prier de ne poser à Charles aucune question sur son père, le silence étant mieux indiqué dans les circonstances ; Francœur, étonné, l'avait remercié et avait promis de suivre son conseil.

Henri, qui devenait obèse et avait l'air plus sûr de lui-même que jamais, serra longuement la main de Charles en lui murmurant : « Vieux frère, va » et se mit à le questionner sur son travail de secrétaire de comté.

Steve n'avait pas ce doigté. Évitant comme tout le monde de dire un seul mot à Charles sur Wilfrid, il s'étonna par contre de l'absence de Jennie.

— On a rompu, avait répondu Charles.

— Quand ?

— Il y a une semaine.

— Pour de bon ?

— Pour de bon.

— Elle t'a plaqué ou tu l'as plaquée ?

— Elle m'a plaqué.

— Oh ! oh ! Ça fait bien plus mal, ça... Dommage pour le p'tit qui s'en vient. Elle aurait dû se faire avorter.

— Si tout le monde connaissait l'avenir, on habiterait tous des châteaux.

— C'est vrai... Bah... faut pas trop t'en faire, mon vieux, tu vas vite t'en trouver une autre, tel que je te connais... Et puis, je peux bien te le dire, à présent, je la trouvais un peu bloc de glace, avec son petit nez en l'air et son accent d'Outremont.

— Elle était de Westmount.

— C'est pire encore.

— Tu ne pourrais pas te taire, des fois ? était intervenue Monique, qui suivait leur conversation.

— Qu'est-ce qu'il y a ?

— Des fois, quand tu nous parles, Steve, on a l'impression, tabarnouche, de recevoir des coups de hache sur la tête. Il vient de casser avec sa blonde : ménage-le un peu, bon sang, surtout aujourd'hui !

Steve, tout inquiet, s'était retourné vers son ami :

— Je ne t'ai pas fait de peine, au moins ? Est-ce que je t'ai fait de la peine ?

— Non, répondit Charles en souriant, parce que je te connais.

— Faut pas le prendre mal, hein ? Si je te parle comme ça, c'est parce que je sais que tu vaux mieux que moi et que t'as la couenne plus dure que la mienne.

— Cesse de dire des bêtises, je t'en prie.

— Tu devrais pourtant savoir, avait renchéri Monique, qu'il y a des moments dans la vie où *personne* n'a la couenne dure.

◈

Le notaire exultait. Cette petite réception l'avait plongé dans l'euphorie et il allait d'une personne à l'autre, aimable, souriant, attentif, avec un bon mot pour chacun. Son vieux corps un peu voûté semblait rempli d'un pétillement de jeunesse et, oubliant la tristesse des circonstances, il couvrait Anouchka d'attentions amoureuses qu'elle semblait accueillir, d'ailleurs, avec beaucoup de plaisir. On souriait un peu dans leur dos, tout en trouvant la scène touchante. Il n'y avait que Fernand qui grommelait, sans qu'on l'écoute.

— Que le bon Dieu me sauve d'un pareil ridicule... Dans six mois – s'il ne crève pas dans ses bras –, il va porter des cornes de trente pieds ! De trente pieds !

Le député Francœur, qui, avec son costume à rayures bleu sombre et sa cravate de soie noire, ressemblait davantage à un notaire que le notaire lui-même, serrait les mains avec une aisance un peu mécanique, le regard perçant, retenant ses sourires, vu les circonstances, envahi d'un plaisir presque voluptueux lorsqu'on le reconnaissait. La beauté de Lodoïska l'attira comme un aimant et il eut avec elle une longue conversation, qu'il aurait prolongée s'il n'avait craint de paraître inconvenant.

Parfait Michaud s'approcha de Charles, absorbé dans la lecture d'une carte de condoléances. Elle provenait de Céline. N'ayant pu assister aux funérailles, elle lui avait écrit un mot que venait de lui remettre Lucie.

— Mon cher fiston, dit-il en lui mettant la main sur l'épaule, comme je n'ai pas le plaisir, hélas, de te voir aussi souvent que je le souhaiterais, je vais profiter de ta présence pour régler certaines petites choses concernant ce pauvre Wilfrid. Veux-tu me suivre dans mon bureau? On en a pour deux minutes.

Charles entra dans la pièce qui, sauf l'installation de bibliothèques, avait peu changé depuis le jour où, petit garçon, il était allé trouver le notaire pour lui annoncer son intention de « divorcer d'avec son père ».

— Qu'est-ce que tu veux m'apprendre? demanda Charles avec appréhension en se laissant tomber dans un fauteuil.

Parfait Michaud se pencha au-dessus d'un tiroir et en retira une enveloppe:

— Quand je suis allé voir Wilfrid à l'hôpital, il m'a remis un testament olographe dont je dois te communiquer les dispositions.

— Est-ce que je suis obligé de les connaître?

— La loi m'oblige à t'en faire part. Oh! il ne s'agit pas de grand-chose, mon garçon. Ton père était pauvre, comme tu le sais, et vivait en chambre. Il te laisse trois cent cinquante-deux dollars...

— Tu les verseras à une œuvre de charité.

— ... et une petite boîte d'objets personnels.

— Qu'est-ce qu'elle contient?

— Je n'en sais rien. C'est à toi de l'ouvrir. Mon rôle consiste à te la remettre, c'est tout.

Il se rendit à un placard et revint avec une boîte de carton brun aux angles usés, entourée d'une ficelle grisâtre, qui avait sans doute suivi le menuisier dans les pérégrinations de sa vie misérable et agitée, et la déposa sur le bureau.

— Ouvre-la, Parfait, moi, ça ne me tente pas.

— J'ai ta permission?

— Tu l'as.

Le notaire défit la ficelle et souleva les rabats :

— Il y a là un canif scout...

— Je n'en veux pas, fit Charles avec un frisson.

— ... une lampe de poche, assez belle, ma foi...

— Garde-la.

— Deux lettres, des photos...

— De qui les lettres?

Le notaire s'empara de l'une d'elles, ajusta ses lunettes, tourna les pages, puis levant la tête, l'air grave :

— De ta mère, Charles.

— Mets-la de côté. L'autre?

— De ta mère aussi, répondit Parfait Michaud au bout d'un moment.

— Mets-la de côté. Et les photos?

— Il y en a plusieurs. C'est difficile sinon impossible pour moi d'identifier toutes les personnes qui y figurent. Écoute, Charles, cesse de faire l'enfant et viens les regarder. Je ne peux pas te servir de mémoire, après tout.

Dix minutes plus tard, Charles quittait la maison du notaire avec les deux lettres de sa mère et trois photos qui montraient Alice jeune femme au début de son mariage, dont l'une où elle tenait Charles bébé dans ses bras en le dévorant des yeux avec un sourire extasié. Au moment de partir, il n'avait pas eu le cœur de saluer les invités et se promena longtemps par les rues de la ville, étonné et inquiet de la force du chagrin qui s'était abattu sur lui.

Puis, dans un brusque effort pour se dégager de la mélasse noirâtre dans laquelle il s'engluait, il décida de se rendre à l'hôpital Sainte-Justine pour prendre des nouvelles des enfants de Jim Bright. On le dirigea vers le service de pédiatrie.

— Vous êtes un parent? s'informa une préposée, petite femme frêle aux traits énergiques, qui lui adressa un sourire redoutable, les mains glissées dans les poches de son sarrau.

— Non, répondit Charles.

Il hésita, puis :

— C'est moi qui les ai sauvés.

— Oui, je sais. Mais le règlement est formel : les visites ne sont autorisées qu'aux membres de la famille, à moins d'une permission spéciale.

— Je ne l'ai pas, fit Charles.

— Alors, il faudrait en obtenir une.

Il allait repartir, mais se ravisa :

— Comment vont-ils?

La préposée eut un haussement d'épaules un peu las :

— Oh, vous savez, ce genre d'affaires ne s'arrange pas en une semaine...

Et elle continua de le fixer en souriant, les mains toujours dans les poches de son sarrau.

— Eh bien, bonsoir, fit Charles.

Et il lui tourna le dos.

— Bonsoir, monsieur.

Il s'apprêtait à franchir la sortie lorsqu'elle ajouta en enflant un peu sa voix :

— Et puis... bravo! Vous avez eu du cran!

29

Fernand Fafard rageait. Affalé dans un fauteuil devant le téléviseur qui débitait ses âneries habituelles, il passait en revue ses frustrations par ordre croissant d'intensité.

Il y avait d'abord Henri qui lui avait demandé la veille de bien vouloir l'avertir au moment de passer une commande pour la quincaillerie, car trois fois on s'était retrouvé avec des surplus de marchandise qu'il avait fallu ensuite écouler à rabais ; en son absence, il pourrait consulter Lucie (elle s'occupait de la comptabilité et veillait à l'inventaire). « Eh bien, tant qu'à y être, lui avait-il répondu, piqué au vif, pourquoi ne me fais-tu pas déclarer inapte ? Une petite tutelle t'arrangerait peut-être ? »

Mais il est vrai qu'il prenait de l'âge et que sa mémoire commençait à défaillir. Que pouvait-on y faire ? Trois mois plus tôt, son pharmacien lui avait conseillé des capsules de ginkgo biloba ; il en avalait deux chaque matin avec son jus d'orange depuis trois mois, mais le miracle tardait.

Et puis il y avait cette maudite épaule démanchée qui l'obligeait à tout moment à des précautions de vieillard. Les voisins ne venaient presque plus lui demander de coups de main, car on commençait à le savoir fragile. Au moindre effort soutenu, il sentait comme une boule de plomb lui grossir dans l'épaule. La bursite se tenait à l'affût, prête à le faire suer de douleur, le forçant à s'envoyer dans le gosier ces comprimés anti-inflammatoires qu'on disait si terribles pour les tripes.

Il y avait aussi ses problèmes de virilité.

Ah ! misérable vieillesse
Qui nous éloigne du plaisir des fesses !

avait écrit un dénommé Corneille (ou quelqu'un d'autre) bien des années plus tôt. Cela l'avait fait rire à l'époque. Mais, à présent, il ne riait plus, oh ça, non! Lui qui avait si longtemps fait l'amour cinq ou six fois par semaine devait se contenter à présent de deux petites fois! Et, de temps à autre, pour stimuler sa puissance devenue paresseuse, Lucie devait utiliser ce qu'il appelait des « techniques de bordel », qu'il appréciait beaucoup, du reste, et dont il aurait raffolé si... elles n'étaient pas devenues nécessaires. S'était-il lassé de sa femme? Il est vrai que les charmes de celle-ci s'étaient un peu empâtés et que la fraîcheur de ses vingt ans ne se retrouvait plus maintenant que sur des photos. Et pourtant, il ne se voyait en train de faire l'amour avec personne d'autre, malgré toutes les plaisanteries salées qu'il poussait à la quincaillerie ou ailleurs.

Mais la pire cause de ses tourments était sans contredit Céline, devenue l'épine de son cœur, le caillou de son foie, le marteau qui frappait sa tête presque jour et nuit! C'était à se demander si elle n'était pas en train de virer vieille fille, elle pourtant si jolie, si charmante, si vive d'esprit! Depuis presque un an, elle vivait seule, sans amoureux, sans ami, toute à son enseignement, comme ces anciennes maîtresses d'école perdues dans le fond des rangs! Or, depuis trois générations (il avait effectué des recherches sur le sujet), aucune Fafard femelle n'avait séché dans le célibat, ecclésiastique ou pas. Il considérait cela comme une gloire pour la famille. Toutes, sauf deux (sans doute stériles – à moins que ce ne fût leur mari), avaient donné au Québec de beaux garçons et de belles filles pour assurer la pérennité de la nation. Lucie se moquait de lui, le traitant de vieille croûte aux idées dépassées. Le temps de l'élevage était révolu, prétendait-elle. On ne considérait plus les femmes comme des vaches, dont la valeur dépendait de la quantité de lait et de veaux qu'elles produisaient. Tout se passait entre les deux oreilles, à présent, autant pour les femmes que pour les hommes. « Je veux bien, ma belle, rétorquait-il, mais, si tout ne se passe qu'entre les deux oreilles et rien plus bas, as-tu pensé qu'il ne se passera bientôt plus rien nulle part? »

Du reste, sa femme ne tenait pareils discours que pour le plaisir de le contredire, car il voyait bien à son air qu'elle s'inquiétait pour sa fille autant que lui.

Et, le plus enrageant de tout, c'est que cette fameuse Céline n'avait qu'à tendre la main pour attraper le plus beau et le meilleur jeune homme qui fût, un garçon éprouvé, testé, calibré, qu'elle connaissait, d'ailleurs, mieux que quiconque.

Depuis trois mois, en effet, Charles lui refaisait la cour – ou c'était tout comme. Et la niaiseuse, depuis trois mois, hésitait, réfléchissait, pesait le pour et le contre, puis le contre et le pour, disant (il savait cela par Lucie, de tout temps sa confidente) qu'elle avait éprouvé tellement de déceptions amoureuses qu'il lui fallait une pause. Une pause ! Comme si la vie connaissait les pauses ! La vie filait droit devant, et au diable les pauseurs ! Charles finirait par se lasser et s'amouracherait de quelqu'un d'autre. Il ne lui fallait pas longtemps pour lever une femme, lui !

Fernand, donc, rageait. Des torrents de lave s'agitaient en lui, qu'on le forçait à contenir devant sa fille. Enfermé dans son rôle de père – c'est-à-dire de sourd-muet aveugle –, il devait faire comme si de rien n'était, n'ayant comme seul exutoire pour son angoisse et sa colère que Lucie, qui demeurait inerte comme une dinde congelée et commençait à se lasser de ses récriminations.

Il se trémoussait dans son fauteuil en poussant des soupirs d'hippopotame, la face rouge, la cravate de travers, se creusant la tête pour trouver une solution et arrivant toujours au même constat : on ne pouvait vivre à la place d'un autre ni faire son bonheur malgré lui. Ah ! s'il avait été croyant, il aurait entrepris des neuvaines, invoqué le frère André, grimpé à genoux l'escalier de l'Oratoire Saint-Joseph et fait brûler assez de lampions pour chauffer tout l'édifice !

Lucie apparut dans le salon, sanglée dans son tablier, le regarda un moment, puis mettant les mains sur les hanches :

— Bon, bon, bon! Le voilà encore en train de penser à Céline... Tu vas finir par te faire exploser la cervelle à te pomper comme ça.

— Je ne pense pas à Céline.

— Va raconter ça à d'autres, mon vieux! Tu as le nom de Céline écrit dans la face en lettres phosphorescentes.

— Et alors? Je suis son père, après tout, non? Un bon père s'inquiète toujours pour sa fille quand il la voit dans le pétrin.

— Ce n'est pas qu'elle soit dans le pétrin : c'est qu'elle ne mène pas la vie que tu voudrais qu'elle mène, voilà tout.

— Elle mène une vie qui la rend malheureuse.

— Ça, je n'en suis pas aussi sûre que toi... Et même si c'était le cas... Vas-tu recommencer son éducation comme si elle était encore aux couches? Vas-tu lui intenter une poursuite pour l'obliger à se marier?

— Au lieu de m'engueuler, ma belle, tu devrais m'aider à trouver une solution.

Il fixa un instant le téléviseur où un jeune cuisinier, la gueule fendue jusqu'aux oreilles, dépeçait un poulet sous le regard admiratif de son assistante, la comédienne Brigitte Loiseau, qui feignait de voir la chose pour la première fois de sa vie.

— Viens, mon Fernand, l'invita Lucie d'un ton radouci, le souper est prêt.

Il se leva, éteignit le téléviseur et c'est au moment où il franchissait la porte du salon qu'une idée merveilleuse éclata dans sa tête dans un jaillissement multicolore.

On ne pouvait obliger Céline à aimer quelqu'un, c'était vrai.

Mais on pouvait à tout le moins la placer dans des conditions qui la pousseraient à l'aimer.

Et ces conditions n'auraient pas à pousser bien fort, car Fernand était convaincu, comme d'ailleurs sa femme, qu'elle n'avait jamais cessé d'aimer Charles, mais que les épreuves de la vie – qui n'en a pas, hélas? – avaient fini par enfermer cet amour dans une sorte de coquille, dont il n'arrivait pas à sortir. Or il suffisait, pour que cet amour se libère, de fournir à sa fille un instrument qui ferait craquer la coquille.

Fernand soupa sans parler, le regard obstinément plongé dans son assiette.

— Qu'est-ce qui se passe? s'inquiéta Lucie au bout d'un moment.

— Je pense.

— Encore à Céline, je suppose?

— Pas tout à fait.

— À quoi, alors?

— À une solution. Je crois que j'ai trouvé une solution. Je suis en train de la mettre au point.

— De quoi s'agit-il, doux Seigneur? Si tu te voyais la mine! On dirait que tu prépares une révolution.

— Je t'en parlerai quand ma solution sera au point.

Il termina son pâté chinois, goûta un peu à la salade, mais toucha à peine à la tarte aux framboises et but coup sur coup deux cafés (ce qu'il ne faisait jamais le soir), toujours silencieux, avec cet air de farouche concentration qui inquiétait de plus en plus Lucie.

Puis, il déposa sa tasse vide d'un geste vif, presque militaire, et en heurtant la soucoupe, elle produisit un bruit sec et précis qui indiqua à sa femme qu'il était arrivé au terme de ses réflexions et que rien n'arriverait à le détourner du but qu'il s'était fixé.

— Et alors? fit-elle avec un mélange d'appréhension et d'ironie. Qu'est-ce que tu vas m'annoncer?

Il allongea les bras et posa les mains à plat sur la table; tout était clair dans son esprit comme le plan d'une bataille longue-ment mûri; il avait évalué ses forces, mesuré celles de l'ennemi, déterminé ses positions et prévu tous les mouvements de troupes.

— Lucie, nous n'essayerons pas de convaincre Céline. Elle nous enverrait promener. Nous allons tout simplement l'aider à dire oui.

— Et de quelle façon, chéri?

— Par les circonstances.

— Les circonstances?

— Oui, les circonstances... Nous allons la placer dans des circonstances qui vont la rendre tellement... euh... chose... ou... sentimentale, si tu veux, ou même *plusse* que sentimentale... qu'elle... va craquer, tout simplement...

— Tu veux la droguer ou quoi?

— Perds-tu la tête? Je n'ai jamais fumé un seul joint de toute ma vie et j'irais droguer ma propre fille? Non, c'est bien plus simple que ça – et tout à fait honnête.

Et il lui décrivit son plan.

◈

On allait bientôt fêter le cinquantième anniversaire de la quincaillerie Fafard. En fait, l'anniversaire tombait en juin, mais qu'est-ce qui les empêchait de le fêter quelques mois à l'avance, dans une semaine, par exemple? Et, au lieu d'aller dépenser son argent dans un restaurant plein de vacarme et de fumée, on se réunirait ici même, en famille – ce qui serait à la fois plus économique et plus agréable. On inviterait alors Céline, Henri et sa femme Fleurette – et Charles, bien sûr, qui faisait partie de la famille, n'est-ce pas, et avait travaillé à la quincaillerie comme tous les autres.

C'était ici que la fine stratégie commençait. Pendant ce souper, il fallait bien manger et boire du champagne – *en boire beaucoup*. De plus, Henri et sa femme auraient annoncé en arrivant qu'un imprévu les obligerait à partir tôt (Fernand serait, bien sûr, de mèche avec eux). Puis, quelque temps après leur départ, Parfait Michaud appellerait Fernand et Lucie d'urgence chez lui, pour une raison qu'il restait à trouver et qui les forcerait à s'absenter pendant plusieurs heures, peut-être même toute la nuit. De sorte que vers le milieu de la soirée, Charles et Céline se retrouveraient seuls, après un repas copieux et bien arrosé. Qu'est-ce qui risquait de se produire alors?

— Ils retourneront tranquillement chacun chez soi et tu en seras quitte pour ta peine, pauvre gnochon.

— Non, ma belle!

Il avait levé en l'air un index triomphal:

— Car ils auront *bu du champagne toute la soirée* – et le champagne, c'est bien connu, fait perdre la tête aux femmes.

Lucie le considéra un instant avec un air de compassion irritée:

— Ma foi, Fernand, je me demande parfois si je n'ai pas marié un imbécile. Le champagne qui fait perdre la tête aux femmes...

— ... et aux hommes aussi, bien sûr.

— ... mais, mon pauvre ami, c'est des clichés de mauvais films américains, ça, des niaiseries de romans Harlequin. Et, en plus, c'est immoral. Je te pensais plus sérieux pour un homme de ton âge. Vraiment! les bras m'en tombent! Et puis, supposons que par miracle ils couchent ensemble, comme tu sembles le vouloir à tout prix: qu'est-ce que ça va changer? S'il fallait que tous ceux qui couchent ensemble se mettent en ménage, tout le monde aurait au moins cinq adresses, ma foi.

— Céline et Charles *ne sont pas* comme tout le monde. Si le feu de la passion les reprend, l'affaire sera *tiguedou laïtou dans le trou*, ma belle, j'en suis sûr!

— Alors, plutôt que de te lancer dans des complications à n'en plus finir, fais-leur envoyer tout de suite deux ou trois bouteilles de champagne, et attendons qu'ils nous annoncent leur mariage, pauvre naïf!

Et elle partit d'un rire moqueur.

Fernand se dressa, le cou raide, la mâchoire impériale:

— Ris tant que tu veux, Lucie, mais, pas plus tard qu'avant-hier, Parfait Michaud m'a parlé pendant une heure des effets du champagne, et il s'y connaît bien plus que nous deux. Et je m'en vais de ce pas chez lui pour discuter d'une autre chose qui a rapport à notre souper.

Cinq minutes plus tard, il sonnait à la porte du notaire. Celui-ci le reçut en robe de chambre, manifestement dérangé dans une activité à caractère intime, et son accueil, bien que fort poli, avait déjà été plus chaleureux.

Les deux hommes passèrent au salon, qu'Anouchka venait de quitter en toute hâte.

— J'en ai pour cinq minutes, Parfait, déclara Fernand, un peu confus.

— Assieds-toi, mon cher ami, je t'écoute.

— Je t'ai parlé la semaine passée des soucis que me donne Céline.

— Elle s'obstine toujours à lever le nez sur Charles ? s'étonna le notaire. Je le croyais plus habile, lui.

— Il l'est, j'en suis sûr, mais elle a les émotions *barrées*, vois-tu, c'est une sorte de crampe des sentiments, si je peux dire. Ça l'empêche de se laisser aller, comme ferait une femme normale.

— Un blocage, quoi.

— Je savais que tu dirais quelque chose comme ça.

Puis il ajouta :

— Mais j'ai un plan pour l'aider.

Fafard le lui décrivit en long et en large – insistant sur la collaboration qu'il attendait de sa part – puis, avec une certaine appréhension, lui demanda ce qu'il en pensait.

— C'est complètement idiot, répondit Parfait Michaud avec un sourire navré.

— Mais toi-même, l'autre fois, ne me disais-tu pas que le champagne...

— Oui, je veux bien, mon pauvre ami, mais ça n'agit quand même pas comme un coup de canon dans un mur de brique !

On ne base pas toute une stratégie sur quelques verres de champagne, voyons... Sois un peu sérieux...

— Il n'y a pas que le champagne, bafouilla le quincaillier. On pourrait peut-être aussi... J'ai entendu dire...

Puis il s'arrêta.

— Tu as entendu dire quoi? demanda le notaire qui venait de tourner la tête, croyant avoir entendu un soupir d'Anouchka en provenance de la cuisine.

— Qu'il y avait autre chose aussi, des substances... ou des sortes de remèdes, je ne sais pas trop... qui portaient... qui portaient à faire l'amour.

— Des aphrodisiaques?

— C'est ça.

— Leur efficacité n'a jamais été scientifiquement établie, mon vieux. On en annonce à pleines pages dans certaines revues, mais, au fond, je ne les crois pas tellement plus efficaces que l'huile de Saint-Joseph. Tout se passe dans la tête ou, en d'autres mots, ça marche quand tu crois que ça marche. L'effet placebo, quoi... Dans mon cas, la nature, sans me vanter, m'a donné un tempérament qui m'a toujours permis de m'en dispenser, même à mon âge, Dieu merci. Ce qu'il te faudrait, mon Fernand, c'est un philtre d'amour à la Tristan et Yseult.

— C'est le nom de la compagnie?

— Non. Celui des victimes. Allons, oublie les aphrodisiaques et compte plutôt sur Charles. Je crois que, dans le cas qui nous occupe, c'est lui, le meilleur des aphrodisiaques.

Il s'arrêta, saisi d'une inspiration subite :

— Je te dis cela, mais je crois me souvenir tout à coup d'avoir lu dans *Science & Vie* – une revue très sérieuse – un article où l'on parlait de l'effet stimulant du café et du pamplemousse combinés. J'essaierai de te le retrouver demain. Allons, bonne nuit.

◆

Fernand retourna chez lui en sifflotant, malgré le froid visqueux qui s'infiltrait sous son manteau et, d'un air de défi, annonça à sa femme qu'il avait obtenu la collaboration du notaire pour la stratégie du champagne.

— Mais il m'a parlé aussi d'une *découverte scientifique* qu'on vient tout juste de faire : le café, quand on le prend avec du jus de pamplemousse, ça nous rend très porté sur la chose. Surprise, hein ? Il a lu ça dans une revue française. Il faudrait que tu trouves, ma belle, une recette de tarte au café et au pamplemousse, à moins que ce ne soit une salade... Ou alors, invente-la, trompette de cuivre ! Pourquoi n'essaierais-tu pas tout de suite ? On pourrait y goûter... Et tant pis si on ne dort pas de la nuit !

Lucie le fixait, ahurie, comme s'il venait de lui annoncer qu'il avait l'intention de loger désormais dans une cheminée ou qu'il allait se mettre au ballet :

— Une tarte au café et au pamplemousse ? Mais, voyons, Fernand, qui a entendu parler d'une pareille chose ?... Est-ce que par hasard ton ami le notaire ne se payerait pas ta tête, pauvre nono ?

Mais Fernand, assis devant le téléviseur, s'était mis à rêver au jour, peut-être pas si lointain, où Charles, son fils adoptif, deviendrait aussi son gendre.

30

Pendant ce temps, à deux coins opposés de la ville et assez loin de la demeure du quincaillier se tenaient simultanément des conversations qui avaient un rapport étroit avec cette affaire.

La première se déroulait chez les parents de Jennie Savard, où celle-ci s'était retirée depuis son accouchement, survenu deux mois plus tôt. La naissance du bébé avait apporté la paix dans la famille. Pris de compassion pour leur fille bassement séduite, puis odieusement trompée et vivant seule désormais, maître Savard et sa femme, toute leur acrimonie disparue, avaient accueilli la jeune femme à bras ouverts ; on ne faisait plus aucune allusion au passé, comme si elle avait été une veuve de guerre ou la rescapée d'une tragédie. Ils s'étaient même pris d'amour pour son petit garçon, malgré ses origines partiellement détestables, et comptaient bien s'occuper de son éducation de façon à en neutraliser les effets potentiellement nocifs.

Le jour de l'accouchement, une voisine de palier de Jennie, dont Charles avait réussi à se gagner la sympathie, l'avait averti de son départ pour l'hôpital et, vers la fin de la journée, il avait pu contempler son rejeton par la vitrine d'une pouponnière, sans ressentir autre chose qu'une vague tristesse. Quelques jours plus tard, pris par les affaires du bureau, il n'y pensait presque plus. Comme pour tant d'hommes, en effet, la paternité était davantage pour lui un apprentissage qu'un sentiment instinctif ; et, pour l'instant, on ne lui permettait pas de faire cet apprentissage.

Une semaine plus tard, la conscience de ses droits de père – et peut-être un peu aussi le goût de narguer ses ennemis – l'avait poussé à téléphoner chez les parents de Jennie pour demander à voir son fils, dont on lui avait appris à l'hôpital qu'il se prénommait Étienne. Madame Savard lui avait raccroché au nez. Il avait alors appelé son mari et avait menacé de porter plainte si on ne respectait pas ses droits ; une visite avait été arrangée pour le surlendemain. Elle s'était déroulée, comme de juste, dans une atmosphère d'hostilité à couper au couteau. Monsieur Savard, sans un mot, l'avait mené à la chambre du bébé. Charles avait regardé dormir son enfant un long moment, étonné, ayant peine à croire que ce petit être au visage chiffonné était bien de lui, puis il avait caressé le sommet de son crâne recouvert d'un fin duvet noir, tandis que l'avocat, toujours silencieux, se tenait à quelques pas. De Jennie, il n'avait pas vu le bout du nez. On l'avait reconduit à la porte, lui disant qu'il pourrait revenir tous les quinze jours en donnant un préavis de quarante-huit heures.

Une visite chez le dentiste présentait beaucoup plus de charme.

La rage avait soutenu Jennie durant les dernières semaines de sa grossesse. Puis les immenses fatigues de l'accouchement avaient estompé l'image de Charles dans son esprit. Toute à son enfant, elle ne pensait presque plus à lui, n'en parlait jamais, et on se gardait bien de lui en parler. Elle passait ses journées à dormir, à donner le sein au bébé et à regarder la télé. Les livres lui tombaient des mains. On avait peine à lui tirer un mot de la bouche et, lorsqu'elle causait un peu, c'était de banalités. Il avait été convenu que l'essentiel de ses énergies devait aller à ses études; ses parents veilleraient sur l'enfant. Madame Savard s'était occupée de sous-louer son appartement et avait fait entreposer les meubles qu'elle n'avait pas réussi à vendre.

Mais la visite de Charles, que Jennie avait entendu sans le voir, avait réveillé sa colère et son chagrin. Elle s'était aperçue avec effroi qu'elle l'aimait encore – et se mit à le haïr davantage. Son humeur changea. Tout n'était plus pour elle que source de tristesse et de dégoût. Seul le petit Étienne lui apportait un peu de joie, mais une joie pleine de lassitude, qui n'affleurait que par intermittence. Ses parents, un peu inquiets, attribuèrent ce changement au post-partum en se disant que les choses finiraient par s'arranger d'elles-mêmes. Mais, un soir que son père était venu la trouver dans sa chambre, elle fondit en larmes et se vida le cœur. Elle ne cessait de penser à Charles, lui avoua-t-elle, revenant sur leur vie passée, se torturant avec toutes sortes de suppositions, assaillie sans cesse par des espoirs qu'elle s'efforçait en vain de repousser. Il devait venir trois jours plus tard. Elle avait l'intention de lui parler afin de connaître ses sentiments. Monsieur Savard essaya de l'en dissuader, sans y parvenir, et la quitta, atterré.

Il évita de parler de leur conversation à sa femme ; cela n'aurait servi qu'à déclencher une crise de plus ; d'ailleurs il avait promis le secret à Jennie. Mais il fallait faire quelque chose. L'idée de voir sa fille se jeter de nouveau la tête la première dans le malheur le remplissait d'effroi et le révoltait. Car le misérable qui l'avait mise enceinte tout en s'amusant avec d'autres filles ne changerait pas de conduite. Il en était de ces gens-là comme des ivrognes avec la boisson. Toutes leurs promesses, même sincères, s'évaporaient devant une bouteille.

Il faisait les cent pas dans son bureau, les cheveux ébouriffés, le visage en sueur, tripotant sa montre par saccades, comme il le faisait dans les moments de grande nervosité, lorsqu'il pensa tout à coup à son beau-frère le ministre. Ce dernier pourrait peut-être lui donner un bon conseil ou un renseignement utile. Anatole Flingon connaissait ce fameux Thibodeau, et comment ! Savard lui téléphonait rarement, car il le savait très occupé, mais ce soir-là il osa le faire, sûr que l'autre accepterait de l'aider. Après tout, ne s'agissait-il pas du bonheur de sa nièce ?

Il eut Anatole Flingon presque tout de suite au bout du fil.

— Tiens, fit le ministre, quel bon vent t'amène ?

Sa cordialité sonnait faux et cachait de l'agacement, car il était en train de plancher sur un projet de loi particulièrement épineux qui risquait de déclencher une averse de critiques de la part de l'opposition.

— Tu sais, Anatole, fit l'avocat d'une voix un peu étranglée, que je n'ai pas l'habitude de te téléphoner pour rien.

— Tu peux m'appeler n'importe quand, Gérard. Je suis toujours disponible pour la famille.

Monsieur Savard lui décrivit alors l'état d'âme de sa fille et les craintes que cet état lui inspirait.

Anatole Flingon l'écouta jusqu'au bout sans l'interrompre. Puis, quand l'autre eut terminé, il eut une sorte de reniflement si prononcé que son beau-frère crut qu'on venait de tirer violemment les rideaux dans le bureau du ministre.

— Cela ne sera pas! siffla Flingon, saisi d'une de ces colères qui faisaient la joie des photographes et des caricaturistes. Je veux parler à ta fille. Je suis à Montréal demain. J'irai la voir dans la soirée.

— Venez souper, toi et ta femme.

— Non, c'est malheureusement impossible, mon horaire ne me le permet pas. Je me demande, d'ailleurs, où je trouverai le temps d'aller faire un saut jusque chez toi, mais j'irai, je te le promets.

Et malgré les écrasantes obligations que lui imposait le service de l'État, Anatole Flingon tint parole. À neuf heures trente, ce soir-là, une limousine s'arrêta devant la résidence des Savard; le ministre en jaillit et, suivi de son garde du corps, s'avança dans l'allée d'un pas rapide et saccadé; Gérard Savard, tout souriant, tenait déjà la porte ouverte.

Le prétexte officiel de la visite de Flingon était tout trouvé: c'était l'apparition sur notre planète de ce charmant petit Étienne, qu'il n'avait pas encore eu l'occasion d'admirer. Il avait dressé un plan dans sa tête pour enlever à tout jamais à sa nièce le goût de revoir cet ignoble Thibodeau qui, payé par les contribuables, travaillait à détruire le Canada et consacrait le reste de son temps aux turpitudes d'une vie dissolue.

Autrefois, la guérison d'une vilaine plaie exigeait la cautérisation, opération cruelle qui sauva cependant bien des vies. Le patient hurle et se tord, suppliant le médecin de retirer la tige de métal qui brûle ses chairs, mais plus tard, une fois la douleur calmée et l'infection tuée, il le remercie, le regard plein de gratitude.

Anatole Flingon, penché au-dessus du lit, fit les guili-guili recommandés en pareille occasion, mais l'âge trop tendre de bébé Étienne empêcha celui-ci d'apprécier l'honneur qu'on lui faisait. On le mit ensuite dans les bras du ministre, qui le tint comme s'il s'agissait d'une cafetière brûlante et le redonna bientôt à sa mère en la couvrant de compliments sur la beauté de son rejeton. On recoucha Étienne, qui eut le bon goût de s'endormir aussitôt, et on passa au salon pour causer quelques minutes en dégustant un porto. Gérard Savard, prétextant un appel urgent, quitta bientôt la pièce, suivi de sa femme, qui voulait préparer des canapés au foie gras, et le ministre se retrouva seul avec Jennie.

Après s'être informé sur ses études et la carrière qu'elle entrevoyait, il lui demanda abruptement :

— Est-ce que tu as revu le... père de ton enfant ?

Jennie fit signe que non.

— Est-ce que tu as l'intention de le revoir ?

Elle rougit, hésita une seconde, puis répondit :

— Je ne sais pas.

Alors, il poussa un long soupir et une expression de profonde commisération se répandit comme une huile sur son visage.

— Je ne te l'ai jamais dit, Jennie, pour ne pas te blesser inutilement – et puis, après tout, ça ne me regardait pas –, mais il t'a toujours trompée, ma pauvre enfant ! Pas seulement avec la fameuse Céline (c'est bien son nom, hein ?), mais avec des tas d'autres femmes. Je possède des renseignements à ce sujet. Je ne l'ai fait suivre que pendant quelques mois et je ne peux donc pas t'apporter de preuves pour les périodes antérieures, mais pendant ces quelques mois, si tu savais... Eh oui ! c'est la triste vérité. Que veux-tu ? Ces gens-là n'ont pas de principes ou, plutôt, ils ont des principes différents des nôtres. Ne le revois pas, je t'en prie. Tu seras toujours malheureuse avec lui. Ne l'étais-tu pas déjà ?... Oui, bien sûr, je le vois bien.

— Il m'a toujours trompée ? répétait Jennie avec un accent qui, l'espace d'une seconde, fit presque regretter au ministre son pieux mensonge. Il m'a toujours trompée ?

Elle se leva et quitta la pièce.

Quelques instants plus tard, l'avocat et sa femme réapparaissaient.

— Jennie n'est pas là ? s'étonna madame Savard.

— Elle s'est sentie fatiguée, répondit le ministre.

363

Et, d'un signe discret, il indiqua à son beau-frère que sa mission était accomplie.

◆

Pendant ce temps, rue de Lanaudière, à l'appartement de Céline, se déroulait un entretien où les émotions prenaient aussi beaucoup de place.

Charles, assis à califourchon sur une chaise, un bras appuyé au dossier, un bock de bière à la main, refaisait à l'intention de son ancienne amie, attablée devant lui avec un café, une démonstration qu'elle paraissait avoir déjà entendue à quelques reprises. Il parlait et parlait et parlait, comme il savait si bien le faire, déployant toutes les ressources de son esprit pour justifier sa conduite des neuf dernières années, ajoutant qu'il était devenu beaucoup plus sérieux depuis un an et que, par exemple, il s'était montré fidèle à Jennie tout le temps de leur liaison. De cela, Céline avait des preuves concrètes.

— Tellement fidèle, riposta Céline, moqueuse, que si elle ne t'avait pas foutu à la porte, tu ne serais jamais venu me voir.

Charles resta coi une seconde, puis son visage s'empourpra et il se redressa si vivement sur sa chaise qu'un jet de bière gicla de son bock sur le plancher :

— T'as menti, Céline Fafard, je ne l'ai jamais aimée comme je t'aime, toi. Les sentiments que j'éprouve pour toi sont d'une autre nature. Toi, je t'aime de toutes mes tripes, des talons jusqu'au sommet de la tête, sans savoir pourquoi, sans pouvoir m'en empêcher ; c'est un instinct, une manie, une folie, appelle ça comme tu voudras. Je m'en suis bien rendu compte quand je t'ai revue à la station Jean-Talon ! C'est comme si un madrier m'avait traversé le corps ! Je suis fait pour toi et tu es faite pour moi. Ose le nier ! Il n'y a pas un jour, pendant toutes ces années de séparation, où je n'ai pas pensé à toi et, si je ne me montrais pas, c'est que je te savais avec quelqu'un d'autre et je me disais :

« Tant pis pour toi, niaiseux, tu n'avais qu'à ne pas la laisser aller ! » Tandis que, dans le cas de Jennie, c'était une sorte d'arrangement affectueux (au début, en tout cas), une entente à l'amiable, si tu veux, où chacun essayait de trouver son compte, mais où il n'y avait pas d'élan, pas de folie – et finalement pas beaucoup de joie. Et puis, il y a eu le bébé.

— Justement, parlons-en du bébé.

— Il n'a rien à voir avec notre affaire.

— Ta, ta, ta. Il a à voir avec toi, en tout cas, et tu te démènes depuis une demi-heure pour me convaincre que toi et moi, on est fait pour aller ensemble. Donc, s'il faut t'en croire, je suis concernée... Or, qu'est-ce que je vois ? Je vois qu'il a beau être ton fils, tu as l'air d'y tenir comme à un trognon de pomme. Ça regarde mal.

— J'ai fait cet enfant sans le vouloir, Céline, avec une femme qui m'aimait à moitié et dont j'étais en train de m'éloigner !... Et puis, je ne l'ai vu que trois fois, bout de batinse ! et dans une atmosphère qui fait penser à la morgue. Voudrais-tu que je pleure en parlant de lui ? Je n'ai même pas été consulté pour choisir son prénom ! Et d'ailleurs, ce n'est pas vrai que je n'y tiens pas : j'y pense à tout moment, j'y pensais dans la douche ce matin, et puis au bureau en essayant de régler un problème d'allocations familiales. J'y pense autant que je peux !

— Ça, c'est une phrase de vendeur de graines, pas de jardinier...

— Insulte-moi, Céline, j'adore ça. Je suis devenu masochiste. D'ailleurs, au cas où tu en douterais, je ne suis pas quelqu'un de très bien. J'accumule les conneries, Dieu m'a créé pour ça et Dieu me regarde et Il est content.

Il se leva, s'approcha de la jeune femme et, se penchant au-dessus d'elle, lui enserra tendrement les épaules :

— Et la plus grande connerie que j'aie jamais faite, Céline, c'est de t'avoir envoyée promener à cause de cette histoire ridicule avec Steve.

— Tu le reconnais donc enfin ? Je me vengeais de tes coucheries.

— Et je le méritais ! J'aurais dû aller me cacher dans un coin, la tête baissée, la queue entre les jambes, comme un petit chien qui a fait caca dans le salon, et attendre que tu me rappelles.

— Je ne l'aurais peut-être pas fait.

— Tu as sans doute oublié que c'est toi qui es venue me trouver pour qu'on se réconcilie...

Elle ne répondit rien et prit une gorgée de café tandis qu'il poursuivait ses caresses.

— Céline, lui souffla-t-il à l'oreille, j'ai besoin de toi et tu as besoin de moi... Regarde la chance incroyable que nous avons : ma blonde m'a foutu à la porte et toi, tu es libre... Pourquoi ne pas se remettre en affaires... sentimentales ?

— Crois-tu que c'est en s'unissant que deux malheureux vont faire leur bonheur ?

— Oui, belle dinde, parce qu'en s'unissant ils vont cesser d'être malheureux !

Elle demeura impassible. Il retira ses mains, car il avait l'impression que leur contact ne procurait guère de plaisir à Céline.

— Je ne sais plus quoi dire pour te convaincre, soupira-t-il.

Son ton était si changé qu'elle se tourna vers lui. Il avait les larmes aux yeux et se mordait les lèvres pour les retenir. Alors, elle recula un peu sa chaise de façon à l'avoir bien en face et, toujours assise, le regard planté dans le sien :

— J'ai peur, Charles, murmura-t-elle d'une voix brisée, si tu savais comme j'ai peur... Regarde ta vie, regarde la mienne... Des bouts de chemin qui finissent en cul-de-sac, des ponts brisés, beaucoup d'agitation, de faux espoirs, de déceptions, et à la fin, du vide... Je vais être la ixième passagère de ta bagnole. Où vas-tu me laisser ? Dans combien de kilomètres ? Vas-tu me faire un enfant à moi aussi, que je devrai élever toute seule ? Pourquoi ne t'es-tu pas défendu devant Jennie, puisque tu te dis innocent ?

Elle ne t'en a pas laissé le temps? Allons, tu sais pourquoi, tu viens de me l'avouer : tu t'en étais lassé... comme des autres. Tu as piqué une colère, bien sûr, mais, en même temps, quelle bonne occasion pour filer, hein? Tu vas finir tes jours vieux garçon, mon pauvre Charles... ou alors avec une infirmière que tu auras enjôlée pour qu'elle soigne ta vieillesse...

Charles l'écoutait, interdit, envahi tout à coup par le doute.

31

Fernand se donnait beaucoup de mal. Il lui avait fallu deux jours pour convaincre Henri de collaborer à sa stratégie, que ce dernier trouvait idiote. Une fois son accord obtenu, il avait fallu gagner celui de sa femme Fleurette. Sous une apparence de mollesse apathique, que renforçait sa longue chevelure blonde, ses chairs roses et grasses, et son regard d'un bleu un peu délavé, se logeaient beaucoup d'entêtement et une crainte maladive du qu'en-dira-t-on. Fernand, pour la convaincre, dut faire preuve d'une patience et d'une douceur contraires à son tempérament et qui lui amenèrent par moments des palpitations et des brûlements d'estomac. Il dut lui jurer un nombre incalculable de fois que personne ne connaîtrait jamais leur complicité (quoique cela lui parût impossible), puis s'assécher le gosier à lui vanter son stratagème, lui décrivant les merveilleux résultats qu'il ne pouvait manquer d'obtenir.

Enfin, elle consentit. Il en fut tellement heureux qu'il l'embrassa sur les deux joues, puis la serra dans ses bras, et son nez se remplit de vapeurs d'eau de Cologne, qu'elle utilisait avec une telle abondance qu'Henri en avait parfois mal à la tête.

Trouver une raison plausible à son départ et à celui de Lucie en plein milieu d'une fête qu'ils auraient eux-mêmes organisée demanda un rude travail. Le pauvre quincaillier pensa même ne jamais y parvenir. Ce fut Anouchka, finalement, qui eut l'illumination.

Par un soir pluvieux, Fernand s'était rendu chez Parfait Michaud pour discuter de l'affaire et, installés dans son bureau, un cognac à la main, ils s'étaient mis à échafauder des plans, tandis qu'Anouchka allait et venait, se joignant de temps à autre à leur discussion, puis repartant. Le prétexte d'un malaise subit du notaire fut aussitôt éliminé : Charles et Céline, inquiets, les auraient suivis. La rupture d'un tuyau connut le même sort : Fernand se débrouillant fort bien en plomberie, pourquoi Lucie l'aurait-elle accompagné ? On ne passe d'ailleurs pas la nuit chez un voisin à réparer ses tuyaux. Apaiser une querelle entre le notaire et sa petite amie ne valait guère mieux.

Parfait Michaud eut alors une idée : on allait lui livrer dans quelques jours une BMW d'occasion (Anouchka adorait les belles autos). Pourquoi, vers la fin de la soirée, n'inviterait-il pas Fernand et Lucie à étrenner avec lui sa nouvelle auto ? Puis, prétextant une panne qui les forcerait à passer la nuit dans un motel, Lucie ou Fernand avertirait Charles et Céline, en leur demandant de garder la maison.

— C'est compliqué, jugea Anouchka.

— Oui, mais ça ressemble assez à notre bon ami Parfait, répondit Fernand. Ce ne sera pas sa première idée bizarre. Pas vrai, le notaire ?

— Tout à fait, convint ce dernier. Je frôle la folie, tout le monde le sait.

— J'ai mieux, déclara Anouchka. Et c'est simple comme tout.

Michaud prit sa main et y posa ses lèvres :

— On t'écoute, mon amour.

— Parfait vous appelle, toi et Lucie. Vous venez. En arrivant, vous téléphonez à Céline pour lui annoncer que vous devez passer la nuit chez nous, mais que vous ne pouvez pas lui en donner tout de suite la raison. Vous prenez soin de la rassurer, par contre, en ajoutant que tout est « sous contrôle » et que vous serez de retour le lendemain avant-midi. Entre-temps, elle serait bien gentille de garder la maison.

— Approuvé, fit le notaire.

— Je me demande des fois à quoi sert l'expérience, remarqua Fernand, pensif. Elle pourrait être notre fille, Parfait, et presque notre petite-fille, et regarde comme elle vient de nous dépasser dans la courbe...

— Pourquoi penses-tu que je l'ai choisie, sot homme ?

Mettre le menu au point fut également chose assez ardue, car les idées de Fernand et de Lucie divergeaient sur la sorte de repas qui porte aux ébats amoureux. Fernand était partisan de la viande rouge, qui stimule les passions, Lucie favorisait les mets délicats, subtilement épicés, et les sauces onctueuses, qui flattent la sensualité. Fernand prônait le filet mignon, le rôti de bœuf, le steak tartare. Lucie pensait fruits de mer, lapin au cidre, canard à l'orange. Finalement, comme c'était elle qui officiait aux chaudrons, elle eut gain de cause.

Restait le choix du champagne.

— Tous les champagnes sont bons, Fernand, assura le notaire. Sans les avoir tous essayés, je peux t'assurer que chacun m'a rendu très libidineux.

— Oui, mais je veux *le plus cochon*.

Et il se rendit rue Metcalfe à une succursale de la Société des alcools spécialisée en produits haut de gamme afin d'obtenir l'avis d'un expert.

Il se retrouva devant un grand homme mince et chauve à la voix un peu traînante et à l'accent pointu, qui l'accueillit avec une aimable condescendance; son origine parisienne ne faisait aucun doute.

— Vous voulez un bon champagne? Ils sont tous bons, ici, monsieur. D'ailleurs, à vrai dire, je ne connais pas de mauvais champagne. En partant, n'est-ce pas, il s'agit d'un vin de qualité. Ce sont les imitations qui laissent à désirer.

— Oui, mais je veux *le meilleur*.

— Le meilleur? Mais c'est affaire de goût, monsieur. Le meilleur pour moi ne sera pas nécessairement le meilleur pour vous.

Cela était dit avec un sourire cordial mais sur un ton qui laissait vaguement entendre que Fernand aurait fait peu de différence entre un Dom Pérignon et un vulgaire mousseux de l'Ontario.

— C'est pour un événement particulier? s'informa le commis avec une inclinaison de tête dont n'était pas exempte une certaine commisération.

— Oui... euh... il s'agit, euh... comme qui dirait... de... euh... séduire une femme... Ce n'est pas pour moi, se hâta-t-il d'ajouter, mais pour mon garçon.

Et il rougit comme une couventine à sa première farce grivoise.

— Oui, je vois, je vois, fit le commis avec un clin d'œil complice. Oh, vous savez, monsieur, plus il est raffiné, plus il porte. D'où le prix. On touche le cœur par les papilles, comme dit l'adage. Quel prix êtes-vous prêt à payer?

— Laissez faire le prix, je m'en occupe.

Le commis inclina de nouveau la tête, avec une déférence véritable, cette fois, et le conduisit vers un étalage.

Fernand ressortit avec un Bruno Paillard Première cuvée à 58 $, deux Veuve Cliquot 1990 à 73 $ et, bouteille qui devait accomplir des prodiges, un Jacquesson Grand Vin Signature 1979 à 120 $.

Il fut décidé que le souper aurait lieu un vendredi soir, début de la fin de semaine, moment où chacun se sent enveloppé d'un souffle de liberté qui incite aux sauts dans le vide et autres gestes demandant un brin de folie. Lucie se mit aux fourneaux pour la préparation des desserts. Il y en aurait quatre, incluant une charlotte suisse au café et au pamplemousse dont elle avait fini par dénicher la recette après de longues recherches.

Dans la soirée du 4 mai, après avoir longuement discuté avec sa femme du choix des termes à utiliser, puis avoir enfilé un petit cognac pour se donner de l'allant, le quincaillier entreprit les opérations en téléphonant à sa fille, objet de toute la stratégie.

Ce fut Charles qui répondit.

— Eh ben! s'étonna Fernand. Comment vas-tu?

— Je vais très bien, répondit l'autre.

Et le ton sur lequel cela fut dit indiqua à Fernand que tous ses efforts n'avaient servi qu'à le mettre en sueur, car le résultat qu'ils visaient venait d'être atteint.

Une nouvelle période de bonheur s'ouvrait dans la vie de Charles. Combien de temps durerait-elle? se demandait-il parfois. «Toujours!» répondait une voix extatique au fond de lui-même. C'était la voix de l'homme de trente ans, mais aussi celle du petit garçon, toujours vivant en lui, autrefois si misérable et rempli d'une si ardente colère contre la vie, à présent comblé au-delà de ses espérances, car il avait enfin trouvé l'être qu'il lui fallait. Pourquoi l'aimait-il? Parce qu'elle était belle, fière, droite, fine, vive, douce, bonne, qu'elle faisait l'amour comme trente-trois Vénus – et qu'elle l'aimait. Mais surtout parce que c'était *elle*, qualité fabuleuse et inouïe, et que personne d'autre ne possédait. Se pouvait-il qu'un homme et une femme aient été faits exclusivement l'un pour l'autre? Un psychologue aurait sans doute pouffé de rire devant une pareille question, qui sentait l'astrologie. Mais c'était bien le sentiment profond qu'il partageait avec son amie. Tous deux voyaient leur longue séparation comme une folie, un immense gaspillage, un dégât stupide qu'ils essayaient fébrilement de réparer en mettant les bouchées doubles. Ils avaient retrouvé intacte leur vieille complicité, qui remontait presque à l'enfance; la confiance qu'ils s'inspiraient mutuellement était si profonde et si instinctive, elle leur procurait tellement d'aise et de liberté dans tout ce qu'ils faisaient ensemble qu'elle abolissait en eux par moments le sentiment de solitude qui accompagne chaque être humain tout au long de son existence ; ils se sentaient forts, complets, quasi invulnérables. Ils avaient été l'un pour l'autre le premier amour, et voilà qu'après bien des vicissitudes ils se retrouvaient, mûris et un peu écorchés, mais leur ferveur intacte et avec la même soif de bonheur. Les manuels de psychologie disaient que le premier amour n'était que cela : le premier, c'est-à-dire le prélude aux autres, les véritables, que l'on vit dans la maturité. Eh bien, en ce qui les concernait, le premier se dressait, parmi tous ceux qu'ils avaient connus, comme le seul et l'unique, et ils se regardaient parfois, stupéfaits d'avoir vécu si longtemps l'un sans l'autre. La sagesse et l'expérience leur disaient que cet amour ne pourrait durer qu'en évoluant peu à peu, mais de cela ils n'avaient cure, tout à leur éblouissement.

Par prudence, Céline avait demandé à Charles que, pour un temps du moins, ils continuent de vivre chacun chez soi ; mais ils se retrouvaient presque chaque jour, ne s'accordant que de rares pauses de solitude pour reprendre leur souffle ; car la violence de cet amour qui les emportait comme dans une avalanche dévorait toute leur énergie et n'était pas sans les effrayer un peu.

Fernand et Lucie n'arrivaient pas à se rassasier de les voir à nouveau réunis et les auraient sans cesse invités ; ils allaient souper chez eux tous les vendredis, peut-être à cause de ce fameux vendredi soir où l'on avait fêté le cinquantième anniversaire de la quincaillerie par de tels excès de champagne et de bonne chère que les invités avaient dû coucher à la maison.

Les deux amoureux ne fréquentaient presque personne. Accaparés chacun par leur travail, ils passaient ensemble le peu de temps libre qui leur restait ; Charles en avait presque oublié

Steve et Blonblon; quant à Lodoïska, elle lui apparaissait à présent comme le pâle souvenir d'un ancien amour qui lui inspirait une indifférence vaguement attendrie.

Il en oubliait aussi parfois son petit garçon. S'il y avait une fissure dans sa vie qui l'empêchait de goûter la plénitude du bonheur, c'était cette paternité manquée. Souffrait-il d'une tare génétique? Il le voyait très ponctuellement tous les quinze jours pendant une heure, en présence du grand-père (Jennie ne se montrant jamais). C'était pour lui un devoir un peu ennuyant, agrémenté à l'occasion de plaisirs minuscules et fuyants: ceux que donnent un gazouillement, une grimace qui se veut un sourire, le contact d'une peau soyeuse et fraîche, délicatement parfumée, la joie qu'on ressent d'avoir été reconnu par un petit être issu de soi-même; mais la tristesse et la désolation l'emportaient toujours durant ces visites où Charles se sentait entouré d'une haine silencieuse et il en vint presque à souhaiter qu'on les lui interdise.

Entre Céline et lui, le petit Étienne (qu'il aurait préféré appeler Guillaume) était le seul sujet de malaise; ils essayaient de l'éviter le plus possible, car il amenait avec lui des questions sans réponses et des inquiétudes sans remèdes.

Un amour heureux fait aimer tout ce qui l'entoure. Céline avait retrouvé une nouvelle ferveur pour l'enseignement, Charles adorait plus que jamais son métier de secrétaire de comté. Louise Rajotte n'avait plus à lui faire la leçon; il avait développé un instinct et un savoir-faire remarquables qui, la plupart du temps, le tiraient des situations les plus délicates. Un jour, le député Francœur, pourtant d'un naturel peu expansif, lui avait déclaré, dans un rare moment d'effusion:

— Charles, tu sais que tu as toute ma confiance... Je ne l'ai pas accordée à beaucoup de personnes dans ma vie.

Et il lui avait pris le bras en le regardant droit dans les yeux avec un sourire timide où l'on ne voyait, cette fois, aucune trace d'ironie.

Charles, profondément touché, avait balbutié un « Merci! » presque inaudible, ne sachant quoi ajouter, et, cette semaine-là, il s'était surpassé en zèle et en débrouillardise.

On mentionnait parfois son nom dans *La Voix populaire* (quand il était question du député, naturellement), et toujours en bien. Le rédacteur en chef, manifestement conquis par son charme, l'avait décrit comme une « personnalité dynamique », propos qui, venant d'un adversaire politique aussi farouche, équivalait à une canonisation.

Francœur aussi avait dû faire l'éloge de son secrétaire, car, parmi le personnel politique, les députés et les ministres du parti qu'ils avaient l'occasion de côtoyer, Charles semblait avoir bonne réputation et jouissait même d'un certain prestige; son aventure avec Jim Bright le faisait passer pour un héros; on lui demandait volontiers son avis et on s'étonnait qu'il ait abandonné la carrière journalistique, où il réussissait tellement bien. « Ce n'est qu'une parenthèse, murmuraient certains. Un de ces jours, vous allez le voir rebondir. »

32

Après l'effervescence du référendum de 1995, le Québec s'était de nouveau enfoncé dans un tunnel noir. Le gouvernement fédéral, encore secoué par la frousse référendaire, avait déposé en février 1997 un renvoi à la Cour suprême du Canada dans lequel il prétendait que le Québec ne pourrait faire légalement sécession que s'il obtenait le consentement du gouvernement central et des neuf autres provinces grâce à un amendement constitutionnel. C'était imposer la quadrature du cercle comme principe d'action ; le Canada devenait un cadenas. Le gouvernement Bouchard avait réagi en déclarant qu'il refusait de participer à ce procès truqué. Mais le bruit courait depuis quelque temps que le Québec allait être représenté contre son gré par un *amicus curiae* choisi par les juges de la Cour suprême.

Dans cette affaire qui risquait d'engager son destin, le peuple québécois demeurait curieusement apathique, comme si le problème ne le concernait pas ou que sa gravité lui échappait ; ses gouvernants, déconcertés, n'osant plus poursuivre la bataille, se réfugiaient dans l'administration à la petite semaine et attendaient les événements, soupirant après les « conditions gagnantes » qui amèneraient, comme par magie, un retournement de situation. Le Parti québécois dérivait vers la droite, incertain de sa mission, interrogeant un avenir de plus en plus embrumé.

Charles, dégoûté comme bien des militants par tant de faiblesse et d'indécision, maugréait tout bas et continuait de faire son boulot en espérant lui aussi des jours meilleurs – ou un changement de garde.

Que pensait de tout cela Normand Francœur ? Il était bien difficile de le savoir. Charles sentait parfois son agacement et son inquiétude, mais – prudence de politicien ? – le député ne les exprimait jamais ouvertement. Un jour que celui-ci et son secrétaire sortaient d'une réunion où l'on avait durement critiqué ce gouvernement obsédé par l'atteinte du déficit zéro et qui, malgré le recul du français à Montréal, s'opposait farouchement à toutes les mesures législatives, prétextant qu'elles nuiraient à « l'équilibre linguistique », Charles lui demanda à brûle-pourpoint ce qu'il pensait du premier ministre.

Le député, qui allait mettre son paletot, se retourna vers lui avec un curieux sourire et, comme chaque fois qu'il était embarrassé, fronça le nez en reniflant à petits coups précipités. Quatre ou cinq personnes s'étaient approchées, attendant sa réponse. Il toussotait, cherchant ses mots.

— Disons, répondit-il enfin, que... Jacques Parizeau... malgré tous ses défauts, était un véritable homme d'État, lui.

Le 14 juin, Charles discutait avec deux jeunes hommes venus demander de l'aide pour l'implantation d'un atelier de recyclage de bicyclettes lorsque Louise Rajotte, commotionnée, lui annonça que Pierre Péladeau était au bout du fil et désirait lui parler.

L'entretien avec l'homme d'affaires fut cordial mais lapidaire, selon son habitude.

— Bonjour, mon Charles, ça va?

— Oui, monsieur Péladeau. Et vous-même?

— Très bien. Dis donc, es-tu libre ce midi?

— Oui.

— Tu aimes le poisson?

— J'adore.

— Alors, je t'attends Chez Delmo à midi et quart. On va jaser d'une affaire ou deux. Salut.

Charles trouva l'homme d'affaires fatigué et vieilli, mais de fort bonne humeur et manifestement heureux de le voir. Un peu intimidé par l'honneur qu'il lui faisait d'un tête-à-tête, et en public de surcroît, Charles se demandait de quelles *affaires* le magnat voulait bien l'entretenir. Elles n'avaient sûrement pas trait à la politique. Il n'était qu'un petit secrétaire de comté, travaillant pour un député plutôt obscur. Péladeau pouvait se trouver des interlocuteurs bien plus puissants et mieux renseignés que lui. On parla d'abord musique, et, sachant son ancien collaborateur mélomane, l'homme d'affaires se scandalisa qu'il ait assisté à si peu de concerts de l'Orchestre métropolitain, dont il était le mécène. Fouillant dans la poche de son veston, il lui tendit une enveloppe:

— Tiens, v'là deux billets pour mercredi prochain: Brahms et Beethoven. Tu amèneras ta blonde, ça fait une belle sortie. Est-ce qu'elle aime la musique?

— Beaucoup, monsieur Péladeau.

— Eh bien, ça lui donne un charme de plus.

Puis, au bout d'un moment, la conversation bifurqua vers la politique. Pierre Péladeau n'aimait pas lui non plus la tournure qu'avaient prise les choses depuis le référendum. La lutte contre le déficit, c'était bien, très bien (les pays, pas plus que les individus, ne pouvaient vivre longtemps au-dessus de leurs moyens), mais l'atmosphère générale lui paraissait malsaine. On tournait en rond, on hésitait. Au lieu d'agir et de foncer, on se tenait sur la défensive. Ottawa, voyant que sa stratégie de la famine financière portait fruit, s'enhardissait. Le Québec, écrasé sous le fardeau de la gestion publique, s'essoufflait, ne savait plus où donner de la tête et son adversaire en profitait pour avancer ses pions. Ne voilà-t-il pas que le gouvernement fédéral venait de s'adresser à la Cour suprême pour rendre la souveraineté pratiquement impossible :

— C'est comme si on promettait la liberté à un prisonnier, à condition qu'il arrache un arbre de cent ans d'une seule main.

Charles riait.

— Écris ça dans un de tes papiers, c'est bon, ça... Ah, j'oubliais, tu n'écris plus... Bande d'hypocrites ! poursuivit l'homme d'affaires en rompant rageusement un morceau de pain qu'il trempa dans de la sauce. Ils n'arrêtent pas de parler de *démocratie* et de *clarté*, mais, au fond, ils veulent faire du Canada une prison – pour qu'on finisse d'y crever à petit feu. Et ce fameux Flingon, là, le ministre des Choses inutiles, quelle face à claques ! Je l'écoutais hier à la télévision ; on dirait toujours qu'il cherche à nous civiliser, comme si le Québec était le pays des Wawas et qu'on ne connaissait pas encore l'eau courante. Tout le monde s'en moque, mais moi, je le redoute. Il a des moyens puissants, le bonhomme, et il nous déteste à n'en plus voir clair. Mais les gens n'ont pas l'air de s'en rendre compte. Ah ! les Québécois sont du bien drôle de monde, tu sais, mon Charles : on dirait qu'ils ne pensent qu'à s'amuser. Impossible d'attirer leur attention si on ne les divertit pas. Avec la politique, ce n'est pas toujours facile...

Le repas avançait et Charles attendait toujours que l'homme d'affaires aborde l'objet de leur rencontre, qu'il semblait avoir oublié. Il ne l'avait tout de même pas invité pour le seul plaisir de sa conversation...

Soudain, Pierre Péladeau posa sur lui ce regard perçant et légèrement goguenard qui avait déstabilisé tant de ses interlocuteurs :

— Aimes-tu ton travail, mon garçon ?

— Beaucoup. Même s'il est dur.

— Tu vas le perdre tôt ou tard, parce que, tôt ou tard, le gouvernement va se faire débarquer... à moins qu'on ne te case fonctionnaire quelque part.

— Ça ne me tente pas.

— C'est ce que je pensais. Ce n'est pas ton genre. Eh bien, si jamais le goût du papier journal te reprenait, donne-moi un coup de fil. J'aurai peut-être quelque chose à te proposer. Mais n'attends pas trop longtemps... Il n'y a personne d'éternel ici-bas, pas plus moi qu'un autre...

Charles, très ému, le regardait sans parler, tandis que son ex-patron, comme si de rien n'était, faisait signe au garçon d'apporter d'autre café, dont il avait déjà pris deux ou trois tasses.

— Je suis extrêmement touché, monsieur Péladeau, dit-il enfin. Vous ne pouvez pas savoir comme...

— Bah ! c'est bien normal : quand je vois quelqu'un qui peut m'être utile, j'essaye de l'utiliser, voilà tout. Tu ne fais pas ça, toi ?

Charles continuait de bredouiller des remerciements, éperdu de reconnaissance et navré de ne pouvoir accepter sur-le-champ l'offre de son ancien patron. Mais ce dernier, qui venait de consulter sa montre, vida sa tasse en deux gorgées et allait se lever de table lorsqu'une pensée soudaine l'arrêta :

— Ah oui ! j'oubliais. J'ai un petit quelque chose pour vous deux.

Il ouvrit sa serviette et en sortit un paquet enrubanné :

— J'ai appris, mon Charles, que tu étais devenu papa? Eh bien, bravo! Je ne me rappelle plus qui me l'a dit... Je crois que c'est le directeur de mon contentieux. Garçon ou fille?

— Garçon.

Puis Charles ajouta :

— Je ne vis plus avec la mère.

Et, sans savoir pourquoi, il se mit à rougir.

— Ah! ce sont des choses qui arrivent, que veux-tu... J'ai demandé ce matin à ma secrétaire d'aller acheter un petit cadeau pour l'enfant... Je crois que c'est un pyjama. J'espère qu'il n'est pas rose. Et puis, bah! le rose va bien aux garçons aussi.

Et il lui remit le paquet. Charles, devenu écarlate, se confondit de nouveau en remerciements, puis, ne sachant plus comment exprimer son bonheur, tendit la main à l'homme d'affaires, qui la serra en riant :

— Quel âge a-t-il?

— Tout près de quatre mois, à présent.

— Ne fais pas comme j'ai fait avec mes enfants, mon gars, reprit Péladeau, devenu grave. Occupe-toi-z-en autant que tu le pourras... La vie m'a donné bien des leçons, celle-là en est une... Enfin, je suis sûr que tu vas faire pour le mieux. Bon. Il faut que je file, j'ai une réunion dans dix minutes.

Le patron du restaurant avait appelé lui-même un taxi pour son illustre client. Charles voulut lui ouvrir la portière, mais ce dernier prévint son geste et se glissa dans le véhicule avec des mouvements ankylosés de vieillard en retenant ses soupirs, puis, une fois assis, lui fit un salut de la main et lança un ordre bref au chauffeur.

◆

Un après-midi de juin, Parfait Michaud se rendit à la quincaillerie Fafard pour acheter de la peinture et en profita pour annoncer à Fernand son mariage avec Anouchka prévu pour le mois d'août. Fernand lui répondit froidement que cela lui donnait le temps de faire les démarches nécessaires pour placer le notaire dans une clinique psychiatrique. Les deux hommes échangèrent des mots vifs et s'envoyèrent même au diable, mais leur brouille ne dura que quelques heures, Lucie ayant convaincu le jour même son mari de présenter des excuses à son vieil ami; celles-ci furent plutôt sèches mais assez convenables pour que le notaire les accepte et oublie l'affaire.

Dans les jours qui suivirent, Lodoïska, après une grossesse assez pénible, donna naissance à une petite fille prénommée Bella, dont Monique allait devenir la marraine et Steve le parrain. Blonblon flottait dans le bonheur; suivant la coutume, il distribua des cigares à tout le monde, mais celui qu'il présenta à Charles fut en chocolat, car ce dernier, sous l'influence de Céline, grande amatrice d'aliments naturels et ennemie féroce de la cigarette, avait décidé d'arrêter de fumer et accomplissait sa traversée du désert, soutenu par des timbres antitabagiques et les voluptueuses consolations de son amie.

Une semaine avant son mariage, Anouchka Chouinard, soudain paniquée, demanda un délai de réflexion, ce qui plongea le notaire dans un profond abattement; il se mit à boire du cognac comme un phoque dévore du poisson, à la grande inquiétude de son entourage et à l'agacement de plus en plus vif de ses clients, dont certains décidèrent de ne plus recourir à ses services, car il en venait parfois à déparler. Le mot « femme » ou l'un de ses synonymes prononcé devant lui faisait jaillir de sa bouche les injures les plus grossières, et Fernand, après avoir assisté à quelques-uns de ses accès de colère, crut qu'il allait devoir mettre sa menace à exécution et le faire interner.

Un soir, Anouchka, qui s'était réfugiée à la campagne pour réfléchir à son avenir, vint frapper en larmes à la porte de Blonblon; il l'écouta patiemment pendant trois heures, la consola de son mieux, mais hésita à lui donner des conseils, car il était d'avis qu'en pareil domaine chacun devait suivre son instinct. L'entretien dut cependant être bénéfique à la jeune femme car, en quittant Blonblon, elle alla se jeter dans les bras de Parfait Michaud et décida de faire vie commune avec lui; toutefois, il ne fut plus jamais question entre eux de mariage et cela sembla convenir à tout le monde.

Ce fut vers la même époque que Steve Lachapelle changea de métier. Depuis un an, sa jambe le faisait de plus en plus souffrir et il y avait des jours où son travail lui devenait insupportable. Cela se répercutait sur son humeur, et c'était Monique et les enfants qui en payaient le plus souvent le prix. Un jour, excédée, elle le saisit par les épaules et le plaqua contre un mur :

— Écoute-moi bien, cher : ta maudite patte nous empoisonne la vie ! Ce n'est pas de ma faute si tu te l'es cassée et si on te l'a mal rafistolée. Change de métier ou change de femme !

Steve lui répondit quelques insolences, mais elle sentit que son avertissement avait porté. Pendant trois jours il fut pensif, parfois même sombre, mais se garda bien de donner prise aux critiques de sa femme, avalant des analgésiques comme s'il s'agissait de caramels. Puis un soir, en revenant de son travail, il lui apprit que le dépanneur à trois pas de chez eux était à vendre ; il venait de rencontrer le propriétaire, qui en demandait un prix tout à fait raisonnable.

— C'est sûr que les journées seraient longues – sept heures du matin à onze heures du soir –, mais c'est moins fatigant de vendre du Pepsi et de la soupe en boîte que de laver des murs et des planchers. Et puis, je pourrais m'asseoir de temps à autre et laisser reposer ma patte. Qu'en penses-tu ?

Monique venait de recevoir huit mille dollars en héritage et ils avaient quelques économies. Peut-être la caisse populaire leur consentirait-elle un prêt ? Mais pourquoi le gros Théberge voulait-il se débarrasser de sa boutique ? demanda Monique. Ce n'était sûrement pas à cause de l'âge, il avait à peine quarante ans. Peut-être le commerce ne faisait-il plus vivre son homme ?

— Pas du tout, ma fille, répondit Steve. Je n'ai pas laissé ma cervelle sur le pas de la porte en entrant dans son magasin. Tu penses bien que je lui ai demandé de me montrer ses déclarations de revenus des cinq dernières années.

Théberge, poursuivit-il, s'était tiré un revenu annuel moyen de trente-huit mille dollars, ce qui dépassait leurs propres revenus de trois ou quatre mille dollars, n'est-ce pas? Non, la raison qui le poussait à vendre, c'était l'écœurement de passer les trois quarts de sa vie derrière un comptoir. Si jamais ils en arrivaient là, ils n'auraient qu'à l'imiter et se débarrasser du commerce eux aussi. D'ailleurs, Théberge vivait seul et ne pouvait compter que sur lui-même. Pourquoi Monique n'en profiterait-elle pas pour rester à la maison? Elle pourrait consacrer plus de temps aux enfants et venir travailler quelques heures par semaine au dépanneur. Si jamais l'affaire marchait, poursuivit Steve, il comptait bien renipper le local et augmenter sa clientèle. D'ailleurs, il adorait le public; or, depuis des années, il ne fréquentait que les chats et les chiens d'appartement, parfois un perroquet; le changement lui ferait du bien: ce dépanneur lui permettrait un nouveau départ dans la vie.

Monique l'écoutait, gagnée peu à peu par son enthousiasme. Son travail de secrétaire lui pesait depuis longtemps. Elle se voyait fort bien patronne d'un commerce, si modeste fût-il. Cependant, par prudence, elle demanda à Steve de remettre toute démarche au lendemain: elle voulait consulter auparavant son astrologue.

Steve, également par prudence, retint ses moqueries. Monique téléphona sur-le-champ à madame Crotteault qui, malgré son extrême fatigue, voulut bien la recevoir au milieu de la soirée. Elle sortit de chez la voyante lestée de vingt dollars mais galvanisée. La conjonction des astres la favorisait au plus haut point et allait la protéger de tout malheur durant au moins cinq jours, et son ascendant Capricorne, du reste, la prédisposait aux affaires; il fallait agir, elle ne s'en repentirait pas.

Le lendemain, Steve se présentait à la caisse populaire ; cinq jours plus tard, il avait son emprunt en poche et, après une courte négociation où il réussit à faire baisser un peu le prix de vente, il passait avec le vendeur chez Parfait Michaud qui, le sachant un ami de Charles, lui demanda des honoraires ridicules.

Le 5 septembre 1997, Steve, ayant mis sa plus belle chemise et un jean haut de gamme acheté pour la circonstance, faisait son entrée dans le monde du commerce, la gorge un peu serrée, mais rempli d'une allégresse qui le fit sourire sans arrêt durant trois jours. Deux semaines plus tard, ses douleurs à la jambe étaient allées rejoindre son aspirateur, sa vadrouille et ses torchons.

La foi peut transporter les montagnes, dit-on. Et l'amour peut inspirer une confiance aveugle en l'homme, cet être faillible et inconstant. Au début de l'automne, Céline, surmontant ses dernières réticences, emménagea avec Charles dans un bel appartement de la rue Garnier au cœur du Plateau-Mont-Royal. La spéculation avait commencé à s'attaquer au quartier, les loyers grimpaient et les immeubles devenaient hors de prix ; Céline et Charles se seraient sans doute contentés d'un quartier plus modeste et moins à la mode si Parfait Michaud ne les avait recommandés à l'une de ses vieilles et riches clientes, qui ne louait que sur des coups de cœur en oubliant les prix du marché. Ils allèrent la voir, elle les trouva charmants et bien élevés, conformes en tous points à la description flatteuse que lui en avait faite le notaire. Ils se rendirent à l'appartement et on signa le bail sur place.

Blonblon leur offrit un superbe ameublement de chambre à coucher au prix coûtant. Steve les aida à repeindre l'appartement. Fernand, malgré ses problèmes d'épaules, décida de prendre en charge le déménagement, aidé par Henri, et la camionnette de Blonblon sillonna les rues de la ville pendant deux jours, à la suite de quoi le vieux quincaillier dut consulter un ostéopathe.

La mise en commun de leurs meubles obligea Céline et Charles à se départir de plusieurs d'entre eux et ils organisèrent à cet effet une grande vente-débarras qui se termina par une fête où Steve se soûla comme un collégien, au grand désarroi de son fils, qui crut son père devenu fou et se mit à pleurer. Tout le monde plaisantait, sauf Charles, à qui la scène rappelait sans doute de mauvais souvenirs.

C'est lors de cette vente que Steve acquit de Céline une belle commode à tiroirs bombés dans laquelle il retrouva le lendemain, glissée sous un morceau de carton, une lettre torride d'un de ses amants, écrite cinq ans plus tôt, et qu'elle avait de toute évidence égarée. Il voulut d'abord l'envoyer à Charles en guise de plaisanterie, mais, après avoir consulté sa femme, il décida de la détruire sans dire un mot à personne.

— On se fait déjà assez bardasser par la vie comme ça, avait déclaré Monique, inutile d'en rajouter. T'aimerais ça, toi, qu'on me montre un film d'une de tes anciennes parties de fesses ?

— Pourquoi pas ? Tu verrais combien je me suis amélioré avec l'âge !

L'appartement de Céline et de Charles était constitué de six grandes pièces au rez-de-chaussée ; l'arrière donnait sur une cour intérieure aménagée en jardin. L'immeuble de deux étages, construit au début du siècle pour un juge, était solide et confortable, et son propriétaire avait dépensé une petite fortune en vitraux, marqueterie et boiseries de chêne ; cela lui donnait une apparence bourgeoise un peu austère, sans doute à l'image de son premier occupant, et Céline égaya les lieux en mettant partout des touches de couleurs chaudes et vives. Malgré qu'il fût situé dans un quartier très animé, l'appartement était calme, propice aux longues conversations, au repos et à l'amour. Les nouveaux arrivants ne s'en privaient pas.

Charles se serait considéré comme aussi heureux qu'on peut l'être ici-bas, n'eût été son fils. Ses visites à l'enfant s'étaient mises à lui peser tellement que parfois il en sautait une, ce qui ne faisait qu'aggraver ses remords. En revenant de chez les parents de Jennie, qu'il n'avait jamais revue depuis leur rupture, il avait souvent l'air triste et pensif, et errait d'une pièce à l'autre en mordillant le bout d'un crayon ou d'un cure-dents – succédanés de ses chères cigarettes –, incapable pendant une heure ou deux de fixer son attention sur quoi que ce soit. Dans ces moments, Céline, inquiète, se contentait de l'observer, n'osant pas intervenir et se disant que, les mauvais jours avaient beau être passés, rien ne garantissait qu'ils ne reviendraient pas.

Elle lui suggéra un jour de négocier avec Jennie la garde partagée de l'enfant, dont elle acceptait de s'occuper. Sa générosité émut Charles profondément; il la serra dans ses bras et la couvrit de caresses, puis se mit à hésiter, plus perplexe que jamais; finalement, il ne fit rien.

Le fond du problème était que le petit Étienne... l'indifférait. Charles, lors de ses visites, s'efforçait à la tendresse et à l'affection, mais il n'éprouvait que du vide, de l'ennui – et un désir lancinant de couper tous les liens et d'oublier, comme si de n'avoir jamais vécu avec son fils rendait impossible tout attachement.

Il observait parfois Steve avec ses enfants, Blonblon avec sa petite fille, et se demandait avec perplexité comment ils faisaient, alors que lui ne ressentait de la paternité que la douleur de constater qu'il s'en acquittait si mal.

Tout le monde voyait sa peine et personne n'osait lui en parler. Mais un soir, à la fin d'un repas, Lucie le prit à part et, après avoir soigneusement préparé le terrain par toutes sortes de petites tendresses et de compliments, lui exprima le profond désir qu'elle avait de connaître son fils, dont il parlait si peu et qui, pourtant, devait être une pure merveille.

— Pourquoi ne nous l'amènerais-tu pas un de ces jours, mon beau Charlot ? Nous serions si contents ! Fernand se considère comme son grand-père, tu sais.

— Je vais y penser. Ce ne sera pas facile. Tu ne connais pas les parents de Jennie, toi... Quand j'ai vu le bébé une heure, ils se mettent à soupirer en regardant leur montre.

— Tu es son père, Charles, et tu as des droits. Ils ne peuvent pas te les enlever.

— Oh oui ! ils le pourraient, déclara quelques jours plus tard Parfait Michaud, qui avait décidé de se mêler lui aussi de l'affaire. N'oublie pas que tu fais face à un éminent avocat et à une future avocate, mon Charles. Il va peut-être un jour leur prendre l'idée de te faire déchoir de tes droits parentaux, juste pour t'humilier, sans compter que cela ferait un de ces velours à notre gentil Flingon ! Qui dit qu'ils n'y songent pas ? Tu ne dois laisser aucune prise à ces maniganceurs – et puis, je dois t'avouer que moi aussi, après tout, je serais bien curieux de voir la bette de ton petit garçon !

Aussi, par un beau dimanche après-midi d'octobre, Charles et Céline se présentèrent-ils chez le quincaillier avec bébé Étienne, qu'ils avaient promis de ramener à ses grands-parents deux heures plus tard. L'enfant, d'abord effarouché par les exclamations d'émerveillement qu'il faisait jaillir autour de lui, se mit à pleurer, mais les caresses de Lucie le calmèrent vite, puis le firent sourire, ce qui provoqua de nouvelles exclamations, cette fois mieux accueillies.

Charles, comme pour affirmer sa paternité, tint à le garder presque toujours dans ses bras et, malgré l'offre de Lucie, changea lui-même sa couche, opération qu'il exécutait pour la première fois et qui s'avéra une épreuve olfactive au cours de laquelle il dut puiser dans ses réserves de courage.

— Il a l'air un peu d'un papa en carton, conclut Fernand après son départ, mais avec le temps il finira bien par prendre le tour.

33

Le 2 décembre 1997, par un après-midi froid et ensoleillé, Charles se rendit chez son dentiste, avenue Laurier, pour faire remplacer le plombage d'une molaire. Seul dans l'antichambre, il était plongé depuis une dizaine de minutes dans la lecture de la *Cousine Bette* de Balzac lorsqu'un toussotement lui fit lever la tête.

Debout dans la porte, Nicolas Rivard lui adressait un sourire gêné.

— Je ne savais pas qu'on avait le même dentiste, dit-il assez platement.

Charles eut un geste de la main, comme pour constater l'évidence.

— Comment vas-tu? fit son ancien patron en prenant place à côté de lui.

— Bien.

Il n'avait pas revu Rivard depuis son congédiement. Il le trouva un peu engraissé, le teint brouillé, avec cet air de brave homme un peu mou qui avait d'abord attiré sa sympathie mais qui ne lui inspirait plus à présent qu'un vague dédain.

— J'ai su que tu faisais maintenant de la politique?

— Si on veut.

— Tu es secrétaire de comté?

— C'est ça.

— Tu aimes ton travail?

— Beaucoup plus que l'ancien.

Rivard, décontenancé, eut une légère grimace, bougea nerveusement les jambes, puis, avec une vivacité qui prit son interlocuteur par surprise:

— Écoute, Charles, il ne faut pas me faire la gueule comme ça, je n'y suis pour rien, on m'a forcé à te limoger, sinon, mon vieux, le journal risquait de fermer ses portes.

— Ç'aurait été bien dommage, ironisa Charles.

— Bien sûr que ç'aurait été dommage : je me serais retrouvé dans la rue sans emploi, sans un sou. Qui aime crever de faim ?

Il y eut un moment de silence. Rivard se mordillait les lèvres et semblait réfléchir :

— Je dois te l'avouer : malgré tous mes efforts, je n'ai pas réussi à te remplacer, déclara-t-il avec une candeur désarmante.

— Je sais.

L'insolence de sa réplique amena une deuxième grimace chez Rivard, qui commença à ressentir de l'irritation.

— Depuis un an, on fait malgré tout d'assez bonnes affaires, ajouta-t-il dans un ultime effort de rapprochement. L'argent apporte la liberté, tu sais. Je fais maintenant à peu près tout ce que je veux. Si d'aventure l'envie te reprenait de tenir une chronique, ma porte te sera toujours ouverte.

— Merci, fit poliment Charles.

La conversation bifurqua. Charles s'était radouci ; l'offre de Rivard le flattait, car il la savait sincère. De temps à autre, cependant, il jetait un bref coup d'œil à sa montre, un peu ennuyé par cette rencontre inattendue et inquiet du trou que créait dans son après-midi de travail ce rendez-vous qui ne cessait de s'allonger.

Finalement, une assistante apparut dans la porte du cabinet et lui fit signe d'approcher. Vingt minutes plus tard, il réapparaissait dans la salle d'attente. Nicolas Rivard se leva à son tour, prêt à le remplacer. Mais une suite de sons grêles et brillants s'échappa de la poche intérieure de son veston ; Charles reconnut les premières notes du *Rondo à la turque* de Mozart.

Le journaliste, son cellulaire contre l'oreille, écoutait, ahuri :

— Hein ?... Pas vrai !... Cet après-midi... Vers deux heures ? Et on ne sait pas encore si... Bien sûr... J'attends de tes nouvelles. Charles, s'écria-t-il en empoignant son ancien journaliste par les épaules, tiens-toi bien : tu ne peux pas savoir ce qui vient d'arriver !... C'est comme un coup de poing dans l'estomac !

◆

Pierre Péladeau, ce jour-là, était revenu de son dîner vers deux heures quinze afin de préparer une entrevue qu'il devait donner au milieu de l'après-midi à un journaliste de la radio d'État. Il était passé devant sa secrétaire en lui faisant un rapide signe de tête et avait pénétré dans son bureau, dont la porte était restée entrouverte. Il était seul. Un quart d'heure après son arrivée, sa secrétaire l'entendit tousser d'une façon inhabituelle et lui demanda si tout allait bien. N'obtenant aucune réponse et intriguée par son silence, elle se rendit à son bureau et poussa délicatement la porte; il était affalé sur une chaise près de l'entrée, inconscient, un filet de salive coulant de sa bouche. Paniquée, elle fonça dans le bureau de l'adjoint de l'homme d'affaires, monsieur Bujold, qui se précipita auprès de son patron; constatant qu'il ne respirait plus, Bujold fit appeler une ambulance et s'élança à la recherche d'une personne formée aux techniques de réanimation. Malgré son âge avancé et sa santé fragile, Pierre Péladeau n'avait rien prévu à cet effet. C'était un homme qui aimait narguer le destin.

Les minutes passaient. Bujold trouva finalement, deux étages plus bas, une adjointe juridique capable de lui porter secours. Elle monta à toute vitesse au treizième étage, le fit étendre sur le plancher et se mit à lui donner la respiration artificielle. Son cœur se remit bientôt à battre. Mais Pierre Péladeau n'existait plus. Après un long coma, il rendit le dernier soupir la veille de Noël à neuf heures quarante-cinq du soir.

◆

Pendant les vingt-deux jours de son hospitalisation, Charles essaya à trois reprises de se rendre à son chevet, sans succès. N'y étaient autorisés que les membres de sa proche famille et quelques intimes. Sa mort lui causa un profond chagrin, qui le surprit. Il avait admiré l'homme, l'avait servi de son mieux, s'y était attaché; il découvrait qu'il l'aimait. Leur tête-à-tête au restaurant ne cessait de lui revenir. Il se rappelait ses remarques à l'emporte-pièce, il entendait sa voix saccadée et un peu sourde, revoyait son visage fatigué mais toujours animé de la même pétulance, son regard perçant, gouailleur, qui, l'espace d'une seconde, pouvait se remplir d'une lueur affectueuse. L'homme était rude, parfois même brutal; comme tous les hommes, il avait souffert et fait souffrir, mais, comme bien peu d'entre eux, il en avait tiré des leçons qui l'avaient rendu meilleur et plus sage. Sa fortune l'avait entouré d'une effrayante solitude dont il avait voulu sortir par la générosité et l'altruisme. Il avait souvent réussi. «Que voulait-il donc m'offrir ce jour-là?» se demandait Charles.

Son projet avait disparu avec lui.

La mort de Pierre Péladeau secoua le pays. Beaucoup d'hommes d'affaires préfèrent œuvrer dans l'ombre, qui procure une plus grande liberté d'action. Péladeau ne faisait pas partie de ce groupe. Il était né pour la vie publique. Sa simplicité, son parler direct et haut en couleur et une certaine indifférence à l'opinion d'autrui le poussaient tout naturellement à jouer ce rôle. Les Québécois adorent ce genre d'individu et, dans son cas, leur amour se doublait d'admiration. Il la méritait à plus d'un égard. Modeste imprimeur qui s'était lancé en affaires grâce à une petite somme prêtée par sa mère, il avait réussi à bâtir un empire qui s'étendait jusqu'en Europe et en Amérique latine. Devenu vieux, il avait pu jeter sur sa vie un regard satisfait: le financier était craint et estimé, le mécène comptait de nombreux amis, l'homme public, beaucoup de sympathisants; on disait de lui qu'il négociait dur mais payait bien; les syndicats le respectaient; ses avis portaient jusque dans les hauts lieux du pouvoir; on avait donné son nom à une salle de concert, il avait pris un orchestre sous son aile. Son combat contre l'alcool l'avait rendu compatissant. Il ne manquait pas d'ennemis, car beaucoup le jalousaient; tout au long de sa carrière, il avait terrassé plusieurs concurrents et ses prises de position politiques lui avaient valu des inimitiés féroces. N'avait-il pas eu le culot, avant le référendum de 1995, de faire encarter à ses frais dans *Le Journal de Montréal* une *Petite histoire du Québec* qui faisait la promotion de la souveraineté? Depuis longtemps, l'establishment fédéraliste le damnait à voix basse et devait se réjouir de sa disparition.

Mais un événement énorme allait en détourner les esprits pour plusieurs semaines.

Onze jours après la mort de Pierre Péladeau, le lundi 5 janvier 1998, s'abattit sur le Québec, l'est de l'Ontario et le Nouveau-Brunswick un cataclysme inusité qui allait passer à l'histoire sous le nom de « grand verglas ».

Le samedi d'avant, les météorologues avaient annoncé des pluies verglaçantes modérées, comme il en arrive de temps à autre durant l'hiver. Les précipitations commencèrent dans la nuit du dimanche au lundi, mais plus les heures passaient, plus la gravité du phénomène s'affirmait.

Vers la fin de la journée, les pannes d'électricité commencèrent. D'abord sporadiques, elles se multiplièrent et se prolongèrent avec l'accumulation incessante du verglas. Mardi, sur l'heure du midi, premier désastre : des pylônes s'écrasent près de Drummondville, mettant hors de service une ligne de transport électrique; tout le réseau en est fragilisé. Mercredi, la tempête s'apaise brusquement. Les équipes de monteurs d'Hydro-Québec travaillent fiévreusement à réparer les dégâts et réussissent à réalimenter trois cent mille abonnés. Mais, à vingt-deux heures, les deux lignes de 230 kilovolts qui fournissent le poste de Saint-Césaire s'écrasent à leur tour; dans ce qu'on appellera le « triangle noir », quatre-vingt-neuf municipalités se retrouvent privées de courant. Jeudi, la férocité de la tempête augmente. Une grande partie de l'île de Montréal et de la Rive-Sud n'est plus qu'un enchevêtrement de fils électriques rompus, de branches arrachées, de troncs d'arbres et de poteaux cassés qui bloquent les routes et les rues devenues des patinoires, et sur cette désolation s'abat le froid, accompagné d'une noirceur sinistre au coucher du soleil. Le verglas continue de s'attaquer aux lignes de transmission, enveloppant les fils d'une gaine translucide de plus en plus lourde, jusqu'à l'écrasement des pylônes. Les campagnes glacées se remplissent d'un fracas de guerre, tandis que dans les villes et les villages les gens ahuris, rassemblés autour d'une chandelle ou d'un fanal dans leur maison qui se refroidit, écoutent la rumeur du carnage qui sévit dehors, bruits d'arrachements et de ruptures, explosions de transformateurs, chocs sourds contre le sol, hurlements de sirènes et miaulements hystériques de pneus qui patinent sur la glace.

Des milliers de personnes, après avoir tenté de se chauffer et de s'éclairer avec des moyens de fortune, ont déjà abandonné leurs demeures pour des hôtels, des motels ou des centres d'hébergement hâtivement organisés : écoles, arénas, gymnases, hôpitaux ; d'autres se sont réfugiés chez des parents et amis que la panne n'a pas encore touchés ou qui possèdent des foyers ou des poêles à bois.

Ce jour-là, Montréal perd trois lignes de 735 kilovolts ; on craint un black-out général ; le premier ministre Bouchard a demandé l'aide de l'armée ; c'est la chasse aux génératrices de grande puissance pour alimenter les hôpitaux et les autres services essentiels ; le carburant commence à manquer ; les usines de filtration s'arrêtent, menaçant la région métropolitaine d'une pénurie d'eau potable ; on a fermé les ponts entre Montréal et la Rive-Sud à cause de la chute de blocs de glace ; les aéroports et les chemins de fer sont figés.

Mais le pire se tient à l'affût.

C'est dans un fourmillement d'éclairs que débute étrangement le 9 janvier, dit le « vendredi noir ». Un orage d'été se déploie dans les couches supérieures de l'atmosphère! Alors que la météo a prédit au début de la semaine des accumulations maximales de verglas de vingt millimètres, à certains endroits elles en atteignent cent! C'est le coup de grâce. Trois autres lignes de transmission s'effondrent. Des centaines de pylônes gisent à terre, sinistres girafes qui auraient essayé d'enfouir leur tête sous la neige. Il ne reste plus que deux lignes de 315 kilovolts pour alimenter Montréal et la Rive-Sud. Le 10 janvier, à une heure quatorze du matin, un million quatre cent mille abonnés se retrouvaient sans électricité; c'était presque la moitié du Québec. Neuf cents pylônes, vingt-quatre mille poteaux et des millions d'arbres avaient été fauchés et l'on annonçait à présent une vague de froid!

Le lundi 5 janvier, vers cinq heures trente de l'après-midi, Charles discutait au téléphone avec un vétéran de la Deuxième Guerre mondiale qui prétendait que le délabrement de son estomac, qui s'était aggravé depuis six mois, remontait au bombardement de Caen de 1944 et justifiait un réajustement de sa pension, lorsque l'obscurité se fit tout à coup dans son bureau; Louise Rajotte poussa un cri dans la salle d'accueil, on entendit un choc sourd dans le bureau du député et Normand Francœur apparut devant son secrétaire en se frottant le front.

Un faisceau de lumière perça l'obscurité et Louise s'avança dans la pièce, une lampe de poche à la main:

— Une grosse branche vient de tomber dans la rue, annonça-t-elle d'une voix étrangement sourde. Elle a dû couper un fil.

— C'est sans doute le verglas, fit le député. Il y en avait déjà pas mal ce matin. Il m'a fallu une bonne demi-heure pour déglacer mon automobile.

Charles termina sa conversation téléphonique, puis, empruntant la lampe de poche de sa collègue, prit quelques notes.

Normand Francœur s'était assis devant lui, les jambes allongées, et fixait la fenêtre, dont les vitres, épaissies par la glace, s'éclairaient des vagues lueurs venues des autos qui avançaient lentement dans la rue. On entendit au loin comme un bruit d'écroulement.

— Je me sens drôle, fit Louise.

Et elle s'appuya contre un mur.

Au bout d'une demi-heure, comme le courant ne revenait pas, chacun partit chez soi. Louise avait deviné juste : une grosse branche d'érable enveloppée de glace gisait sur le trottoir d'en face : dans sa chute, elle avait cassé un fil électrique qui pendait au-dessus de la rue. Charles se dirigea lentement vers le métro sous la fine pluie glacée qui tombait sans arrêt depuis la nuit d'avant ; une sorte d'immense frémissement régnait dans l'air, né de la cristallisation de ces milliards de gouttelettes qui s'agglutinaient inexorablement les unes aux autres dans leur patient travail de destruction, dont de petits craquements résonnant de partout marquaient le progrès. Le trottoir, recouvert d'une carapace bosselée et glissante, rendait la marche hasardeuse ; c'était la neige du 31 décembre qu'on avait tardé à enlever et qui s'était pétrifiée ; les rares piétons avançaient en trébuchant. La rue, encore éclairée par ses lampadaires, avait conservé un air de normalité, mais il y flottait une espèce de recueillement inquiet ; les automobiles et les camions avançaient à la queue leu leu, sans un coup de klaxon, comme dans une procession funèbre ; de temps en temps, une sirène se mettait à mugir au loin.

À l'intérieur de la station Place-Saint-Henri, une foule silencieuse attendait patiemment dans une odeur de vêtements mouillés ; depuis quelques heures, le métro fonctionnait au ralenti, affecté sans doute par des pannes ; on disait que le service était suspendu à l'extrémité de la ligne Angrignon. Debout au milieu d'un escalier, un grand vieillard maigre en poncho orange haranguait les voyageurs en gesticulant, la bouche de travers, l'œil hagard :

— Dieu va vous punir, menaçait-il, pour vos nombreux péchés! Vous avez souillé la terre, la terre va vous souiller!

Charles le reconnut. L'homme s'était amené à son bureau le mois d'avant pour lui présenter une demande confuse au sujet d'un «refuge de réflexion» pour des personnes désireuses de «refaire leur âme au contact du Seul Vrai Dieu». Ses propos fumeux avaient soudain mis Charles en colère; il croyait entendre de nouveau le père Raphaël. Se dressant debout, il lui avait montré la porte:

— Je connais vos sornettes par cœur. Je pourrais les réciter à votre place. Fichez-moi le camp d'ici, et plus vite que ça!

Soudain, l'orateur l'aperçut et, s'interrompant:

— Toi! toi! toi, là-bas, je t'ai bien vu, ne te cache pas! Approche, approche, ou je vais aller te trouver!

— Va au diable, vieux fou! lança Charles, qui se perdit dans la foule.

Quelques secondes plus tard, la rame arrivait en grondant et Charles parvenait à monter dans un wagon.

À son arrivée chez lui, l'électricité manquait. La panne venait de se produire, car les pièces étaient encore tièdes. Il fut long-temps à chercher des bougies, puis pensa tout à coup à la lampe à l'huile qui éclairait de temps à autre ses ébats amoureux avec Céline dans leur chambre à coucher; le réservoir était presque vide. Il se rendit en vitesse à la quincaillerie pour acheter de la paraffine liquide et, dans sa précipitation, faillit s'étaler deux fois sur le trottoir, devenu quasi impraticable.

— Vous êtes chanceux, c'est ma dernière bouteille, lui dit la grassouillette vendeuse, tout excitée par le rôle imprévu que les circonstances lui faisaient jouer. J'en ai passé deux pleines caisses cet après-midi! Même chose pour l'alcool de bois et les piles! On dirait que la fin du monde est arrivée!

À son retour, l'électricité était rétablie. Mais un quart d'heure plus tard, elle manquait de nouveau. Le lundi, Céline n'arrivait jamais avant sept heures et Charles, quand il le pouvait, préparait alors le souper. Il dénicha une enveloppe de fondue suisse dans le frigidaire, sortit le réchaud à alcool et coupa du pain. Un silence étrange, un peu oppressant, régnait dans les pièces, un silence d'île déserte sans le bruit de la mer. Il pensa tout à coup à la radio à dynamo que Lucie et Fernand lui avaient offerte au Noël de ses quinze ans. Après un grand bouleversement de boîtes et de vêtements, il réussit à la dénicher au fond d'une garde-robe. L'appareil fonctionnait encore. Il tomba sur un bulletin de nouvelles. On annonçait que les précipitations de pluie verglaçante allaient se poursuivre toute la nuit et durant la journée du lendemain. À Montréal, des milliers d'abonnés se retrouvaient dans le noir. Hydro-Québec était sur le pied de guerre. La Sécurité civile avait déclaré l'état d'urgence. Charles haussa les épaules, puis eut l'idée de téléphoner à Fernand. Il trouva le quincaillier fort agité.

— Ça fait cinq fois que l'électricité manque depuis trois heures! Dire que j'avais une génératrice dans l'entrepôt encore la semaine passée, mais qu'Henri l'a vendue, graisse à bottes! Demain matin, je pars m'en chercher une à Montréal-Nord.

Céline n'arriva qu'à huit heures, grelottante et harassée : elle avait attendu le métro presque une heure, pressée par une foule de plus en plus nerveuse. L'électricité, après être revenue quelques minutes, s'était de nouveau interrompue. Charles reçut son amie à la lueur de trois chandelles qu'il avait fini par trouver dans une armoire ; à l'aide du réchaud à alcool, il lui prépara une ponce au rhum bien chaude, relevée de cannelle et de clou de girofle ; la boisson la fouetta et la rendit gaie. Ils soupèrent en plaisantant, faisant mine de se trouver aux premiers temps de la colonie dans une maison de ferme au milieu d'une tempête de neige. La panne s'allongeant, l'appartement refroidissait ; après avoir écouté un peu la radio, qui ne cessait de reprendre les mêmes bulletins de nouvelles, ils décidèrent d'aller se coucher afin de se réchauffer, et se réchauffèrent en effet d'une exquise façon, et à quelques reprises durant la nuit.

Mais à cinq heures vingt le téléphone les réveilla. C'était Normand Francœur, qui demandait à Charles de le rejoindre d'urgence au bureau, car tout était sens dessus dessous dans le comté.

Quand il s'y présenta, la salle d'attente glaciale était bondée et Louise Rajotte, grossie par son manteau de fourrure, avait adopté un ton quelque peu militaire. Elle lui fit signe que le député l'attendait dans son bureau. Ce fut César qui l'accueillit par des jappements frénétiques, emmitouflé dans un sac de couchage posé sur un classeur. Le député, quant à lui, ses bottes encore aux pieds, son manteau boutonné jusqu'au cou, une chapka enfoncée sur la tête, tentait de joindre un responsable de Moisson Montréal, un organisme d'aide alimentaire, afin de faire déclarer le sud-ouest de Montréal zone sinistrée : depuis la veille, en effet, faute d'électricité, épiceries, dépanneurs, restaurants, pharmacies, tout était fermé ; les frigidaires et les congélateurs ayant cessé de fonctionner, on jetait les denrées périssables. Une dizaine de rues étaient déjà interdites à la circulation à cause des chutes de branches et des ruptures de fils électriques. La Ville venait d'ouvrir un refuge au Centre sportif de la Petite-Bourgogne pour accueillir les personnes privées de chauffage. Et la pluie verglaçante continuait de tomber !

◆

Des jours mémorables commencèrent. Normand Francœur emprunta une fourgonnette à son beau-frère et, aidé de Charles et de quelques bénévoles, fit la navette entre l'entrepôt de Moisson Montréal et les différents organismes communautaires responsables de la distribution de la nourriture, chargeant et déchargeant des caisses, des boîtes, des poches et des sacs ; il en attrapa une élongation dans le bras gauche, Charles un mal de reins, et tous deux perdirent quelques kilos et de nombreuses heures de sommeil, mais sans trop y prendre garde, absorbés dans leur travail et transportés par l'immense élan de solidarité qui s'élevait de toutes parts autour d'eux et qui inspirait parfois à des gens considérés jusque-là comme tout à fait quelconques des gestes remarquables.

Un marchand de voitures d'occasion, qui ne s'était pas fait que des amis dans sa carrière, se présenta à la Clinique communautaire de Pointe-Saint-Charles pour offrir cinquante couvertures de laine. Joe Moselli, propriétaire de la boulangerie Aux Délices du Bagel, rue Fairmount, que la panne avait épargnée, arriva au Centre sportif de la Petite-Bourgogne avec cinq énormes poches de bagels encore tièdes. Des employés municipaux, habitués pourtant à travailler selon les normes syndicales les plus strictes, accumulaient les heures supplémentaires sans y penser. Des animaleries accueillirent gratuitement chiens, chats et poissons rouges pour les sauver du froid. Des bénévoles se joignirent à la police pour faire des rondes de surveillance et des tournées d'inspection afin de convaincre les personnes qui s'obstinaient à demeurer dans leur maison glaciale de se rendre dans les centres d'hébergement. Normand Francœur, accompagné de son fidèle secrétaire, fit du porte-à-porte durant deux nuits. C'est ainsi qu'il réveilla un jeune couple endormi dans le lit conjugal avec ses trois jeunes enfants devant un barbecue ouvert à pleins gaz qui s'occupait tout doucement de les faire passer dans l'autre monde. Francœur fit une colère comme Charles ne lui en avait jamais vu et obligea la famille à quitter son logement.

Le 8 janvier vers quatorze heures, le Centre sportif de la Petite-Bourgogne fut à son tour privé d'électricité. On dut transférer les personnes hébergées au Palais des Congrès. D'autres citoyens occupaient des locaux de magasins vides à la Place Alexis-Nihon ou au Centre Eaton; des gestionnaires de la ville assuraient jour et nuit la direction de ces refuges improvisés; à tout moment, ils devaient parer à des imprévus; deux jours après leur installation, il fallut évacuer en vitesse les occupants du Centre Eaton lorsque des blocs de glace se mirent à tomber sur la verrière qui les abritait.

Une pénurie de lait se déclara dans le quartier. Normand Francœur contacta la compagnie Lactel et sollicita un don. Trois heures plus tard, un camion s'immobilisait devant son bureau, chargé de lait en boîte. Il fallait le vider sur-le-champ. Vers la fin de l'après-midi, le député se faisait prescrire des anti-inflammatoires pour ses épaules.

Quand ses responsabilités de transporteur de vivres lui laissaient un peu de temps libre, Francœur faisait le tour des centres d'hébergement pour réconforter son monde. On l'assaillait de demandes de toutes sortes. Abruti de fatigue, il prenait des notes dans un calepin ; Charles l'aidait de son mieux, faisant une suggestion, lui rafraîchissant la mémoire, éloignant avec diplomatie un importun.

◆

Comme toutes les crises, le grand verglas stimulait l'ingéniosité autant que la bêtise. Des citoyens ramassaient les branches brisées qui jonchaient rues et trottoirs, les sciaient et en alimentaient leur poêle ou leur cheminée. Un certain Paul Dorion, de la rue Dumas, se fabriqua une grille, l'installa dans sa chaudière à mazout, éteinte par la panne, et y fit brûler des morceaux de bois qui encombraient sa cave ; une légère tiédeur régna bientôt dans sa maison et, quelques heures plus tard, tous ses parents venaient l'y rejoindre.

Yannick Séguin, du boulevard Monk, installa dans une remise attenante à sa demeure un ancien réservoir à mazout rempli d'eau, sous lequel il entretint un feu de charbon ; un long tuyau de caoutchouc partait du réservoir et circulait dans les pièces de la maison pour revenir à son point de départ ; ainsi chauffés, les lieux restèrent habitables et purent recevoir plusieurs voisins.

D'autres avaient des inspirations moins heureuses. La police surprit un vieillard qui se chauffait en faisant brûler des branches dans une marmite au milieu de la cuisine. Son chien en attrapa l'asthme. Une sexagénaire fut retrouvée à demi inconsciente dans son lit, recouverte d'une dizaine d'édredons et souffrant d'engelures au visage. «Je ne voulais déranger personne», expliqua-t-elle lorsqu'on lui demanda pourquoi elle s'était obstinée à rester chez elle.

Le 9 janvier, cinquième jour de la tempête, une nouvelle, dont Charles ne prit pas connaissance, fit quelque bruit dans les journaux : on retrouva l'avocat Gérard Savard, père de Jennie, foudroyé par une crise cardiaque dans son bureau. Cet événement aurait dans les jours suivants de graves conséquences pour Charles ; submergé de travail, il ne se doutait de rien.

Le secteur qu'il habitait avec Céline avait subi relativement peu de pannes d'électricité. On ne pouvait dire la même chose du quartier de Fernand Fafard, véritable zone sinistrée. Mais le quincaillier et sa femme, refusant les invitations de Charles et de Céline à venir s'installer chez eux, avaient transformé leur maison en refuge, accueillant Parfait Michaud et Anouchka, Blonblon, Lodoïska et leur petite fille Bella, ainsi que monsieur Victoire, l'ancien chauffeur de taxi devenu gardien de nuit, lui-même accompagné de ses vénérables parents, à qui on avait laissé, eu égard à leur âge, la chambre principale de la maison. Lucie, aidée des deux jeunes femmes, cuisinait pour tout ce monde, tandis que son mari faisait régner dans les lieux une saine discipline qui reposait sur la triple assise du civisme, de l'optimisme et de la bonne humeur. Henri et sa femme couchaient à la quincaillerie, qui demeurait ouverte et faisait de bonnes affaires.

Pour chauffer son refuge, Fernand avait dû trouver une génératrice. Voici comment les choses s'étaient passées.

Le mardi matin, 6 janvier, il s'était levé à cinq heures, avait brisé à coups de pelle l'épaisse couche de verglas qui recouvrait la porte de son garage, avait sorti la fourgonnette de livraison et s'était dirigé vers Montréal-Nord, où se trouvait l'entrepôt d'un grossiste en appareils électriques. Le trajet lui avait pris du temps, car la chaussée était mal déglacée – parfois pas du tout – et plusieurs rues obstruées par des branches et des fils électriques l'avaient obligé à de longs détours. Mais enfin, vers sept heures, il s'était arrêté devant l'entrepôt. Il faisait encore noir et l'endroit était désert, car on n'ouvrait qu'à huit heures. Il attendit dans la fourgonnette en sirotant un café, écouta les bulletins de nouvelles, puis parcourut les journaux, qui avaient tous adopté un ton héroïque et légèrement boursouflé.

À sept heures cinquante, une automobile se gara près de la sienne et un petit homme grassouillet aux cheveux extraordinairement fournis et bouclés en sortit, regarda le quincaillier, fit semblant de ne pas le reconnaître et se dirigea vers l'entrepôt, un trousseau de clés à la main.

Dans la seconde qui suivit, Fernand se trouva à ses côtés et lui emboîta le pas lorsque l'homme ouvrit la porte.

— Tiens! Monsieur Fafard? Vous êtes de bonne heure à matin! J'espère que vous ne venez pas pour votre génératrice? Je vous le répète; je n'en ai plus.

— Non, je viens pour te souhaiter bonne fête six mois à l'avance... Et ça, fit-il en pointant l'index vers une rangée de grosses boîtes de carton, qu'est-ce que c'est? Des cocos de Pâques?

— Comme je vous l'ai dit hier, monsieur Fafard, répondit patiemment l'autre, elles sont toutes promises. On en a commandé vingt-cinq autres des États-Unis, mais je ne sais vraiment pas quand je vais les recevoir.

— Promises? Parfait, ça. Alors, tu vas en prendre une, que t'as promise à Jos Bleau, et tu vas me la promettre à moi plutôt. Je te la paye, je l'emporte et tout est dit.

— Je ne peux pas faire ça, monsieur Fafard, on va m'engueuler.

— Mais si tu ne le fais pas, mon beau Marcel, ça risque d'être bien pire encore.

Et, le poussant contre un comptoir, il appuya sur lui son imposante bedaine, tandis que son poing levé se balançait doucement en l'air.

— Quand j'avais vingt-deux ans et que j'étais sur la ferme d'un de mes oncles, j'ai déjà fait tomber un bœuf à genoux avec ce poing-là... Il avait la tête bien plus grosse que la tienne, Marcel...

— Bon, ça va, ça va, grommela l'employé en pâlissant, prenez-la, votre ciboire de génératrice... Vous avez vraiment mauvais caractère à matin, monsieur Fafard.

— C'est que le froid me rend cassant.

Il eut alors un étrange mouvement du bras gauche et deux billets de vingt dollars apparurent dans le creux de sa main :

— Tiens, fit-il avec un grand sourire. Pour te consoler de l'engueulade que tu vas recevoir.

34

Sa maison était bondée, mais Fernand cherchait d'autres gens à sauver. Il pensa tout à coup à Steve Lachapelle, marié, père de deux enfants, et prit de ses nouvelles auprès de Charles.

— Ne t'inquiète pas pour lui, il se débrouille, comme d'habitude, répondit ce dernier. Il s'est trouvé un vieux garage près de chez lui, qu'il a isolé avec un lot de vieux matelas ; il a installé là-dedans un gros poêle de fonte, qu'il chauffe à blanc jour et nuit. Les enfants ont tellement chaud qu'ils passent leurs journées tout nus. Monique, elle, a ressorti ses robes d'été. Et lui, pendant ce temps, il a transporté une partie de sa marchandise dans le garage et tient boutique – sans faire de marché noir, tout de même.

Fernand fut presque déçu d'apprendre ces bonnes nouvelles. Mais sa femme se chargea de lui trouver d'autres façons d'employer sa générosité.

Une de ses vieilles tantes, Betty Chagnon, couturière à la retraite qui avait joui autrefois d'un grand renom, habitait Saint-Hyacinthe, en plein triangle noir. Elle vivait seule avec un chat dans un petit logement encombré de souvenirs de voyage et de vieilles bricoles, et elle faisait chaque jour sa visite au McDonald du coin, qui récompensait sa fidélité en lui offrant gratuitement le café. Lucie, inquiète de son sort, l'avait invitée au début de la crise du verglas à venir s'installer chez eux, mais l'autre, invoquant son grand âge, la fatigue du voyage, l'attachement à ses habitudes et la crainte que les voleurs ne profitent de son absence, avait refusé son offre, malgré toute l'insistance de sa nièce.

— J'ai une petite chaufferette au naphte, qui me suffit, lui avait-elle assuré de sa voix fluette et chevrotante, et aussi une bonne couche de graisse, comme tu sais, qui me protège du froid. Et puis mon propriétaire veille sur moi : il m'apporte de l'eau chaude chaque matin pour ma toilette – et un gros thermos de café bien sucré. Je t'assure, tout va bien.

Lucie, malgré son inquiétude, avait dû se faire une raison : Betty, comme tant de personnes âgées, refuserait de bouger, quelles que soient les conséquences. Elle lui téléphona quand même chaque jour pour prendre de ses nouvelles.

Le mercredi, 7 janvier, la vieille femme se plaignit d'un début de mal de gorge, ajoutant aussitôt que ses pastilles de menthol la soulageaient admirablement. Le jeudi, tout allait bien, assura-t-elle. Le vendredi, au plus fort du désastre, où les précipitations de pluie verglaçante atteignirent par endroits les cent millimètres et saccagèrent trois autres lignes de transmission, Betty s'inquiétait pour son chat Tit-Noir, qui ne cessait de grelotter ; mais elle paraissait toujours aussi déterminée à rester chez elle. Elle avait glissé sa chaufferette sous un petit escabeau, posé un coussin dessus et Tit-Noir sur le coussin; le chat s'était roulé en boule et venait de s'endormir. Maintenant, tout irait pour le mieux.

Le lendemain, elle ne répondit pas au téléphone. Lucie appela plusieurs fois, toujours en vain. Ne connaissant pas le nom du propriétaire, elle s'adressa à l'hôtel de ville. Saint-Hyacinthe était dans le chaos. Quelqu'un promit de la rappeler quand il en aurait le temps. Une autre journée passa.

— Elle est peut-être malade, elle est peut-être mourante, soupirait Lucie en tordant un coin de son tablier. Fernand, il faut y aller. S'il lui est arrivé quelque chose, je ne me le pardonnerai jamais.

Fernand saisit son manteau:

— J'y vais.

Alors, il se produisit dans l'esprit de sa femme un de ces retournements qui avaient le don de mettre le quincaillier en rogne:

— Non. Il faut que tu restes ici. J'aurais trop peur sans toi.

— Écoute, ma belle, fais-toi une idée. Si tu veux boire un verre d'eau, il faut mettre de l'eau dans un verre.

— Je vais trouver quelqu'un d'autre.

Monsieur Victoire venait de partir pour son travail. Blonblon était allé jeter un coup d'œil à sa boutique. Lodoïska s'occupait de la petite Bella. Parfait Michaud, dégoûté du Québec et de sa glace, avait quitté la maison au début de la matinée afin d'essayer de se dégoter des billets d'avion pour la Martinique. On ne savait pas où était passée Anouchka.

— Tu ne trouveras personne, conclut Fernand. Il n'y a que moi.

— Je ne veux pas que tu partes.

Il raccrocha son manteau avec un soupir excédé et s'enferma dans le salon. Vers deux heures de l'après-midi, torturée d'angoisse, Lucie téléphona au bureau du député Francœur et demanda à parler à Charles. Son patron l'avait envoyé chez lui se reposer. Elle décida alors d'attendre le retour de Parfait

Michaud, mais bientôt, n'en pouvant plus, elle changea encore une fois d'idée et téléphona à l'appartement de Charles, se disant qu'à son âge on pouvait encore jeter la fatigue par-dessus son épaule quand les circonstances l'exigeaient. Celui-ci, tout ensommeillé, accepta de se rendre à Saint-Hyacinthe. Une demi-heure plus tard, il passait prendre l'auto de Fernand, les cheveux en bataille et l'œil cerné, mais flatté par la mission qu'on lui confiait.

— Essaye de la ramener, supplia Lucie. Tu as toujours eu la parole bien en bouche, toi, elle risque de t'écouter... Toute seule à quatre-vingt-cinq ans dans un logis pas chauffé, c'est de la pure folie !

— Il y a longtemps que sa machine à raisonner ne tourne pas rond, déclara Fernand. La preuve, cette histoire de...

— J'ai bien hâte de t'entendre raisonner quand tu auras son âge, coupa Lucie. Pendant cinquante ans, elle a été la grande spécialiste des robes de mariage de la région de Saint-Hyacinthe. Respecte-la donc !

Charles contemplait le triplex du 2600, boulevard Laframboise. Une monstrueuse efflorescence de glaçons pendait tout le long de la corniche de l'immeuble à toit plat, dont toutes les fenêtres étaient sombres. Un glaçon s'allongeait également à la poignée de la porte du rez-de-chaussée comme à celle de la porte qui donnait sur un escalier intérieur menant à l'étage.

De toute évidence, personne n'habitait plus là.

La mort semblait peser sur la ville, étouffée sous son suaire de glace. Le trajet sur l'autoroute 20, presque déserte, lui avait pris une heure et demie ; dix fois, il avait passé près de terminer son voyage dans le fossé ou contre un monticule de neige ; il avait sué, haleté, maudit son inexpérience de chauffeur qui faisait de ce voyage entrepris pour rendre service une aventure de casse-cou. À la hauteur de Boucherville, il avait eu un frisson à la vue des pylônes effondrés, énormes masses de ferraille tordue autour desquelles s'agitaient de petits humains dérisoires. Malgré leurs efforts, les journaux et la télé n'arrivaient pas à rendre toute l'ampleur de la catastrophe. Le Québec croulait sous les attaques d'un ennemi sournois et invincible ; c'était la nature outragée qui remettait brutalement l'homme à sa place ; on n'assistait sans doute qu'au début de sa colère.

— Vous cherchez quelqu'un, monsieur ?

Charles n'avait pas vu l'homme approcher. La tête enfouie sous un capuchon, une tuque enfoncée jusqu'aux oreilles, son front à demi caché par une frange de cheveux gris, l'inconnu le fixait en souriant, le regard rempli d'une intense envie de rendre service.

— Oui. Madame Betty Chagnon. La connaissez-vous ?

— Bien sûr. Tout le monde connaît Betty dans le coin. On l'a transportée hier à l'Hôtel-Dieu, tout près d'ici, rue Dessaulles.

— Elle était malade ?

— Non, je ne pense pas. Mais, vous comprenez qu'avec ce qui nous arrive, on ne peut pas laisser les personnes âgées toutes seules chez elles... Il doit bien y en avoir trois ou quatre cents là-bas. Vous êtes de la parenté ?

— Si on veut.

— Elle va être contente de vous voir ! Elle n'avait pas l'air gaie, gaie, la pauvre, quand ils l'ont emmenée hier matin... Il paraît qu'ils se sentent tout perdus là-bas, les vieux. Remarquez qu'il y a de quoi...

Malgré l'envie manifeste de son interlocuteur de poursuivre la conversation jusqu'à l'épuisement total du sujet et de tous les sujets connexes, Charles remonta dans son auto et repartit. Un parc apparut bientôt à sa gauche, ses arbres décapités et démembrés, leurs troncs éventrés perdus dans un fouillis de branches qui recouvraient le sol. L'édifice qu'il avait pris de loin pour un hôpital était en fait le palais de justice, prétentieuse bâtisse aux arcades de tôle qui rappelait les constructions de foires ou d'expositions. Il demanda de nouvelles indications à un passant, revint sur ses pas et arriva devant l'Hôtel-Dieu. C'était un imposant bâtiment de brique construit au début du siècle, allongé d'une section plus récente.

Il remarqua une limousine stationnée devant l'entrée et son chauffeur derrière le volant en train de lire un journal.

Une sourde fébrilité régnait à l'intérieur. Des employés couraient. Un électricien, grave et affairé, déroulait un gros câble électrique dans un corridor. Quelqu'un au loin criait des ordres. Charles attendit plusieurs minutes devant la réceptionniste, débordée d'appels, qui ne s'était même pas aperçue de sa présence. Une infirmière passait. Il l'arrêta.

— Les personnes âgées? On les a installées dans la chapelle.

Elle tendit le doigt devant elle, ajouta quelques précisions et s'éloigna d'un pas pressé.

Il enfila un corridor, grimpa un escalier, prit à sa gauche un second corridor et se retrouva dans une cafétéria remplie de vieillards en train de grignoter ou de boire du café; de temps à autre, l'un d'eux chuchotait à l'oreille de son voisin ou, levant la tête, promenait autour de lui un regard effaré. Betty Chagnon se trouvait peut-être parmi eux. Comment le savoir?

Charles se fit indiquer la chapelle, qui donnait directement sur la cafétéria. L'endroit, fort vaste, avait fière allure avec sa haute voûte aplatie, ses murs peints en bleu et relevés de blanc, ses deux jubés superposés, soutenus par d'imposantes colonnes à chapiteaux rehaussés d'or. Mais, à part une demi-douzaine de fidèles à tête blanche en train d'invoquer la miséricorde de Dieu en ces temps d'épreuves, la chapelle était vide. Pourtant une rumeur l'habitait. Elle provenait des jubés. Charles vit passer une infirmière, puis un homme poussant un chariot. L'instant d'après, il prenait un ascenseur et se retrouvait devant des rangées de civières où on avait installé des vieillards. La plupart d'entre eux semblaient avoir pris leur mal en patience et essayaient de se reposer en attendant des jours meilleurs, mais quelques-uns montraient des signes d'agitation. Charles s'approcha d'un infirmier occupé à convaincre un grand homme osseux de ne pas retourner chez lui chercher ses médicaments, l'assurant qu'on lui en fournirait.

— Madame Chagnon? fit l'infirmier.

Il sortit de sa poche un petit calepin :

— Voyons voir... elle est au deuxième jubé de l'autre côté de la chapelle, juste en face, là, près de la première colonne à partir de la droite.

Charles reprit l'ascenseur. En arrivant au deuxième jubé, encore plus encombré de civières que l'autre, il aperçut devant lui un petit groupe d'hommes qui avançait lentement parmi les rescapés et qui s'arrêta bientôt devant l'un d'eux. À sa haute taille et à son port élégant, Charles reconnut aussitôt le ministre de la Santé, Jean Rochon, venu réconforter les gens et s'assurer qu'on leur donnait les soins nécessaires.

— Première colonne à droite, marmonna Charles. Ça doit être cette vieille, là-bas, avec un bonnet bleu...

Il s'approcha d'une femme courte et ronde, étendue sur une civière près d'un mur sous une sorte de mosaïque d'une touchante laideur, constituée de pois secs colorés et qui représentait la Sainte Vierge avec l'Enfant Jésus dans ses bras :

— Madame Chagnon?

Elle se retourna, les yeux remplis de larmes.

— Vous êtes bien madame Betty Chagnon? fit Charles après une courte hésitation.

— Oui, c'est moi, soupira-t-elle d'un ton larmoyant.

Charles n'eut pas le temps d'ajouter un mot. Le ministre de la Santé arrivait, accompagné de membres de la direction de l'hôpital. En l'apercevant, Betty Chagnon se mit à gémir tout haut.

Le ministre s'arrêta devant elle, surpris :

— Qu'avez-vous, madame?

— J'ai mal... partout, pleurnicha la vieille femme en se tortillant sous sa couverture. Je manque de place... c'est trop petit pour moi, cette civière... Regardez ma grosseur, monsieur le *minisse*...

Le ministre se retourna brusquement vers ses compagnons et, d'une voix forte et théâtrale:

— Qu'on apporte un lit à madame!

On entendit un ordre et quelqu'un s'éloigna à toute vitesse. Cependant, Betty Chagnon, loin de se calmer, s'était mise à sangloter en tordant ses mains.

— Mais qu'avez-vous, madame? Vous ne voulez pas de lit?

— Oui, oui, j'en veux un... et je vous remercie... du fond du cœur, monsieur le *minisse*... Mais il y a aussi autre chose... qui me fait bien de la peine, si vous saviez...

Le ministre Rochon, accroupi devant elle, une main posée sur le bord de la civière, l'écoutait attentivement.

— C'est rapport à Tit-Noir, monsieur le *minisse*...

— Qui est Tit-Noir, madame?

— C'est mon chat... Quand ils sont venus me chercher hier, ils n'ont pas voulu que je l'emmène avec moi... Il va mourir de froid, le pauvre, tout seul dans ma maison...

Et elle se remit à pleurer de plus belle.

Le ministre se redressa, indigné; sa forte carrure sembla se faire plus imposante encore. Un de ses compagnons cravatés recula d'un pas.

— Qu'on aille chercher le chat de madame! lança le ministre d'une voix qui se répercuta dans toute la chapelle.

Charles s'avança:

— Je sais où elle demeure, monsieur Rochon. Je peux y aller tout de suite. Il suffit qu'on me donne la clé.

Le ministre le fixa un instant, et d'un ton radouci:

— Il me semble vous connaître, vous...

— Charles Thibodeau, monsieur, fit Charles en lui tendant la main. Je suis le secrétaire de comté de Normand Francœur, et un peu parent aussi avec madame...

Betty Chagnon avait tiré son sac à main de sous la civière et lui présenta un trousseau de clés d'une main tremblante :

— C'est la clé brune avec le bout rond, oui, celle-là... Merci, merci, vous êtes tellement fin !

— Est-ce que je peux faire autre chose pour vous, madame ? demanda Jean Rochon en s'inclinant devant la vieille femme.

— Non, non, ça va, ça va, je vous remercie mille fois... Que Dieu vous bénisse, monsieur le *minisse*... Tout ce que je souhaite... c'est que mon Tit-Noir ne soit pas mort...

Charles n'entendit pas cette dernière phrase. Il avait déjà quitté la chapelle au pas de course et dégringolait un escalier quatre à quatre en se retenant par la rampe.

Quelques instants plus tard, il arrivait de nouveau devant le 2600 du boulevard Laframboise. Il bondit hors de l'auto, puis s'arrêta, perplexe : il avait oublié de demander à Betty Chagnon où elle habitait précisément, mais supposa qu'elle occupait l'un des deux appartements à l'étage. Il lui fallut plusieurs minutes pour dégager la porte d'entrée de la gaine de glace qui l'avait soudée à son chambranle et plusieurs autres minutes, une fois parvenu en haut de l'escalier intérieur, pour glisser la bonne clé dans la bonne serrure et pénétrer chez la vieille dame.

Il se retrouva dans un salon fort modeste où se dressait majestueusement, gloire de la maison, un appareil de télévision dernier cri.

— Minou, minou, minou, susurra-t-il de sa voix la plus charmeuse, viens, mon Tit-Noir... viens te réchauffer avec Betty...

Il ne se faisait pas d'illusions. La bête s'était sans doute cachée et ne viendrait pas à l'appel d'un inconnu. Peut-être était-elle morte ?

L'appartement se composait de deux chambres, d'une salle de bains, d'une cuisinette et d'une salle à manger où, curieusement, on avait installé un réfrigérateur, une laveuse et une sécheuse. Le quétaine triomphait partout : fleurs artificielles, dentelles de plastique, pantoufles de Phentex, collection d'assiettes à l'effigie de la reine Élisabeth II, salle de bains décorée à la Mickey Mouse, etc. Un froid humide et pénétrant remplit bientôt Charles de frissons.

— Minou, minou, minou, répétait-il en passant d'une pièce à l'autre, scrutant les coins, ouvrant les placards, les armoires et les garde-robes.

Tit-Noir demeurait introuvable. Peut-être s'était-il échappé à l'extérieur quand on était venu chercher sa maîtresse ?

L'idée de revenir à l'Hôtel-Dieu les mains vides ne souriait pas du tout à Charles. Il poursuivit ses recherches, inspecta les tiroirs d'une commode, déplaça le réfrigérateur, la laveuse, la sécheuse.

Tit-Noir s'était transformé en abstraction. Peut-être la vieille femme, devenue sénile, l'avait-elle imaginé ?

Soudain, en revenant dans la chambre à coucher de Betty, il crut déceler un léger renflement au milieu du lit. Il souleva les draps : rien.

La bête, cherchant désespérément de la chaleur, s'était glissée entre le sommier et le matelas. Il la retira sans qu'elle offre la moindre résistance. Il la crut morte, mais elle ouvrit les yeux, pour les refermer aussitôt, épuisée par le froid, au bout de ses forces. Il la glissa sous son manteau et se hâta vers l'Hôtel-Dieu.

La joie de Betty Chagnon, installée dans son nouveau lit, frôla le délire. Elle embrassait les mains de Charles en pleurant et l'appelait son sauveur, car, disait-elle, la perte de son *beau Tit-Noir* l'aurait tuée. Quand elle apprit que c'était Lucie qui l'avait envoyé et qu'il était ce fils adoptif qu'elle avait vu deux ou trois fois lorsqu'il était bébé, il devint un dieu. Elle le regardait, les mains jointes, la mâchoire pendante, plongée dans une extase qui suspendait sa pensée. Pendant ce temps, Tit-Noir, lové entre les cuisses de sa grasse maîtresse, ronronnait à perdre haleine, toujours parcouru de frissons.

Charles n'eut aucune peine à la convaincre de le suivre. Au contraire, elle ne demandait pas mieux, à présent, car on disait que la grippe courait dans l'hôpital.

— Et la grippe, monsieur, *dans nos âges*, c'est souvent la mort, comme vous le savez bien.

La direction de l'hôpital, par contre, fit des difficultés. Il fallut discuter, on demanda à parler à Lucie, et Charles dut signer une formule dégageant l'établissement de toute responsabilité.

Vers sept heures enfin, sa vénérable rescapée confortablement installée à l'arrière de l'auto sous d'épaisses couvertures, Tit-Noir sur ses genoux glissé dans un manchon, Charles filait de nouveau sur l'autoroute 20, qu'on venait de déglacer.

L'arrivée de Betty donna lieu à des attendrissements considérables et Charles fut couvert d'éloges comme s'il venait d'inventer l'élixir de longue vie ou le remède contre le sida. Lucie l'invita à souper, mais il refusa ; il préférait aller rejoindre Céline qui l'attendait à leur appartement.

Fernand tint à le reconduire chez lui en auto et profita du trajet pour lui confier qu'il espérait que le séjour de Betty ne se prolongerait pas trop, car il la trouvait bête comme un troupeau d'oies.

— Je la trouve gentille, moi. Elle aime jaser.

— Justement. Elle jase tout le temps. Sans sujet.

Charles lui souhaita bonne chance et entra chez lui. Il mourait de faim, tombait de fatigue et avait hâte de se retrouver avec Céline.

La soirée lui réservait toutefois des émotions bien plus fortes que celles de l'après-midi.

35

La soirée avait pourtant commencé dans une tranquillité de fond de campagne où l'ennui menace à tout moment de montrer le museau. Ils avaient mangé d'excellents spaghettis à la carbonara qui les avaient délicieusement alourdis. Charles s'était attardé sous la douche, puis avait enfilé sa robe de chambre et d'épaisses chaussettes de laine pour tenter de réchauffer ses orteils, qui restaient encore glacés de son expédition à Saint-Hyacinthe. Il avait ensuite parcouru les journaux tandis que Céline corrigeait des travaux, puis, à dix heures, une tasse de chocolat chaud à la main, ils s'étaient installés devant la télévision pour le bulletin de nouvelles.

C'est à ce moment qu'on avait sonné à la porte. Céline était allée répondre ; il y avait eu quelques mots échangés à voix basse, puis Charles avait entendu une sorte de hoquet et Céline était revenue, très pâle :

— C'est pour toi.

Charles la regardait, intrigué, vaguement inquiet :

— Qui est-ce ?

— Tu verras bien.

Au moment où elle disait ces mots, un cri retentit, d'une force et d'une clarté qui n'appartiennent qu'aux très jeunes enfants, et Charles, dans un éclair, devina tout.

Il bondit sur ses pieds et, resserrant le cordon de sa robe de chambre, se précipita vers l'entrée. Jennie l'attendait, le petit Étienne dans ses bras, mais une Jennie si changée que c'est d'abord son fils que Charles reconnut ; il se mit à les fixer, stupéfait. À sa vue, l'enfant cessa de s'agiter et lui sourit en poussant un gazouillement étranglé.

— Bonsoir, dit froidement Jennie. J'espère que je ne te dérange pas trop ?

Il répondit par un vague signe de tête, incapable de rassembler ses idées. Elle portait les cheveux très courts à présent, et cela lui arrondissait le visage, qui s'était peut-être un peu rempli. Ses traits fatigués, durcis, sa peau d'un blanc terne, la lourdeur de son regard étaient ceux d'une femme d'au moins dix ans plus vieille. Que lui était-il arrivé?

— Es-tu content de voir ton garçon? demanda-t-elle d'un ton mordant.

— Oui, bien sûr... Mais pourquoi es-tu...

— Je suis venue te le porter, figure-toi donc. C'est ton tour, maintenant. Et ton tour va durer longtemps, crois-moi, car je n'en veux plus. Eh non, je n'en veux plus, Charles. Je ne veux plus rien de toi. Rien de rien, comprends-tu? J'aurais dû suivre ma première pensée et me faire avorter. Mais, avec tes belles paroles et tes douces caresses, tu m'avais convaincue de le garder. Eh bien, garde-le, toi, si tu y tiens tant. Il est tout à toi. Je te le donne. Maintenant que papa est mort, il n'y a plus rien qui...

— Ton père est mort?

— Tu ne le savais pas? Eh oui, il est mort, et maman se tape une dépression. Alors, avant de perdre la tête à mon tour, je viens te porter le fruit de ta semence, comme on dit dans la Bible. Bonne chance.

Elle s'avança et mit l'enfant dans ses bras; celui-ci gigotait en poussant des cris stridents. Elle le contempla un instant avec un sourire fielleux, ouvrit la porte, puis, se retournant:

— Il y a deux boîtes de carton sur le trottoir. Elles contiennent ses affaires.

La porte se referma. Il y eut un ronflement de moteur. Elle était partie.

Le petit Étienne hurlait, à présent, et s'agitait si violemment que Charles avait peine à le retenir. Quelque chose se développait en lui, à mi-chemin entre la nausée et l'étourdissement, et une telle faiblesse l'avait envahi qu'il était surpris de se tenir encore debout.

Soudain, Céline se trouva devant lui et prit doucement l'enfant :

— J'ai tout entendu, dit-elle d'un ton calme et recueilli. Habille-toi et va chercher les boîtes avant qu'on ne les pique.

Charles obéit. Il allait et venait, comme assommé. Céline s'était assise sur le canapé et berçait l'enfant, qui se calmait peu à peu. Une odeur fade et pénétrante se mit à flotter dans la pièce. Il fallait le changer. Charles ouvrit la première boîte et, après avoir fouillé un moment, mit la main sur des couches de papier. La deuxième boîte, très lourde, contenait les pièces démontées d'une table à langer. Il l'assembla lentement dans la salle de bains avec des gestes de somnambule.

Céline avait fait chauffer du lait dans un biberon et le donna à l'enfant, qui finit par s'endormir ; mais, quand on voulut le coucher sur des coussins, il se réveilla brusquement. À la troisième tentative, le sommeil sembla venir enfin. Charles, les bras ballants, observait en silence son amie. Toujours en proie à cette espèce d'étourdissement nauséeux qui lui enlevait toutes ses forces, il n'aspirait qu'à dormir, à dormir le plus longtemps possible, afin d'échapper au chaos dans lequel il se sentait plongé.

Le sort se montra bienveillant pour Charles, car le petit Étienne ne se réveilla qu'à six heures le lendemain matin. Pendant que Céline prenait sa douche, il l'assit sur ses genoux dans la cuisine et lui donna le biberon. L'enfant buvait avec avidité. De temps à autre, il s'arrêtait, levait la tête et fixait son père d'un œil intrigué, puis promenait son regard dans la pièce, comme s'il était en train de réaliser le profond changement que venait de subir sa vie.

Un changement non moins profond s'était produit dans celle de Charles et de Céline. Avant de se coucher, celle-ci avait téléphoné à sa mère pour lui annoncer les derniers événements et lui demander son aide, le temps qu'ils s'organisent. Lucie avait aussitôt offert d'aller garder l'enfant le lendemain matin.

— Je serai là à huit heures tapant, promit-elle. Et j'apporterai de la nourriture pour bébés, tant qu'à y être. Est-ce qu'il souffre d'allergies?

Charles avait mis le petit garçon par terre et prenait son café, assis en face de Céline, qui avalait ses rôties à toute vitesse, car elle avait un rendez-vous à la première heure. De temps à autre, ils jetaient un coup d'œil en direction de l'enfant, qui promenait gravement ses mains sur le plancher en scrutant chaque détail du linoléum.

— Comment te sens-tu, mon chéri? demanda Céline en se levant.

— Drôle. Tout est arrivé si vite! Je vais demander congé pour trouver une gardienne et faire des courses.

Puis il ajouta:

— Je m'inquiète pour toi.

— Pourquoi?

— Je t'impose mon enfant. Ça n'avait pas été prévu, ça. Notre vie ne sera plus la même. Je me demande ce que tu en penses.

Elle s'approcha et, lui enlaçant le cou, posa sa joue contre la sienne:

— Fais-moi un ou deux bébés, mon amour, et tu verras combien je les aimerai, tes enfants, même ce p'tit bout de chou qui n'est pas de moi. Bon!... voilà que le papa se met à pleurer, à présent... Quel cœur sensible!

Et elle se mit à l'embrasser passionnément tandis qu'Étienne les observait avec la plus grande attention.

Lucie arriva à l'heure dite. Mais elle n'était pas seule. Betty Chagnon l'accompagnait. La vieille dame, tombée amoureuse du sauveteur de son chat, tenait absolument à voir la merveille qu'il avait procréée.

Après s'être longuement extasiées sur l'enfant, qui leur parut doué d'un caractère merveilleusement calme et accommodant, et sûrement promis à de grandes choses, comme son père, les deux femmes se tournèrent vers des réalités plus prosaïques mais éminemment utiles. L'appartement de Charles comptait une petite chambre qui servait de débarras. Elles décidèrent que ce serait la chambre d'Étienne et se mirent en frais de la soumettre à un vigoureux nettoyage.

C'était Lucie, en fait, qui s'acquittait du gros travail, aidée de Charles, Betty se contentant de déplacer de petits objets en les époussetant et, surtout, de babiller.

En trois minutes, Charles put juger de son envergure intellectuelle et comprendre la dureté des propos de Fernand à son sujet, qui l'avaient quelque peu scandalisé la veille. Elle parla d'abord des problèmes de son nouveau téléviseur, dont la qualité de l'image laissait à désirer.

— J'ai acheté du japonais et je n'aurais pas dû, soupira-t-elle. Voyez-vous, ces appareils-là doivent être faits pour des émissions japonaises, et moi, je n'en écoute jamais.

Charles exprima ses doutes les plus profonds sur ce curieux diagnostic, sans pouvoir la convaincre. Lucie les écoutait, se retenant de rire.

Puis Betty exhiba un portefeuille qu'elle venait d'acheter, fait d'un *tissu spécial* :

— Je l'ai payé cher, mais ça valait la peine.

— Pourquoi ? demanda Charles.

— Parce qu'il est très pratique. Voyez-vous, Charles, peu importe ce qu'on met dedans, il garde toujours *la même épaisseur*. C'est ce que le vendeur m'a garanti.

— Mais voyons, madame Chagnon, c'est impossible ! Si vous glissez une brique dedans, il va prendre au moins l'épaisseur de la brique !

— Non, non, non... Il est fait d'un *tissu spécial*... Vous n'avez pas compris.

Charles lança un regard désespéré à Lucie; elle eut un imperceptible haussement d'épaules et se remit au torchon.

Une heure passa. Charles était allé acheter *Le Journal de Montréal* et parcourait les petites annonces à la recherche d'une gardienne. La vue du journal rappela à Betty un article qu'elle y avait lu la veille, et elle annonça à Lucie qu'elle voulait profiter de son séjour à Montréal pour se rendre chez un concierge, boulevard Deguire, à Saint-Laurent.

— Et pourquoi donc? demandèrent ses compagnons, intrigués.

— Parce que cet homme a trouvé une icône miraculeuse dans une poubelle il y a deux ou trois mois. Y a de l'huile qui en suinte, imaginez-vous donc! Et on dit que c'est l'huile du mont des Oliviers où Jésus s'est fait arrêter avant qu'on le crucifie... Les gens vont y tremper un cure-oreille et le frottent sur leurs parties malades, et ils guérissent! Moi, forte comme je suis, j'ai toujours eu des problèmes avec mes genoux. Je suis sûre que cette huile va m'aider... Tu devrais faire comme moi, Lucie, pour tes maux de ventre.

Charles sentit alors le besoin d'aller prendre l'air. Le petit Étienne venait de se réveiller et poussait des cris. Il décida de faire une promenade avec lui dans le quartier.

Aussitôt qu'il sentit l'air froid, l'enfant se calma. Charles, debout sur le perron, l'observait. Le bébé, la tête renversée en arrière, fixait un moineau posé sur un fil électrique et occupé à s'épucer. Puis il ramena son regard sur Charles et poussa un long gazouillement en agitant les bras avec des mouvements vigoureux.

— Eh ben, fit Charles, étrangement ému, me voilà devenu père de famille...

◈

418

Par un limpide après-midi de printemps, trois mois plus tard, Charles venait de quitter Fernand et Lucie, qu'il était allé voir avec son petit garçon, lorsqu'une idée subite le prit de se rendre sur les lieux de son ancienne garderie afin de vérifier si le merisier se dressait toujours au-dessus de la tombe du petit chien jaune. Voilà longtemps qu'il n'y était allé ; le souvenir de l'animal, enfoui dans sa mémoire, venait de réapparaître avec toute sa force, sans que Charles pût s'expliquer pourquoi.

La garderie, convertie bien des années auparavant en atelier de menuiserie, ne se trouvait qu'à quelques rues. Étienne, particulièrement joyeux ce jour-là, adorait les promenades en poussette qui, chaque fois, lui permettaient de faire des découvertes extraordinaires.

Mais, cette fois, c'était son père qui en ferait une, et de taille.

Dix minutes plus tard, ils arrivaient à l'ancienne garderie. Vu de la rue, le bâtiment de brique sans étage n'avait guère changé, et cela avait toujours procuré à Charles une sorte de plaisir indéfinissable, comme si ses jeunes années n'avaient pas complètement disparu. Mais un grondement sourd, rageur, obstiné, provenant de l'arrière du bâtiment, l'avertit qu'un malheur venait de se produire. Charles poussa une barrière, longea un mur et se rendit dans la cour.

On agrandissait l'atelier par l'arrière et une excavatrice était en train de creuser un trou béant à l'emplacement du merisier qui, déjà à moitié décapité par le verglas, gisait lamentablement sur un monticule de terre en exhibant ses racines broyées. Du même coup, on avait détruit la tombe du petit chien jaune, éparpillé ses ossements, et un lieu sacré pour Charles venait de s'effacer.

Ce dernier s'en alla, tout attristé, mais en essayant de se consoler ; tout cela n'avait guère d'importance, après tout ; il ne s'agissait que d'une fantaisie d'enfant qui avait occupé un peu trop longtemps son esprit. Les consolations que lui avait apportées le petit chien jaune dans ses moments de détresse venaient de lui-même et de personne d'autre. C'était lui, par ses propres forces, et avec l'aide, bien sûr, de Fernand, de Lucie, de Parfait Michaud et de tant d'autres, qui avait réussi à déjouer le mauvais sort, lequel s'était amusé à placer sur son chemin des crevasses béantes, des forêts inextricables, des rivières pleines de tourbillons perfides. Charles avait vaincu de peine et de misère la plupart des obstacles et, s'il se retrouvait aujourd'hui avec les mains un peu écorchées, son sort valait celui de beaucoup de ses semblables.

Il descendit dans le métro et, encore une fois, le bruit assourdissant de la rame fit faire la lippe à Étienne, mais il ne pleura pas, car Charles murmura toutes sortes de folichonneries à son oreille.

Trois heures sonnaient au clocher de l'église Saint-Stanislas lorsqu'ils arrivèrent à la rue Garnier.

De loin, Charles aperçut un animal assis devant sa porte et crut qu'il s'agissait du chat de la voisine, grosse bête affectueuse qui venait s'empiffrer chez eux de temps à autre et pour laquelle Céline s'était prise d'affection.

Mais, en approchant, il constata que c'était un chien, un petit chien jaune qui semblait attendre quelqu'un. Un petit chien jaune? Comme c'était curieux!

À sa vue, la bête bondit vers lui avec de joyeux jappements et se mit à tournoyer en gambadant, délirante, sautant de temps à autre contre ses jambes, labourant son pantalon avec ses griffes, tandis que Charles, stupéfait, la contemplait en silence et que le petit Étienne, tout excité, agitait les mains pour essayer de l'attraper au passage.

— Allons! semblait dire le chien, tu ne me reconnais pas? Depuis le temps qu'on se fréquente! Réveille-toi un peu! Prends-moi dans tes bras, niaiseux, et caresse-moi, je suis venu te trouver, nous allons désormais vivre ensemble! N'est-ce pas ce que tu voulais?

Charles s'était accroupi et le chien, debout entre ses cuisses, lui léchait le visage avec frénésie et continuait de japper. Il n'avait ni médaille ni collier et semblait venu de nulle part.

Attirée par le bruit, Céline ouvrit la porte :

— Tiens, c'est vous ? Et d'où vient-il, celui-là ?

— Si je te le disais, répondit Charles en souriant, la main levée pour se protéger des coups de langue, tu ne me croirais pas.

FIN

Longueuil, 15 février 2006

ACHEVÉ D'IMPRIMER EN AVRIL 2006
SUR LES PRESSES DE TRANSCONTINENTAL IMPRESSION
DIVISION GAGNÉ, LOUISEVILLE (QUÉBEC)